JN125349

ALGORITHMS OF OPPRESSION

HOW SEARCH ENGINES REINFORCE RACISM

抑圧のアルゴリズム

検索エンジンは人種主義をいかに強化するか

サフィヤ・U・ノーブル｜著　大久保彩｜訳　前田春香・佐倉統｜解説

明石書店

抑圧のアルゴリズム——検索エンジンは人種主義をいかに強化するか　◎目次

謝辞　9

はじめに――アルゴリズムの力　19

第1章　検索する社会　39

グーグル検索――前景化する人種主義と性差別　43
検索を理論化する――ブラック・フェミニズム的プロジェクト　60
グーグルの重要性　66
権力としての検索結果　69
システムを出し抜く――検索エンジン最適化と検索結果の流用　84
検索エンジンによる公有財産の囲い込み　90
検索におけるバイアス　99
人種・ジェンダー中立的なナラティブに異議を唱える　102
サイバートピアに異議を唱える　107

第2章　黒人の女の子を検索する　113

検索結果に責任を負うのは誰か？　118
検索エンジンにおける「黒人の女の子」のポルノ化はどのように起こるのか　143
新自由主義的市場における黒人性　149
商品（コモディティ・オブジェクト）としての黒人の女の子　152

人種アイデンティティの歴史的分類——古い伝統は死なない　155
ポルノ的表象を読み解く　162
黒人の女性・女の子についての正当な情報を提供する　169
何が見つかるかには大きな意味がある　170

第3章　人々とコミュニティのための検索　177

第4章　検索エンジンからの保護を求めて　191

「忘れられる権利」をめぐって　195

第5章　社会における知識の未来　215

「不法滞在外国人（イリーガル・エイリアン）」再考　218
人々の分類がはらむ問題　220
人々の分類における誤表象の小史　223
リアリティの源としての検索　235
人々をめぐる情報に文脈をもたらす　237
文化的に状況づけられた情報をウェブで探す　239
情報テクノロジーによる社会関係の再生産　241

第6章　情報文化の未来　245

情報の独占　250
なぜ公共政策が重要なのか　253
機会の源としてのウェブ　256
社会的不平等はアプリでは解決しない　265

結　論　抑圧のアルゴリズム　271

倫理的なアルゴリズムの未来に向けて　273
アルゴリズムと不可視性——カンディスへのインタビュー　274
オルタナティブを想像する——非商業的な公共検索に向けて　286
黒人の女の子はいまどこに？　288

エピローグ　291

解　説（前田春香／佐倉統）　297

原　注　318
参考文献　332
索　引　341

ニコとジリアンへ

凡例

＊〔　〕内の記述は原著者による補足である。

＊［　］内の記述は訳者による補足である。

謝辞

この研究が実現したのは、多くの人々や組織が支えてくれたおかげである。まず、夫で人生のパートナーのオーティス・ノーブル3世は、まさに私の最も熱心で愛情深い支持者であり、本書を執筆し、出版前に全国を回って紹介するにあたって最も苦労をかけた。彼のサポートには、感謝してもしきれない。彼は、「アメリカのビジネス界を離れて博士号を取り、教授になるという生涯の夢を叶えたい」という私の考えを、何年も前から理解してくれていた。オーティスと出会ったときには、これはただ頭で思い描いているだけの、とてもありえない、ばかばかしいほど叶いそうもない願いだった。無理だとあきらめていた私をよそに、彼は実現するための道筋を描いてくれた。これこそが愛の本質だと思う。つまり、相手の最も優れ、最も深遠で傑出した側面を、本人には見えなくなっているときに見出す力である。これが、この本を書いている間、彼が私にしてくれたことであり、本書の執筆に伴うストレスのなかでも、この目標に取り組む私を毎日愛し続けてくれた。私は、息子にも同様に恩を感じている。親として欠点があり、本書の執筆のために遊んだりプールに行ったりすることができないときもあった私に、彼は、揺るぎない無条件の愛とこのうえない喜びをもたらしてくれた。そして、私が研究者になるために費やした多くの年月のなかで、継娘が立派な女性に成長していく姿を見守ることができたことにも感謝している。あなたたちにも、私のようにすべての夢を叶えてほしいと願っている。

中西部に移り住み、混合家族のなかで、そのあらゆる喜びや困難とともに暮らし、愛するという経験が、私の人生に影響を与えてきた。それがなければ、研究者としての仕事を追求することもできなかっただろう。結婚を通じて家族になった女性や女の子たち、そして男性たちがいなければ、この研究はまったく意義深いものにはならなかっただろうし、不可能ですらあったかもしれない。ノーブル家は、私の家庭生活の中心になった。ともに過ごしてきた素敵な時間に感謝している。生来の家族も、結婚でできた家族も、選択家族も、多くの家族が、私のなかに跡を残し、望ましい方向に導いてくれた。姉は、私にとって大きな支えとなってくれた。そのことに深く感謝している。そして、この研究について最も多く言いたいことがあるであろう私の「一番大好きな兄（フェイブリット・ブラザー）」は、いつも私の考えを明瞭にしてくれる。政治に関して意見が一致することはほとんどないが、それでも互いを愛しているからだ。私のことを理解できないときでも、私のために喜んでくれる二人とその家族に感謝している。また、やさしくて愛情深いジョージ・グリーンとオーティス・ノーブル・ジュニアにも感謝を伝えたい。あなたたちは、私にとってよき父であったし、いまもそうである。

みずから選んだ姉妹（チョーズン・シスター）であるトレニーン、タマラ、ヴェーダ、ルイーズ、ナディーン、イマニ、ロリ、ティイ、モリー、ライアンは、いつも私を鼓舞し、知的・政治的な相談相手になってくれる。また、ルイーズ、ビルとローレン・ゴッドフリー、ジア、エイミー、ジェニー、クリスティ、タムシン、サンドラなど、アメリカ中にいる親友たちの支えがなければ、この本を完成させることはできなかった。名前を挙げられることを望まないであろう友人たちも、自分のことだとわかるはずだ。高校、大学、アメリカのビジネス界、大学院を通じたこの生涯の友人たち〔そしてときにはその両親や子どもたち〕は、私にとって本当に特別な存在である。本書の執筆のため、かれらやその家族たちとの特別な時間をなかなかもてなかったが、私がどれほど深く感謝しているか知ってほしいと思う。

この研究への情熱に火がついたのは、イリノイ大学のリサ・ナカムラ博士が率いる研究グループにおいてであり、そこでの貴重なやり取りがなければ、この研究を結実させることはできなかった。サラ・T・ロバーツとミリアム・スウィーニーは、私が最も信頼を寄せる姉妹（シスター・スカラー）のような研究者であり、この研究を批判的に見守り続け、商用検索における黒人の女性・女の子の表象の現実に私が打ちのめされそうなときには、励まし、慰め、笑わせ、奮い立たせてくれた。特にサラは、このプロセスを通じて強力な知的同志であってくれた。長年にわたる、そして今後も続く、多くの共同研究に感謝している。執筆における私たちのパートナーシップは、デジタル技術がもたらす多くのアフォーダンス〔環境が人間や動物に与える意味や価値〕と影響に取り組むためのものであり、研究者としてのキャリアのなかで、最も活力に満ちた楽しい部分の一つである。

この研究の最終段階にいたるまで、手を貸してくれた同僚たちがいる。かれらは数えきれないほどの時間を費やして、私が書いたものを読み、批評し、論文・書籍・ウェブサイト・資料を紹介してくれた。この研究における最良の思考やアイデアは、類いまれな知性とその分野の専門家たちに囲まれるなかで培われた集合知から生まれた。一冊の本の執筆にどれほど多くの人々のサポートが必要かということには圧倒される思いであるが、本書を完成させるにあたってそれだけ多くの人や組織が大きな支えとなってくれた。ここですべての方々の名前を挙げることは叶わないが、その励ましが本書に寄与したということをわかってもらえればと思う。

ニューヨーク大学出版の編集者アイリーン・カリシュとケイリン・コッブには、本書を完成に導いてくれたことに感謝している。『ビッチ』誌の編集者たちには、はじめての一般向けの執筆の機会を与えてくれたことにお礼を言いたい。『USAトゥデイ』紙や『クロニクル・オブ・ハイヤーエデュケーション』紙など、私の研究の社会的価値を認めてくれた多くのジャーナリストにも感謝している。

教授のシャロン・テトゥガ、レイヴォン・フーシェ、リサ・ナカムラ、リー・エスタブルックらは、この研究の各段階で、さまざまな形でゴーサインを出してくれた。初期の指導教員キャロライン・ヘイソーンスウェイトと、イリノイ大学情報学部の前学部長ジョン・アンスワースからも、多くの場面で重要な助言とサポートを受けた。

イリノイ大学アーバナ・シャンペーン校のリンダ・C・スミス博士は、熱心に私を支え続けてくれた。彼女が静かに、しかし力強く批判的情報研究者たちを擁護してきたことで、この分野は大きく変わり、私と家族は、到底恩を返しきれないほど支えられた。彼女のリーダーシップ、思いやり、ユーモア、そして信じられないほどの知性がなければ、この研究は実現しなかっただろう。そのことにとても感謝している。彼女からすれば些細であるかもしれないことも、私にとってはきわめて大きな意味があった。その恩に報いる方法を見つけられず心苦しく思うほどだ。スミス博士はすばらしい人間である。彼女が、私をこのキャリアに導いてくれたこと、そして私が障害に直面したり、認めてもらう必要があると思っていた人々から支援を得られないと感じていたりしたときにも、私の研究は価値ある独創的な貢献だと信じてくれたことにお礼を言いたい。彼女がお墨付きをくれたことは、私にとってとても大きな価値がある。心からの感謝を捧げたい。

シャロン・テトゥガ博士は、研究者としてのあり方を教えてくれた。彼女の指導がなければ、私のこれまでのキャリアはなかっただろう。STEM〔科学・技術・工学・数学〕分野へのアフリカ系アメリカ人女性の貢献を優先課題にするために全米的なリーダーシップを発揮している点や、変化を生み出す優れた仕事をすることへの徹底した献身ぶりを尊敬している。彼女は、私の人生に非常に大きな変化をもたらしてくれた。

研究者や寄稿者としての模範を示し、人種・ジェンダー・社会をめぐる研究への情熱をいつも呼び起こしてくれるブラック・フェミニストたちにも恩を感じている。シャロン・エリス、アンジェラ・Y・デイヴィス、ジェミマ・ピエール、ヴィルナ・バシー・トレイトラー、イマニ・バゼル、ヘレン・ネヴィル、シェリル・ハリス、カレン・フリン、アロンドラ・ネルソン、キンバリー・クレンショウ、ミレイユ・ミラー・ヤング、ベル・フックス、ブリトニー・クーパー、キャサリン・スクワイアーズ、バーバラ・スミス、ジャネル・ホブソンに感謝したい——なかには、直接会ったことはないもののその知的活動から長年にわたって大きな影響を受けてきた人物もいる。また、イザベル・モリーナ、サンドラ・ハーディング、シャロン・トラウィーク、ジーン・キルボーン、ナオミ・ウルフ、ナオミ・クラインの研究にも深く感謝している。ハーバート・シラー、ヴィジャイ・プラシャドの研究も、私にとって重要なものであった。

私は多くの友人の研究に対して非常に敬意を払っており、かれらには特に知的に支えられた。私の研究やキャリアを批判的に見守り、商用検索における黒人の女性・女の子をめぐる表象の現実に私が打ちのめされそうなときには鼓舞してくれた。以下、アルファベット順に名前を挙げたい——アンドレ・ブロック、エルギン・ブルトゥ、ミシェル・キャズウェル、スンジャータ・チャ・ジュア、ケイト・クロフォード、ジェシー・ダニエルズ、クリスチャン・フックス、ジョナサン・ファーナー、アン・ジリランド、ターニャ・ゴーラッシュ＝ボザ、アレックス・ハラヴェ、クリスタ・ハーディ、ピーター・ハドソン、ジョン・I・ジェニングス、グレゴリー・リーザー、デイヴィッド・レオナード、キャメロン・マッカーシー、チャールトン・マクルウェイン、マリカ・マッキー・カルペッパー、モリー・ニーセン、テリー・センフト、トニア・サザーランド、ブレンディージャ・タインズ、シヴァ・ヴァイディアナサン、ズレマ・バルデス、アンハラード・ヴァルディヴィア、メリッサ・ヴィラ・ニコラス、マイラ・ワシントン。このすばらしい研究者たち——ここに名前を挙げた研究者も、名前はないが本書で引用した研究者も——に心からの感謝を捧げたい。

　データ収集に協力してくれた、イリノイ大学の同僚スンナ・スーとカリフォルニア大学ロサンゼルス校の同僚ジェシカ・ジャイエオラにはいまでも感謝している。リンデ・ブロカート博士とサラ・T・ロバーツ博士は、並外れてすばらしいコーチであり、編集者であり、非常に頼りになる存在であった。マーナ・モラレス、メドウ・ジョーンズ、ジャズミン・ダンツラーは、たくさんの笑いをもたらし、とても大きな支えとなってくれた。私が本書を完成させ、さらに新たな挑戦を始められるように尽力してくれたパトリシア・チッチョーネとダイアナ・アッシャー博士にも深く感謝している。

　カリフォルニア大学ロサンゼルス校教育・情報学大学院、イリノイ大学メディア学部、イリノイ大学情報学部、そしてリンダ・C・スミス博士とダン・シラー博士率いる博物館・図書館サービス機構（Institute of Museum and Library Services）が出資するインフォメーション・イン・ソサエティ奨学金からの経済的支援がなければ、この研究を完成させることはできなかった。イリノイ大学のコミュニティ・インフォマティクス・イニシアチブからも支援を受けた。この研究の初期段階に支援してくれた、人文・芸術・社会科学におけるコンピューティング研究所（I－CHASS）、イリノイ大学のケヴィン・フランクリン博士のリーダーシップと友情、HASTACコミュニティの中心メンバーたちにも深く感謝している。イリノイ大学とカリフォルニア大学ロサンゼルス校ではすばらしい学生たちと出会い、教師としてともに学び、成長することができた。近年は、カリフォルニア大学ロサンゼルス校の情報学科、アフリカ系アメリカ人研究科、ジェンダー研究科の同僚たちに支えられた。かれらは、本書の刊行にいたるまで、私の研究の寛大な擁護者となってくれた。多大な支援をしてくれた、この世界有数の大学の同僚たち、そして南カリフォルニア大学アネンバーグ・コミュニケーション学部の新たな友人たちに感謝している。同学部を率いるサラ・バネット・ワイザー博士はすばらしい研究者であり、彼女から受けた支援は私にとって大きな意味をもっている。

多くの人々が毎日懸命に働き、私が存分に活動できる環境をつくり出してくれている。日頃からトラブルに対処し、問題を解決し、出張を手配し、会議のスケジュールや場所を調整し、あたたかな励ましの言葉をかけてくれた、イリノイ大学とカリフォルニア大学ロサンゼルス校の職員のみなさんがいなければ、私はこのプロセスを乗り切ることはできなかっただろう。

サポートにはさまざまな形があるが、アーバナのピクソ（Pixo）、サンフランシスコのパスブライト

(Pathbrite)——どちらも、才能あふれる女性のCEOが設立したテクノロジー企業である——で働く友人たちは、すばらしい知識の源として、私のスキルを磨いてくれた。シャンペーン市、アーバナ市、イリノイ大学デジタル・インクルージョン・センターの協力を得られたことにも感謝している。ワシントンD.C.の政治経済学共同研究センター（Joint Center for Political and Economic Studies）、そしてイリノイ大学アーバナ校のスクール・フォー・デザイニング・ア・ソサイエティと独立メディアセンターの学生たちも、学び、貢献するためのすばらしい機会を与えてくれた。

ツイッター〔現・X〕の#critlibの、すばらしい図書館員と情報専門家たちにもお礼を言いたい。この力強いコミュニティは、私の研究を経済的・感情的に支えてくれた。みなさんに心から感謝している。

最後に、母をはじめ、私の礎を築いてくれた人たちに感謝したい。私を導き、自分では想像もできないような人生への道を切りひらいてくれたのは母である。15年前、母が亡くなったとき、私が生きる理由の大半は母とともに死んでしまった。私が人生で成し遂げたことはどれも母に誇りに思ってもらうためであったし、二人で考え出した、母のそばで叶えたかった夢がまだたくさんあった。母は、この研究の核となる部分をつくってくれた——彼女自身は黒人女性ではなかったが、私を黒人の女の子として育ててくれたのだ。黒人の女の子を育てることは困難と可能性に満ちているが、母は、私を強くて自信にあふれた人物にするという仕事にとても真剣に取り組んだ。母は、私が人種主義と性差別という大きな障害にぶつかるであろうことをよくわかっていた。それゆえ、私をコミュニティのなかで、そしてすばらしく多様な家族と友人の輪のなかで育てることで、自分のアイデンティティを受け入れて祝福することを教えてくれた。私は、人生の大半を、黒人文化を称揚する音楽、人形、本、芸術、テレビ、経験に囲まれながら過ごしてきた。これは、私が母のアイデンティティを自分のものとして利用しようとして混乱したり誤解を受けたりすることがないようにするための、母による意図的な愛の行為であった。母は、できるかぎりあらゆる人を尊重することを教えてくれたが、個人レベルでの偏見も、組織的な抑圧も決して許されないものだとも教えてくれた。そして、人種主義に対してはっきり声を上げて批判する方法も母から教わったが、それは私たちが家族として一緒に経験してきたことに根差したものであった。私が、黒人や黒人女性についてのイメージ、物語、ステレオタイプにさらされ、打ちのめされたり傷ついたりするかもしれないこと、だからこそこの世界のなかで自分は何者であるかについて肯定的に捉えることが必要だとわかっていた、母の先見性に感謝している。母は、私が成功し、社会に貢献できる、ユーモアのある女性になることを望んでいた――そして、私がそのアイデンティティに「黒人」を付け加えることは何も間違っていないと考えていた。母は、黒人の貢献を認め、称えることが、偏見に抵抗する一つの方法になりうるとわかっていたのだ。母は決してカラーブラインドではなかったし、私が知る誰よりも早く、その姿勢を批判していた。「色を見ない」という考え方は危険だとわかっていたのだ。というのも、問題は色ではなく、文化であったからだ。黒人文化の否定や否認は人種主義の一形態であると考えていた母は、私が自分のその部分――すなわち、私を美しく、家族のなかで異質かつ特別な存在にしていると母が考えていた部分――を否定することを決して望まなかった。私にとって、母は、人種・ジェンダー・階級についての最初の教育者であった。母はいつも女性の優秀さについて語り、強くて知的で粋な女性たちの輪のなかに私を迎え入れてくれた。たとえば、祖母マリー・セアーや彼女の親友ダリスは、勤勉、思いやり、美しさ、成功の手本を見せてくれた。このような強い女性たちの志に根差したこの研究は、義理の母アリス・ノーブルの愛とサポートに支えられた。彼女はいつも、私を誇りに思うと伝えてくれて、私が人生でいまだに必要としている母の愛を与えてくれる。

私の恩師である、カリフォルニア州立大学システムのジェームズ・ロジャーズ博士、アデウォレ・ウモジャ博士、シャロン・エリス博士、ウェンディー・エン博士、フランシーヌ・オプタ博士、マリク・シンバ博士、トーマス・ウィット・エリス教授は、人生の遅い時期に研究者としてのキャリアを始めるための道をひらいてくれた。

私が成し遂げたことはすべて、先人たちの遺産（レガシー）から生まれている。見落としや間違いは、すべて私自身のものである。本書および本書に関する公開講座を通じて、自動化された意思決定テクノロジーはどのような影響をもたらしているのか、なぜ私たちはそれを懸念するべきなのかについて考えるきっかけとなるような何かを、学生や一般の人々に残すことができればと願っている。

はじめに——アルゴリズムの力

本書は、新自由主義（ネオリベラリズム）の時代におけるアルゴリズムの力を主題とするものであり、アルゴリズムを通じたデジタルな意思決定がいかに抑圧的な社会関係を強化し、レイシャル・プロファイリングの新たな様式——テクノロジカル・レッドライニング（technological redlining）と私が呼ぶもの——をつくり上げているのかを論じる。資本・人種・ジェンダーがいかに不平等な状況を生み出す要因となっているのかを可視化することで、増加の一途をたどるさまざまな形態の「テクノロジカル・レッドライニング」を明るみに出していく。日常的に目に触れるか否かに関わらず、アルゴリズムによって駆動するソフトウェアは至るところで用いられている。だからこそ、そのような自動化された意思決定システムにおいてどのような価値観が優先されているのか、より詳しく検証することが必要なのだ。一般的に、レッドライニング〔銀行貸付・保険契約禁止区域の指定を通じた人種差別。金融機関が低所得の黒人の居住地域を赤線で囲んで融資対象から除外していたことから、このように呼ばれるようになった〕の慣行が最もよくみられるのは不動産と金融業界である。これは人種による不平等を生み出し、悪化させるもので、たとえば有色人種の人々は、黒人やラテンアメリカ人であるというだけで——特に低所得地域に住んでいる場合は——より高い金利や保険料を支払わなければならないことが多い。インターネット上、あるいはテクノロジーの日常的な利用の場面においては、差別はコンピュータコードにも組み込まれている。そして、好むと好まざるとにかかわらず、私たちが依存している人工知能テクノロジーにも、差別が組み込まれつつあるのだ。人工知能が21世紀における重大な人権問題になることは間違いない。社会的不平等の隠蔽と深化に関してこのような意思決定ツールがもたらす長期的な影響を、私たちはまだ理解し始めたばかりである。本書は、このような影響を可視化する試みの端緒にすぎない。今後、私を含めさらに多くの人々が、アルゴリズムによる自動意思決定が社会に与える影響を明らかにすることに取り組むだろう。

アルゴリズム的抑圧（algorithmic oppression）を理解するうえで一つの障壁となるのは、自動的な意思決定を実行するための数学的定式化を行なっているのは人間であると理解することだ。「ビッグデータ」や「アルゴリズム」といった言葉は、無害、中立的、あるいは客観的なものだとみなされることも多いが、まったくそうではない。これらの決定を下す人々はあらゆる種類の価値観を有しており、人種主義（レイシズム）、性差別（セクシズム）、誤った能力主義（メリトクラシー）の考えを公然と掲げている場合も多いのだ。このことは、シリコンバレーをはじめとするテック・コリドー（テクノロジー企業が集積する地帯）に関する研究でたびたび示されてきた。

一例を挙げると、2017年8月、グーグルの慢性的な賃金格差の申立て――同社の女性従業員の賃金は、男性従業員に比べて組織的に低く抑えられているという訴え――に関するアメリカ連邦政府の調査のさなかに、ジェームズ・ダモアが執筆した「反多様性」マニフェストが広く出回った[1]。多くのグーグル社員の支持を集めたこのマニフェストは、「女性は心理学的に男性よりも劣っており、ソフトウェア・エンジニアリングに関して男性と同等の能力を発揮することはできない」などといった明らかに間違った性差別的な主張をするものであった。本書が印刷に回される時点で〔原著は2018年2月刊行〕、多くのグーグル幹部や社員が、グーグルの検索インフラに関わる仕事をしていたとされるこのエンジニアの主張を厳しく非難していた。訴訟が起こされ、アメリカの政治的極右勢力によるグーグルのボイコットも発生した。そして、グーグル、ひいてはシリコンバレー全体でジェンダー的・人種的公正へのコミットメント〔関与〕をより明確に示すことを求める機運が高まっている。本書の執筆中であった私にとって、この冗長な反多様性マニフェストが浮き彫りにしたのは、検索のアルゴリズムやアーキテクチャを開発している人々のなかには、仕事においてもそれ以外でも、性差別的・人種主義的な態度を公然と推し進めようとする者がいるということだ。その一方で私たちには、まさにその従業員たちが「中立的」ないし「客観的」な意思決定ツールを開発していると信じることが期待されている。私たちが使うデジタルプラットフォームを開発しているのは人間である。本書ではこれらのシステムのアウトプットにしばしばみられる、無責任さや女性・有色人種に対する敬意の欠如を示す証拠を提示していく。それは、テクノロジー企業の組織的で不公正な雇用慣行や一部の従業員の極右のイデオロギー傾向と、その企業が一般市民向けにつくる製品が無関係であるかのように見せることを難しくするはずだ。

本書が目指すのは、このようなデジタルな意味づけ（センスメイキング）のプロセスの一端について、また、それらが情報の分類・組織化に欠かせないものとなってきた経緯とそれに伴うコストについて、探究を深めることである。それに伴い、史上最も巨大で強力なテクノロジー企業、すなわちグーグルによる、黒人のアイデンティティ・経験・コミュニティの商業的流用（コオプテーション）を詳しく取り上げる。私はアルゴリズム的抑圧が顕著にみられるいくつかの事例を精査し、それらがはらむ社会的な意味合いを検討する。それを通じて、ブラックボックス化された民営の情報選別ツールが多くのデータドリブン〔経験や勘ではなくデータに基づいて意志決定を行なう手法。特に、アルゴリズムを用いてビッグデータを分析し、判断・行動に結びつけることを指す〕の意思決定に必要不可欠なものとなってきたことの影響をより広範に検討する、公の議論を喚起したいと考えている。すでに組織的に周縁化され、抑圧されている人々にとって、人工知能（アーティフィシャル・インテリゲンチャ）という知識階級がどのような影響を及ぼすのかという問題は、社会全体で広く議論されるべきなのだ。また、最終的には、グーグルのような独占的な大手テクノロジー企業のもとに権力と文化的影響力が集約されることで競争がほとんど不可能になっているため、こうした企業は解体・規制されるべきだということを根拠を示しつつ論じていく。情報セクターにおけるこのような市場独占は民主主義に対する脅威であり、２０１６年のアメリカ大統領選挙を受けてグーグルやフェイスブックなどのデジタルメディアを通じた情報フローへの理解が深まっている昨今、この問題には大きな注目が集まっている。

本書の背景にあるのは、多文化マーケティング・広告の分野での私の12年間のキャリアである。私は、企業ブランドを築き上げ、アフリカ系アメリカ人やラテン系アメリカ人向けに商品を売り込むことに尽力していた（大学教授になる前の話だ）。当時、私は多くのアーバンマーケティング専門家と同じように、企業は有色人種の人々のニーズに気を配り、有色人種コミュニティにサービスを提供することで消費者への敬意を示すべきだと考えていた――ほかのほとんどの人に行なっているのと同じように。結局のところ、周縁化された消費者たちの声に耳を傾け、責任ある態度で接することは、さらなる市場機会の創出につながるのだ。私はまた、リスクマネジメントと広報にも同じくらい時間を費やしてきた。つまり、不注意から、あるいは意図的に有色人種の消費者を侮辱し、それによって人種主義的ないし無神経なブランドとみなされ、売上に支障をきたすような事態が起きないよう、企業を守ってきたのだ。当時のクライアントが人種・ジェンダーをめぐって無神経な振る舞いをしないように気を配ること、また、その企業の製品に対する感情的・心理的な深い愛着を有色人種コミュニティのなかで育み、ブランドを支えることが、長年にわたる私の職業上の関心事であった。だからこそ私は、２０１０年の秋に体験したことから、非常に大きな衝撃を受けた。ウェブで検索をしていたほんの数分の間に、目を背けることができないほどの侮辱に見舞われ、傷つけられるという最悪の経験をしたのだ。私は継娘と姪たちが興味をもちそうな話題についてインターネットでグーグル検索をしていたのだが、その結果に打ちのめされた。「黒人の女の子（black girls）」というキーワードで検索したところ、HotBlackPussy. com〔黒人女性のポルノコンテンツを扱うウェブサイト〕が最上位に出てきたのである。

たしかにそれがヒットしたのだ。

それ以来、一体どのようにしてこのような事態——グーグルが、女性や有色人種に関して信頼できる確かな情報を提供することに完全に失敗しており、しかし

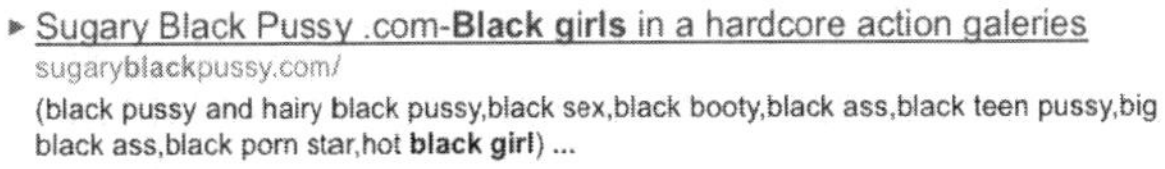

▸ Sugary Black Pussy .com-**Black girls** in a hardcore action galeries
sugary**black**pussy.com/
(black pussy and hairy black pussy,black sex,black booty,black ass,black teen pussy,big black ass,black porn star,hot **black girl**) ...

図I-1　「黒人の女の子」というキーワードに対して最上位に表示された検索結果（2011年9月）

その影響をまったく受けていないようにみえる状況——が生まれているのかについての教育・研究にはかり知れないほどの時間を費やしてきた。この出来事から2年後、私は再び検索をかけたが、図I-1に示したとおり、似たような結果が得られただけであった。

２０１２年に私は『ビッチ』誌に、検索結果において女性やフェミニズムがいかに周縁化されているかについての記事を書いた。２０１２年８月には、パンダ（グーグルの検索アルゴリズムのアップデート）がリリースされ、「黒人の女の子」の検索結果の上位にポルノが出てくることはなくなった。とはいえ、ラテン系やアジア系など、ほかの有色人種の女の子・女性は依然としてポルノ化されていた。しばしば疑問に思うのは、時間とともに検索結果が変わっていくのは、どのような類いの圧力によるものなのだろうか、ということだ。非公開（プロプライエタリー）のアルゴリズムの設計に、いつ、何が影響を与えるのかについて私たちが知り得るのは、人間がアルゴリズムを設計しているということだけである。私たちが批評や抗議に取り組まない限りは、そのようなアルゴリズムの設計について公の場で議論されることもないのだ。

こうした、アルゴリズムに起因する、有色人種と女性に特有のデータ異常の事例に光を当てるために、そして人種主義と性差別が「アルゴリズム的抑圧」と私が名づけたものの根幹をなす、その構造的な仕組みを強調するために本書は書かれた。ブログ「Racialicious」の共同創立者であり、「人種主義はインターネットの基本的なアプリケーション・プログラム・インターフェース（ＡＰＩ）である」と論じたラトーヤ・ピーターソンをはじめとして、批判的な議論を展開しているほかの有色人種の女性たちと同じ志で私は執筆している。ピーターソンは、反黒人主義が、他集団に対するあらゆる人種主義の基盤となっていると主張している。人種主義は、ウェブ上の振る舞いを形づくる標準プロトコルなのだ。彼女が完璧に言い表したように、「n*gger APIという概念は、人種主義（レイシズム）ＡＰＩ——抑圧は同じフォーマットで作動し、同じスクリプトを何度も何度も実行するという議論——というかねてから私たちが主張してきた中心的な論点の一つを思い起こさせる。文脈に合わせて微調整はされるものの、ソースコードはどれも同じなのだ。そして、その取り消し（アンドゥ）がうまくいくかは、どれほど多くの人々がこの同じ基本的なパターンにはまりこんでいるのかを認識し、自分自身の行動を修正していけるかにかかっているのだ」[2]。ピーターソンの主張は、有色人種に対するインターネットの悪意、とりわけその反黒人主義について多くの人々が感じていることと一致する。これはユーチューブのコメント欄やほかの掲示板に目を通せばわかることだ。あるレベルでは、ウェブ上の日常的な人種主義や言説はそれ自体が忌まわしいものであり、そのことについてはすでに詳しく論じられてきた。しかし、そのことと、企業のプラットフォームならびにそのウェブ検索——アルゴリズムに基づいてつくられ、人種主義や性差別を検索結果の最初に提示するシステム——は、まったく別の話である。このプロセスに反映されているのは、意図的な無視、あるいは人種主義と性差別から金を儲けようとする利益最優先の企業論理なのだ。この点を探究していくことが、本書の根幹をなしている。

　以降で論じていくのは、いかにして「セクシー（hot）」「甘美な（sugary）」「黒人女性のあそこ（black pussy）」といった言葉が、黒人の女の子・女性の主たる表象としてグーグル検索の最初のページに表れるのかという問題だ。そして、グーグルを動かしているのは、最良の、最も信頼できる、最も確かな情報アウトプット以外の何かであるということを示していく。無論、グーグル検索は広告企業であり、信頼できる情報企業ではない。少なくとも、このような検索結果に出くわしたときには、私たちは「これが最良の情報なのか？」「誰にとって？」と問う必要がある。私たちが出くわすさまざまなものの閲覧者として誰が想定されているのかを自問し、「フィルターバブル（検索エンジンやSNSにおいて、個々の利用者の好みに合わせて表示される情報が最適化されることにより、多様な情報や異論に接する機会が失われる状態）」のなかにいるということの妥当性を疑うべきなのだ――人種主義や性差別を求めていないにもかかわらず、それらが目の前に現れるのだから。この種のアルゴリズム的意思決定は、グーグルをはじめとするデジタルメディアプラットフォームをめぐるほかの種類の問いにも示唆を与えるものであり、公共財としての情報のあり方を問い直すという喫緊の課題に取り組む一歩ともなる。私たちは、情報資源が民間の広告会社に支配されていることの意味を徹底的に見直す必要があるのだ。私の議論は、数多くの研究者――ほんの一部を挙げれば、ヘレン・ニッセンバウムとルーカス・イントローナ、シヴァ・ヴァイディアナサン、アレックス・ハラヴェ、クリスチャン・フックス、フランク・パスカーレ、ケイト・クロフォード、タールトン・ギレスピー、サラ・T・ロバーツ、ジャロン・ラニアー、イラド・セゲフなど――に連なるものである。これらの研究者は、より多くの人々が現状に代わるあり方（オルタナティブ）を模索するようになることを願って、グーグルや、企業による情報支配のほかの形態（人工知能を含む）についての批評を展開している。

長年にわたり、私の研究は、グーグルの商用検索エンジンから図書館のデータベースにいたるまで、分類システムのなかにアフリカ系アメリカ人が取り込まれ、押し込められてきた、さまざまな方法を明らかにすることに注力してきた。このような点を中心に研究を展開してきたのは、私が研究者になるための教育を受けたのが図書館情報学の分野であったことに由来している。私はこれらの問題を批判的情報学や批判的人種・ジェンダー研究の観点から検討している。マーケティングや広告は、周縁化された人々が、検索結果やソーシャルネットワーク上のアクティビティといったデジタル記録を通じて表象されるようになる方法を直接的に形づくってきた。だからこそ私は、なぜデジタルメディアプラットフォームは一般的に――そして残念なことに、しばしば学術界でも――「中立的なテクノロジー」と自明視されるのかを研究してきた。システムのなかに見つかる「不具合(グリッチ)」の物語から示唆されるのは、ウェブを形づくる論理に欠陥があるという可能性ではなく、ほとんど完璧なシステムにおいて時折、単発的なひどい誤作動が生じるということだ。本書を通じて私が参照する多くの研究者、また私が言及しきれないジャーナリスト、ブロガー、内部告発者らを除いて、このことを気に留めている人はほとんどいない。私たちは、あらゆる意見を前面に押し出し、現代の最も無秩序な社会実験、すなわちインターネットをめぐる公共政策に影響を与えていく必要があるのだ。

このようなデータ異常は、さまざまな形で明るみに出てきている。2015年には、『USニューズ・アンド・ワールド・レポート』誌が、グーグルのアルゴリズムの「不具合」が原因で、画像による検索の精度を高めるための自動タグ付け・顔認識ソフトウェアが数多くの問題を引き起こしていると報じた。グーグルが直面した最初の問題は、同社の写真アプリが、アフリカ系アメリカ人に自動的に「猿(apes)」や「動物」とタグ付けしてしまうというものだった。[4]『ワシントン・ポスト』紙が報じた二つ目の大きな問題は、グーグルマップで「N*gger」[5]と検索すると、オバマ大統領在任中のホワイトハウスの地図が表示されるというものであった。この件は、ソーシャルメディア上の著名人、

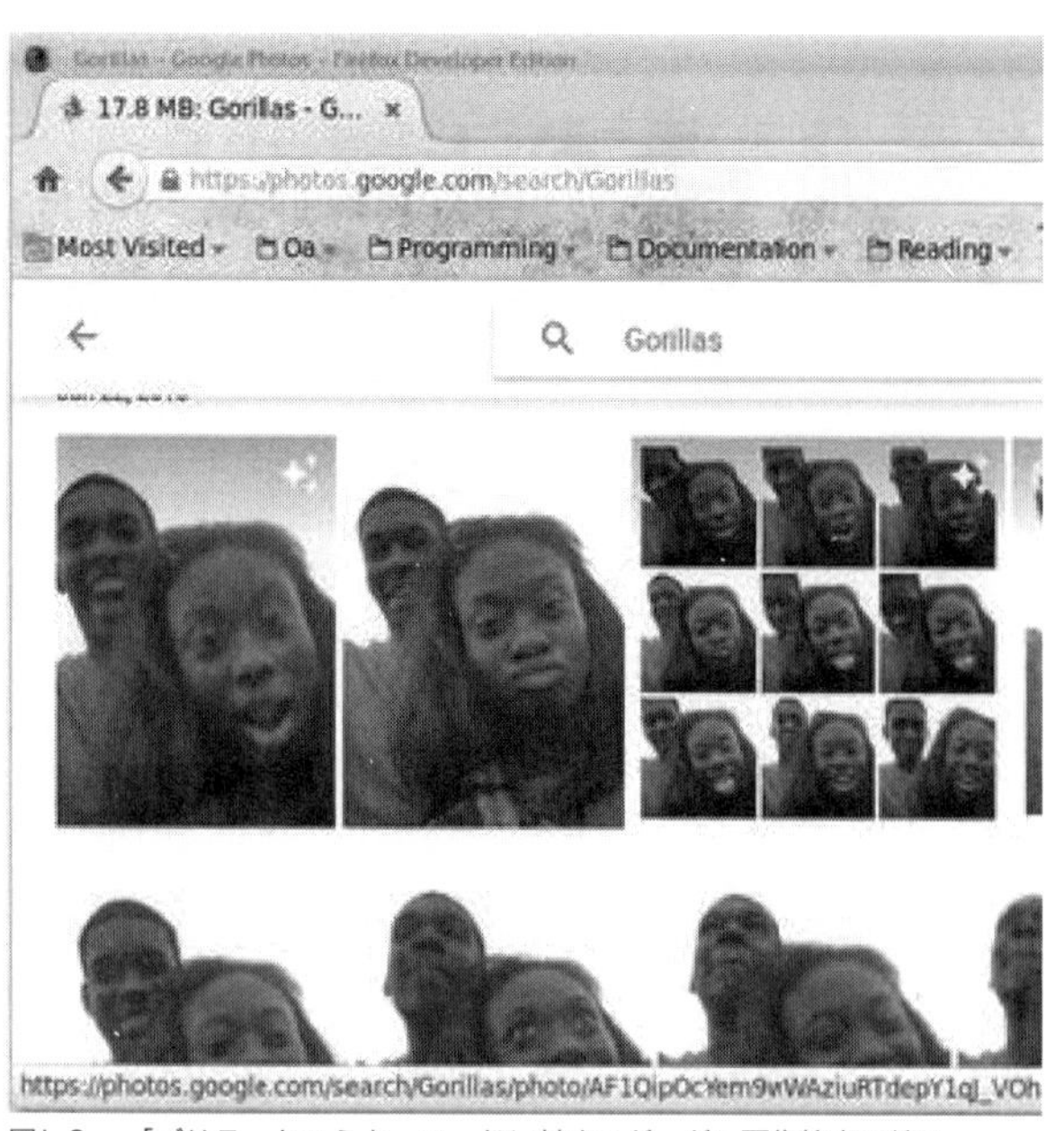

図I-2　「ゴリラ」というキーワードに対するグーグル画像検索の結果（2016年4月7日）

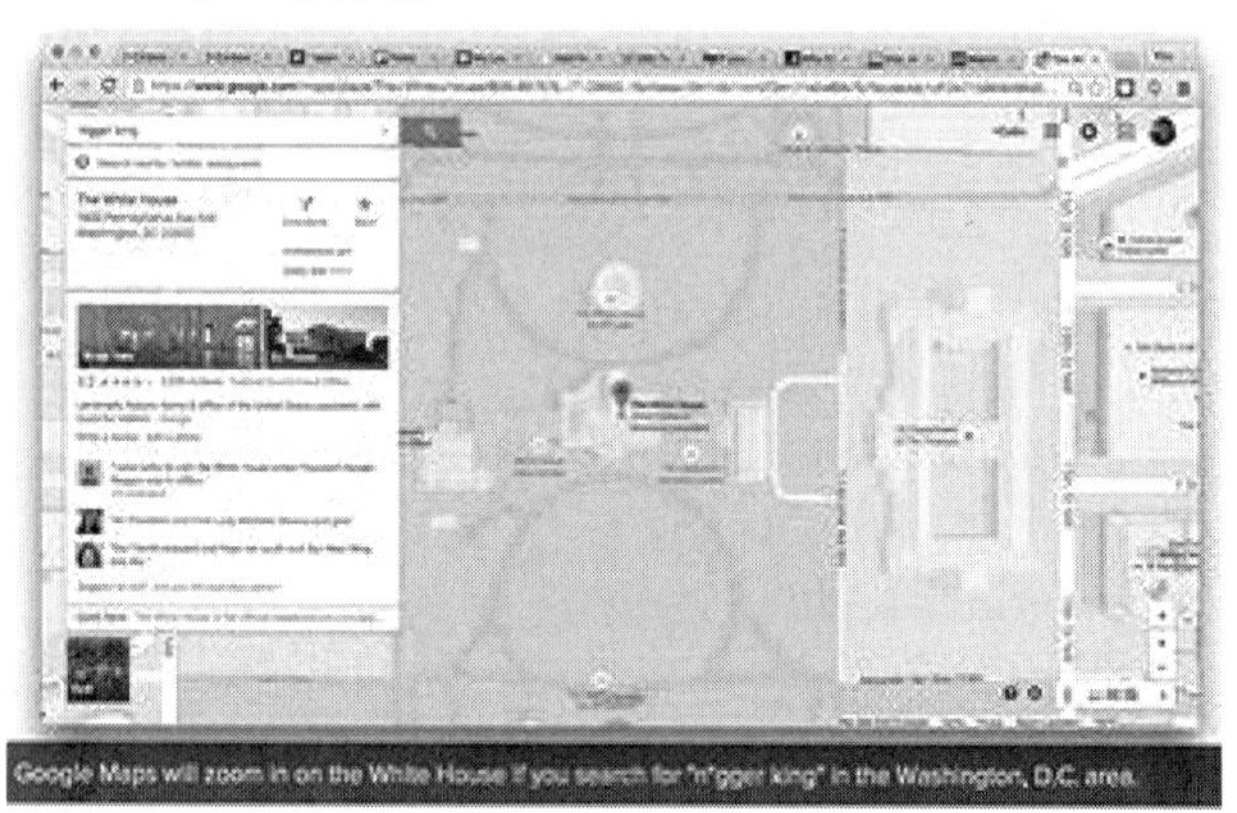

図I-3　グーグルマップで「N*gga House」と検索するとホワイトハウスが表示される（2016年4月7日）

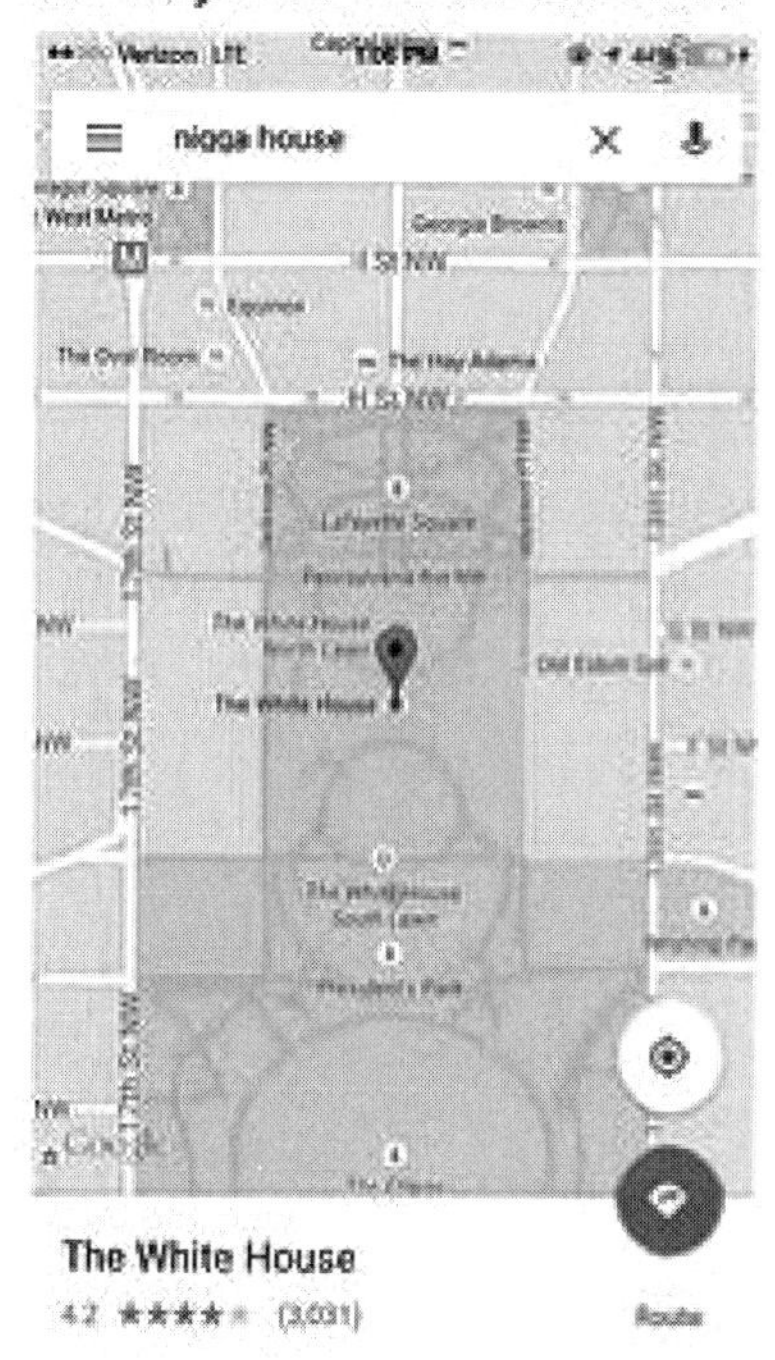

図I-4　グーグルマップの検索結果とホワイトハウスについてのディレイ・マッケソンのツイート（2015年）

図I-5　標準的なグーグルの「関連」検索で、「ミシェル・オバマ」が「猿」という言葉と関連づけられている

ディレイ・マッケソンがツイートしたことで、インターネットで大きな話題となった。

これらの事件は、2009年にグーグル画像検索で出回っていた、アメリカ大統領夫人ミシェル・オバマの画像に猿の顔を重ねるように加工された画像についての報道とも通じるものがある。2015年の時点でも、ミシェル・オバマと猿を関連づけるグーグルの自動提案（オートサジェスチョン）のデジタルな痕跡に出くわすことがあった。ホワイトハウスからの抗議を受けて、グーグルはその画像を見つけにくくするべく、検索結果の1ページ目から画像の山（スタック）の下方へと強制的に移動させた[6]。それぞれの事案においてグーグルがみせた姿勢は、同社はアルゴリズムについて責任を負っていない、検索結果についての問題は早急に解決されるはずだというものだ。「N*gger House」についての『ワシントン・ポスト』紙の記事に書かれているグーグルの対応も、ほかの件での同社の謝罪と一貫したものであった。「「いくつかの不適切な結果がグーグルマップで表示されていますが、これはあってはならないことであり、この件で不快な思いをされた方々にお詫び申し上げます」と、グーグルの広報担当者は火曜日遅くにメールでUSニューズに回答した。「われわれのチームはこの問題を早急に解決できるよう努めています[7]」

＊＊＊

このような人的・機械的エラーはほかに影響を及ぼさないものではなく、人種主義や性差別がテクノロジーの構造・言語の一部となっていることを示すいくつかの事例がある。これは、注意を向けて是正していかなければならない問題である。多くの点で、私が紹介するこれらの事例は、黒人の女性・女の子の人生と経験に特有のものだ。黒人の女性・女の子についての研究はきわめて不足しており、彼女たちはオプラやビヨンセ、ションダランド〔アメリカの人気脚本家・プロデューサー、ションダ・ライムズが立ち上げた制作会社〕の時代に生きているにもかかわらず、依然として不安定な立場に置かれている。このような周縁化がもたらす影響は深刻である。性差別的・人種主義的なバイアスに関して本書で示す知見が重要であるのは、図書館から学校・大学や政府機関にいたるまで、情報組織が、ますますウェブベースのさまざまな「ツール」に依存したり、それらに取って代わられたりしつつあるからだ——あたかも、そうした動きの政治的・社会的・経済的影響などないかのように。議論や分析は表面的なものにとどまる一方、「人種主義的アルゴリズム」に関する見出しがメディアに登場し続けているなか、情報アクセスと知識創造の領域における新たな可能性を想像することが必要とされているのだ。

21世紀のアルゴリズムやグーグルについて書かれた本は、どうしても刊行されるやいなや時代遅れのものとなってしまう。テクノロジーは急速に変化しており、テクノロジー企業の編成も合併・買収・解散を通じて激しく変化している。情報、コミュニケーション、テクノロジーの分野の研究者たちは、ある特定の瞬間について書くことに苦心しているが、これは、すぐに変更されたり別のものに姿を変えたりしてしまうかもしれないプロセスや現象を捉えるためである。情報と権力の研究者として、私が最も関心を寄せているのは、すでに発生した事象の一連のプロセスについて伝えることである。それらはさまざまな懸念の根拠を示すものであり、とりわけテクノロジーが社会関係に影響を及ぼし、より注目されるべき想定外の結果をもたらしている現在、有意義かつ重要なものとして社会で取り上げられるべきものだ。私はこの本を数年かけて書いており、その間、グーグルのアルゴリズムが変化してきたこともたしかである。たとえば、現在「黒人の女の子」と検索しても、２０１１年ほど多くの性的な結果が出てくることはない。とはいえ、ニュースやソーシャルメディアでは、人種主義や性差別の新たな事例が生まれ続けている。それゆえ私は、こうしたさまざまな事例を用いて、アルゴリズム的抑圧は単なるシステムの不具合ではなく、むしろウェブのオペレーティングシステムの根幹に関わるものであることを指摘したい。それはユーザーに対して、またインターネット・アプリケーションを利用する場面以外の私たちの生活に対して、直接的に影響を及ぼしているのだ。私はグーグルの研究にかなりの時間を費やしてきたが、本書ではアルゴリズムによって駆動するほかのプラットフォームの事例もいくつか取り上げている。これらの事例を通じて明らかにしたいのは、アルゴリズムが人々に関する有害な情報を提供し、構造的・組織的孤立を生み出し、それを常態化させている、すなわちデジタル・レッドライニングを行なっているということ、そしてそれらすべてが抑圧的な社会的・経済的関係を助長しているということである。

本書をまとめるにあたり、私はある中心的な論点を強調したいと考えた。それは、ある種のアルゴリズム駆動型の意思決定には欠落している社会的・人間的文脈があるということ、そしてそれは日常生活のなかでこの種のテクノロジーを利用するすべての人に関わる問題だということだ。これは、周縁化されている集団に関して特に懸念される事態である。周縁化された集団の人々は、誤った、ステレオタイプの、ポルノ的でさえある、問題含みの方法で検索エンジンにおいて表象されている。同時にかれらは、メディアや図書館における非ステレオタイプ的・非人種主義的・非性差別的な描写を求めて闘ってきた人々でもある。メディアにおける女性や有色人種のステレオタイプ化の弊害については、膨大な研究の蓄積がある。人種主義的・性差別的なイメージが社会に流布し続けることの何が問題なのかわからないという読者には、このような研究を掘り下げてみることをおすすめしたい。

本書は六つの章から成る。第1章では、企業による公の情報の支配という重要なテーマを扱い、鍵となるグーグル検索の事例をいくつか示す。グーグルの検索エンジンがさまざまな概念についてどのような結果を提示するのかを検証し、そのような検索結果が歴史的・社会的文脈のなかで何を意味するのか、警鐘の意味も込めて議論していく。また、「美しさ」といった基本的な概念やさまざまな職業的アイデンティティに関して、グーグル画像検索が何を提示するのか、なぜそれを気にかけるべきなのかについても論じる。

第2章では、「黒人の女の子」「ラテン系女性（ラティーナ）」「アジア系の女の子」といったさまざまなアイデンティティをめぐる検索を例として、いかにグーグル検索がステレオタイプを助長しているかを議論する。以前、『ブラック・スカラー』誌に発表した論文[8]で私は、トレイヴォン・マーティン——アフリカ系アメリカ人のティーンエイジャーで、彼の殺害事件がツイッター上の#BlackLivesMatter運動に火をつけ、警察あるいは〔自警団による〕超法規的な法執行によって殺された何百人ものアフリカ系アメリカ人の子ども・女性・男性に注目を集めることとなった——の死後、グーグル検索でどのような自動提案がみられるかを検討した。この研究をさらに深めるため、この章ではグーグルのページランク（PageRank）検索プロトコルに関わるプロセスを紐解いていく。具体的には、人々のデジタル・フットプリント[9]が利用されたり、広告やマーケティング上の利害関係が検索結果に影響を与えたりする方法から、とりわけメディア・スペクタクルの絶頂にあって、人種主義・性差別を利用して儲けているグーグルにとってこれがどれほど利益をもたらすものなのかという点まで幅広く論じる。

第3章では、非商業的な検索エンジンおよび情報ポータルの重要性を検討する。特に詳しく取り上げるのは、銃乱射事件の犯人で白人至上主義者を自認するディラン・ルーフの事例である。2015年の夏、サウスカロライナの教会で礼拝中であった9人のアフリカ系アメリカ人のアフリカン・メソジスト監督教会員を殺害した彼は、その動機となった人種主義的態度を身につけるにあたってグーグル検索を利用していたと言われている。信頼できるニュースを装った偽情報が出回り、アルゴリズムが導き出す情報が悲惨な結果を招くこともある。こうした事態は、ますます新自由主義的になって私有化が進むウェブにおいて、監修（キュレート）されていない情報の外部委託と私有化を許すわけにいかない理由を示す一つの例である。デジタルメディアプラットフォームは決して、あるいはほとんど忘れないということを強みにしているが、本書では社会にとっていかに記録が重要であるかを示すとともに、記憶と忘却の双方の社会的重要性を検討していく。オンラインの情報がいかに一種の記録として機能しているのかを考察したうえで、そうした情報やその弊害の多くは規制されるか法的保護の対象となるべきだと論じる。ＥＵで「忘れられる権利」の法制化が本格的に進展するなか、個人・集団についての公の情報をテクノロジー企業が独占している状況を規制しようとする取り組みは、アメリカでもより注目されるべきである。第３章は情報文化の未来についての章であり、情報は中立的ではないということを強調するとともに、どうすれば社会的不平等の根絶に資するような新たな情報文化を構想することができるのかを考察する。

第４章では、主に情報学分野に対する批判を行なう。ここで強調したいのは、商用検索などのウェブ上の分類プロジェクトを通じた公の情報の問題は、研究者や実務家としてわれわれが解決しなければならない積年の課題であるということだ。図書館の分類プロジェクトがグーグルのような検索エンジンの発明の基礎となっていること、そしてわれわれの分野が情報や記録を整理・分類するアルゴリズム的プロセスに与している状況について概観する。第５章では、社会における知識の未来について論じる。特に、商用検索エンジンの前身であり、公正な分類システムの発展と涵養にとって重要な図書館情報学の研究を取り上げる。この章では、専門的訓練のなかで目録作成の政治性や分類のバイアスについての教育を受ける機会に乏しい、図書館情報学の専門家にとってきわめて重要な歴史を示す。第６章では、公共政策について検討し、とりわけ企業による支配が強まっている今日、なぜ情報環境を規制する必要があるのかについて論じる。

結論部では、グーグル以外に目を向け、一見すると無害なほかの商取引において、人々が表象される方法にアルゴリズムがどのような影響を与えているかについて議論する。取り上げるのは、イェルプ（Yelp）の「人種偏見のない（カラーブラインドな）」〔情報の〕組織化の論理である。〔イェルプを利用する〕経営者たちが、自分が表象される方法に対するコントロールを失い、人々がかれらを見つける方法に影響が及んでいることに反感を抱いている様子をみていく。ここでは、ニューヨークに住むカンディス[10]のインタビューを紹介する。名門大学がある街で黒人向けのローカルな美容院を営んでいるカンディスは、大学キャンパスにおけるアファーマティブ・アクションの廃止などの公共政策の変化によって事業に痛手を負い、暮らしに深刻な打撃を受けてきた。彼女の話は、アルゴリズムが彼女の日常生活にいかに影響を与えているかを明るみに出し、アルゴリズム的権力の生態系（エコシステム）についてより深く考えるよう促すものとなっている。本書の締めくくりでは、アルゴリズムが社会関係をさまざまな——本書が扱いきれないほど多くの——形で変化させていることの重要性を認識する必要を訴えるとともに、アメリカでは公共政策でそれらへの規制を強めるべきだと論じる。私が願うのは、制度的な人種主義・性差別によってすでに周縁化されている人々に深刻な影響をもたらしうるさまざまなアルゴリズム的意思決定に対して、本書が直接的に影響を与えることだ。その周縁化された人々には、アメリカでわずかな富しかもたない99％の人々も含まれる。その富はあまりに少ないため、積極的に抵抗し介入していかない限りは、憂慮すべき社会的不平等の潮流はくつがえりそうにないのだ。選挙政治と金融市場は、アルゴリズムや人工知能の強い影響下にある、数多くの制度的な富の集約プロジェクトのうちの二つにすぎない。私たちは、デジタルメディアプラットフォームの日常的な利用において当たり前になっていることを変革していく必要があるのだ。

私は自分の仕事を実践的なプロジェクトだと考えている。その目標は、社会的不公正を根絶すること、そして中立的だとされるテクノロジーが抑圧を助長している現状を変えることだ。このような事例を取り上げる意図は、二つある。第一に、私たちは、ジェンダー研究、女性学、黒人／アフリカ系アメリカ人研究、メディア研究、コミュニケーション研究と接点をもつ、学際的な情報学や図書館情報学の研究・学問を必要としている。それは、アルゴリズム駆動型のプラットフォームが、いかに交差的（インターセクショナル）な社会歴史的文脈に位置づけられて社会関係に組み込まれているのかをより詳細に記述し理解するためだ。アルゴリズムと人工知能の正当性や社会的影響について疑問を投げかけている、さまざまな分野の多くの同僚たちの声に、この研究も加わることを願っている。第二に、現在、社会科学や人文情報学（デジタル・ヒューマニティーズ）の専門家には、活動家（アクティビスト）、オーガナイザー、エンジニア、デザイナー、情報技術者、公共政策立案者と対話することがかつてないほど求められている——人工知能による鈍感な意思決定が、人間の繊細な意思決定を負かしてしまう前に。なぜなら、公共セクターの情報業務の外部委託によってこれまで公有財産（パブリック・ドメイン）[11]と考えられていたものの私有化がいかに助長されているのか、また企業あるいは企業に支配された政府によって、こうした慣行に介入する私たちの能力がいかに損なわれているのかを検討しなければならないからだ。

意思決定に人工知能を取り入れるとき、何が失われるのか、誰が傷つけられるのか、何が忘れられるべきかを問う必要がある。不平等や周縁化を助長するようなプロセスを通じてウェブ上の情報資源を組織化することは、決して社会全体のためにはならない——この点に関して、多くの人が賛同してくれるはずだと期待している。

第1章

検索する社会

2013年10月21日、国連は、「本物のグーグル検索結果」を用いたキャンペーンを開始した。これは、広告代理店メマク・オグルヴィ＆メイザー・ドバイが手がけたキャンペーンであり、女性が性差別的なまなざしを向けられ人権を否定されている状況に注意を促すことを目的としていた。このキャンペーンのアートディレクターを務めたクリストファー・ハントは、「このような検索結果を目にしたとき、そのあまりのネガティブさに愕然とし、何かしなければならないと思った」と述べている。キャンペーンのコピーライターであるカリーム・シュヘイバーは、国連のウェブサイトで、このキャンペーンを通じて何を明らかにしようとしたのかについて語っている。「この広告がショッキングなのは、ジェンダー平等の実現までの道のりがまだどれほど長いものかを明らかにしているからだ。これは警鐘であり、このメッセージが広く届くことを願っている」[1]。〔このキャンペーンの画像では〕さまざまな有色人種の女性たちの口元を覆うように、グーグル検索において最も人気のある検索を反映した自動提案（オートサジェスチョン）が配置されている。グーグル検索の自動提案が示していたのは、次のようなさまざまな性差別的な考えである。

・女性ができないこと（women cannot）：運転、司教になること、信頼されること、教会で話すこと
・女性がするべきではないこと（women should not）：権利をもつ、投票、仕事、ボクシング
・女性がするべきこと（women should）：家にいる、奴隷になる、台所に立つ、教会で話さない
・女性に必要なこと（women need to）：身のほどを知る、わきまえる、支配される、しつけられる

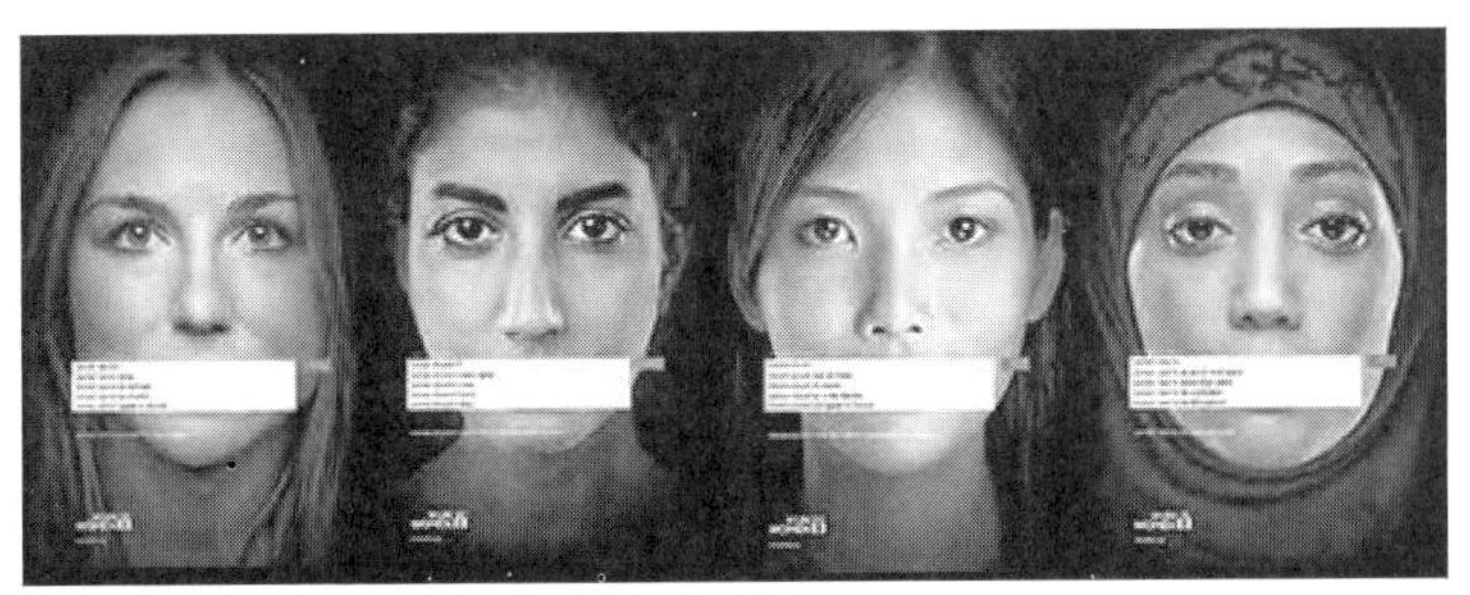

Ad series for UN Women by Memac Ogilvy & Mather Dubai

図1-1　メマク・オグルヴィ＆メイザー・ドバイが手がけた国連の広告キャンペーン

このキャンペーンは、女性をめぐる世論の現状というより大きな論点を扱うためにグーグル検索の結果を利用するものだったが、おそらく意図しないうちに、検索エンジンの結果がこのうえないほど強力なものであることを強調する役割も果たした。このキャンペーンが示唆しているのは、「検索はユーザーの考えを映す鏡であり、社会にはいまだに女性にまつわるさまざまな性差別的な考えが根づいている」ということだ。問題含みに感じられるのは、このキャンペーンには「問題があるのは検索エンジンではなく、検索エンジンのユーザーである」という考えを助長する側面もあるということだ。最も広く受け入れられている情報が、単純に、検索の山（パイル）の最上位に出てくるということが示唆されているのである。このキャンペーンは、性差別的な態度に対する重要かつ物議を醸すような批判となっている一方で、特定の結果を上位に押し上げるアルゴリズムや検索エンジンの責任を指摘することには失敗している。本章では検索のアーキテクチャそのものに視点を移し、性差別的・人種主義的な考えが検索結果の1ページ目に表示される状況を生み出している、さまざまな要因に光を当てる。

検索の影響について考察する際の限界の一つは、検索が常に進化し、時間とともに変化していくことだ。本章では特定の時期（2009年から2015年）における商用検索の状況を扱っているが、読者の目に触れる頃には、現代的というよりは歴史的な研究になっているはずだ。とはいえ、厄介な検索結果が表示される理由をこのように突き詰めていくことの目的は、私たちの知識ニーズをすべて商用検索エンジンに委託（アウトソース）することが本当に理にかなっているのか否かについて考えるうえでの助けになることである。とりわけ、一般市民が、図書館、図書館員（ライブラリアン）、教員、研究者、その他の知識の守り手（ナレッジ・キーパー）やリソースの代わりに、検索エンジンにますます依存するようになっている今日、これを考えることは重要である。

さらに重要なのは、アメリカにおける有色人種や性的少数者のように、多数派の文化の影響下で少数派として生きる人々が直面する困難について検討することだ。少数派の人々は、自分自身や自らのアイデンティティについて検索エンジンが提示する結果に変化を起こそうとしても、多数派の気まぐれや広告などの商業的影響に振り回されてしまうことが多いのだ。多数派が検索エンジンの結果を牛耳るのであれば、少数派の人々は一体どのように検索エンジンで自分たちが表象される方法に影響を与えたりそれを制御したりできるというのか？　オグルヴィのキャンペーンが示唆していたように、男性の欲望や検索の仕方が、検索エンジンにおいて女性のアイデンティティをとりまく価値観に影響を与えることができている状況についても、同じことが言えるかもしれない。このような理由から、問題のある検索結果を生み出す歴史的・社会的状況についてのさらなる考察が必要とされている。というのも、それらはめったに問われることがなく、そもそもこのような考えが検索結果の1ページ目を支配するようになった経緯を、ほとんどのインターネットユーザーはまったくわかっていないからだ。

グーグル検索——前景化する人種主義と性差別

検索における人種主義とのはじめての遭遇は、私にとって、研究者としての原動力になる経験であった。その経験が、性的対象としての黒人女性をたやすく自然化し、ポルノ化された黒人女性を検索結果の上位に押し上げる技術的・社会的メカニズムを探究することに私を駆り立てたのだ。それは2009年のことで、ミシガン大学の友人アンドレ・ブロックが、ある日、何気なく口にした——「グーグルで「黒人の女の子」を検索するとどうなるか、見てみるといい」と。自分で試してみて、私は愕然とした。これはおそらく例外的なことで、時間が経てば変わるかもしれないとも考えた。このことが頭から離れなくなった。2回目の遭遇は2011年春のある朝のことで、私はプレティーン〔9～12歳〕の継娘と、彼女と同じ年頃のいとこたちが楽しめるようなものを探していた。週末に私の家に来ていた彼女たちと1日一緒に過ごすことになっており、ノートパソコンを触ることもあるだろうと思ったからだ。彼女たちには、だらだらテレビを見たり携帯を眺めたりすることから離れ、アメリカ中部のきわめて保守的な地域であるイリノイ州南部で育った若い女性としての視点から、何を大切に思うか、どんなことを考えているのか、話し合ってほしいと考えていた。この年頃の有色人種の若者に最適のリソースが、うまく探せば見つかるだろうと思っていた。さっそく私は、自分の研究に使っているパソコンに向かったが（当時、博士課程に在籍していた）、まだ彼女たちを近くに呼んではいなかった。彼女たちの関心、人口統計学的特性（デモグラフィックス）（性別・年齢・居住地域など、社会学やマーケティングにおいて人々を分類する際の基準となる属性）、情報ニーズを反映した検索語を入力しようとグーグルを開いたのだが、ウェブで出くわす可能性があるものを先に確認して目星をつけておこうと思ったのだ。シンプルで一見して無難なその検索から得られたのは、またしてもひどいというほかないものであった。自分たちの冗談に鼻を鳴らしてくすくす笑っている少女たちがすぐそばにいるなかで、「黒人の女の子」と入力して検索したところ、ポルノだらけのグーグル検索結果ページがまたもや表示されたのである。その頃には、自分の検索履歴によって、また、このパソコンで数多くのブラック・フェミニズムのテキスト・動画・書籍に触れてきたことによって、表示される検索結果は変わっているのではないかと考えていた。そんなことはなかった。娘たちが自分自身に関わる情報を探すのを手助けするつもりだった私は、不注意にも、広告主が彼女たちについて抱く考えをかなり生々しくあからさまに示すものに彼女たちをさらしてしまうところだった。黒人の女の子は、いまだにポルノサイトの餌食になっていて、商品・製品ないし性的欲求の対象として非人間化されていたのだ。私はノートパソコンを閉じ、街で映画を見るなど、ほかに楽しめそうなことに意識を向け直した。検索結果の順位が示すところの最良の情報は、間違いなく、私や愛する子どもたちにとっては最良の情報ではなかった。では、誰にとってこれは最良の情報で、誰がそれを決めているのか？　どのような利益や動機が、この情報を検索結果の上位に押し上げたのか？　情報の順位づけや検索における中立性という考えは、なぜデジタル時代における黒人女性の人種主義的・性差別的な分類の最悪の事例の一つといえるほどに成り下がり、それでもなお十分に検討されず、社会的な批判も受けずにいるのか？　このときから、私は本書の核となる一連の調査研究に本格的に取り組み始めた。

　もちろん、冷静に考えてみれば、幼い家族たちのちょうど見えないところで起こったこの遭遇のかなり前から、私はウェブや検索ツールを使っていて、同じような検索結果を目の当たりにしていた。しかし、いつのまにかそれに慣れてしまった、あるいは慣れるように教え込まれてきたのだということに気がついて、あらためて困惑することになった。身体的自己やアイデンティティに関連するキーワードを用いた検索を行なえば、ポルノやその他の不快な結果が表示される可能性があるということを当たり前に思うように慣らされていたのだ。なぜ私は、暗黙のうちに、デジタル情報ツールとの間にこんな契約を結ぶことになってしまったのか？　私たちのなかで、このような契約を結ぶ必要がない人は誰なのか？　20世紀後半に育った黒人女性として、私の検索結果にみられた黒人の女性・女の子の提示の仕方が、デジタル時代に新しく生まれたものではないこともわかっていた。検索結果と、アメリカという国そのものの歴史と同じくらい古い、アフリカ系アメリカ人をめぐるこの国特有の紋切り型の表現の間に、関連性が見てとれたのだ。黒人研究・黒人史の学徒ならびに研究者としての私の経歴が、博士課程でのデジタル情報の政治経済学的研究と相まって、世界中の黒人の女の子のための義憤と結びついた。私は検索を続けた。

　これらの検索〔図1-2～1-9〕はそれぞれ、グーグルのアルゴリズムがさまざまな人々やアイデアをどのように概念化しているかを表している。自動提案（オートサジェスチョン）にせよ、さまざまな質問に対する答えにせ

Web Images Videos Maps News Shopping Gmail more Sign in

Black girls

About 140,000,000 results (0.07 seconds) Advanced search

Everything
Images
Videos
News
Shopping
More

Urbana, IL
Change location

Any time
Past hour
Past 24 hours
Past week
Past month
Past year
Custom range...

All results
Sites with images

More search tools

Sugary Black Pussy .com-**Black girls** in a hardcore action galeries
sugary**black**pussy.com/ - Cached
(black pussy and hairy black pussy,black sex,black booty,black ass,black teen pussy,big black ass,black porn star,hot **black girl**) ...

∞ **Black Girls** -- ((100% Free **Black Girls** Chat)) ∞
www.woome.com/people/**girls**/crowds/**black**/ - Cached
∞ **Black Girls** Online / / (100% Free **Black Girls** Chat) -- **Black Girl** Chat Rooms, Meet a **Black Girl** Online Now!!

Black Girls | Big Booty **Black Girls** | Black Porn | Black Pussy
www.**blackgirls**.com/ - Cached
BlackGirls.com is the top spots for black porn online. Hottest big Booty **black girls** sucking black cocks, in black ebony porn movies.

HOME | THE OFFICIAL HOME OF **BLACK GIRLS** ROCK!
www.**blackgirls**rockinc.com/ - Cached
Jun 24, 2011 – **BLACK GIRLS** ROCK! Inc. is 501(c)3 non-profit youth empowerment and mentoring organization established to promote the arts for young ...

Two **black girls** love cock | Redtube Free Big Tits Porn Videos, Anal ...
www.redtube.com/7310 - Cached
Watch Two **black girls** love cock on Redtube Home of free big tits porn videos, anal movies & group clips.

Black Girls | Free Music, Tour Dates, Photos, Videos
www.myspace.com/**blackgirls**band - Cached
Black Girls's official profile including the latest music, albums, songs, music videos and more updates.

BOOTY ON THE BEACH, **BLACK GIRLS** GONE WILD,GOONCITY ...
www.youtube.com/watch?v=h7lqV7z8Wrs - Cached
Mar 11, 2010 – DJ NOLAN AND FANS HIT THE BEACH ,GOONCITYDANCE.COM , I JUST SHOW LOVE TO MY FRIENDS, GET THE DVD IT HAS MORE ...

Black Girl Problems.
black-girl-problems.tumblr.com/ - Cached
The problems **black girls** have. Some of its funny, some of its serious. Click the follow button, you know you want to. twitter: @blackgirlprobss people can relate.

Black Girls | Facebook
www.facebook.com/**blackgirls**band - Cached
Sat, Sep 24, 2011 - NYC
Black Girls - follow us!!! get ready for the seafood special spring break tour 2k11 - General Manager: Erica - Booking Agent: blackgirlsbooking@gmail.com ...

Black Girl with Long Hair
bgltonline.com/ - Cached
18 September 2011 – Posted By **Black Girl** With Long Hair – 83 Comments .... by ERIKA NICOLE KENDALL of A **Black Girl's** Guide to Weight Loss. Earlier ...

Searches related to **Black girls**
black girls **ghetto** black girls **rock**
black girls **party** **white** girls
black girls **lyrics** black girls **violent femmes**
black girls **faces** **talk** black girls

1 2 3 4 5 6 7 8 9 10 Next

Black girls

Search Help Give us feedback

Google Home Advertising Programs Business Solutions Privacy About Google

Ads

Hot **Black** Dating
www.**black**crush.com
Hook Up Tonight & Get Busy with a Hot **Black Girl** Near You. Join Free

Local Ebony Sex
www.amateurmatch.com
The Sexiest Ebony Dating Online. Chat Browse and Get Laid. Free Join

Black Women Seeking Men
www.**black**sexmatch.com
Find **Black** Women Near You
Who Want a Lover in Only 5 mins!

Big Booty **Black** Porn
www.bigbooty**black**videos.com
A must see **black** booty porn site. Watch uncensored videos - 100% Free

Black XXX - uncensored
www.dabig**black**donkeybooty.com
Hardcore **Black** Porn tube videos. Extremely good - 100% Free.

Black Girls
www.aebn.net
Watch **Black** Adult PayPerView
Choose From Over 100,000 Porn Films

Naughty **Black** Wifes
www.affairsclub.com/**Black**
Husband Out For Work: You In For Naughty Pleasure! Join For Free.

See your ad here »

図1-2　「黒人の女の子」というキーワードに対する検索結果の1ページ目（2011年9月18日）

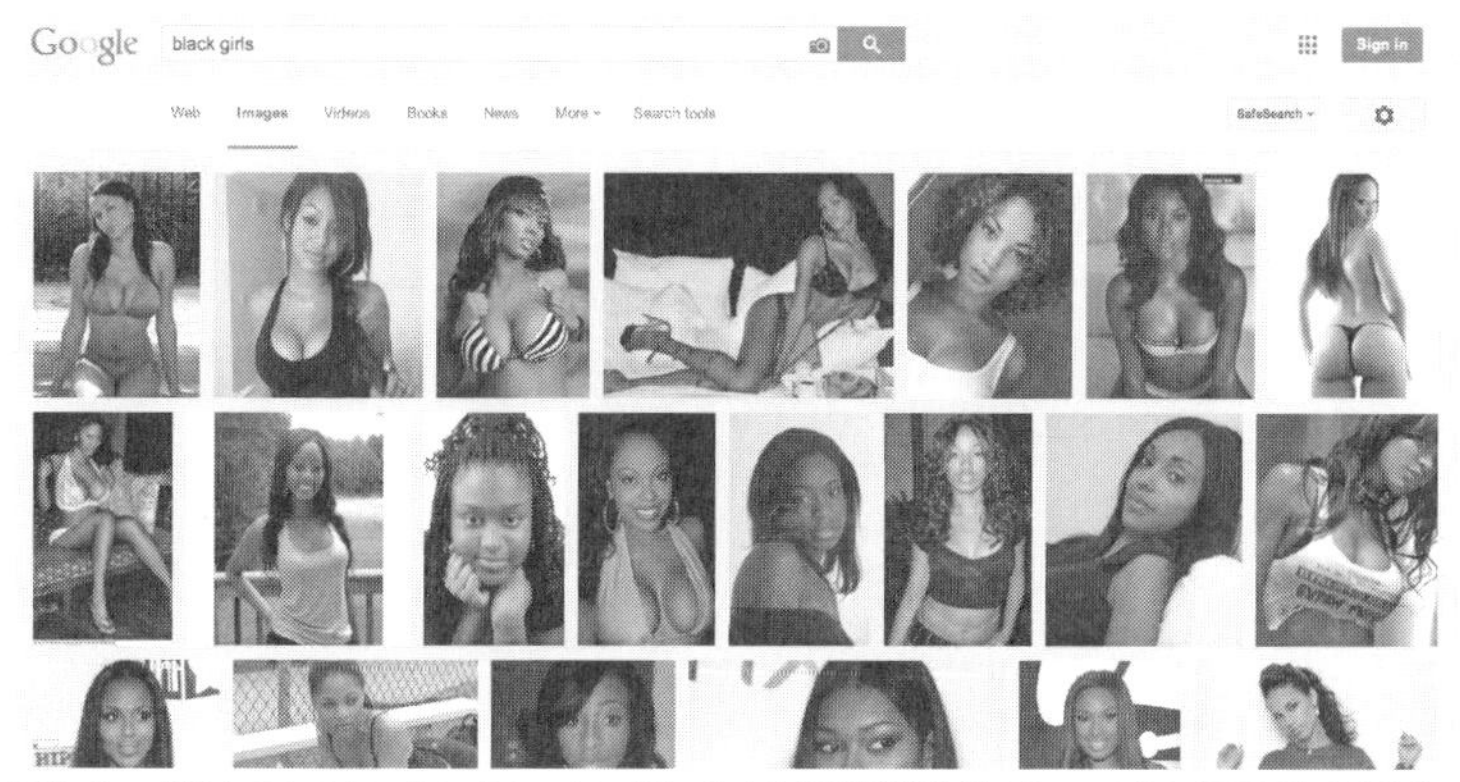

図1-3　「黒人の女の子」というキーワードに対する画像検索結果の1ページ目（2014年4月3日）

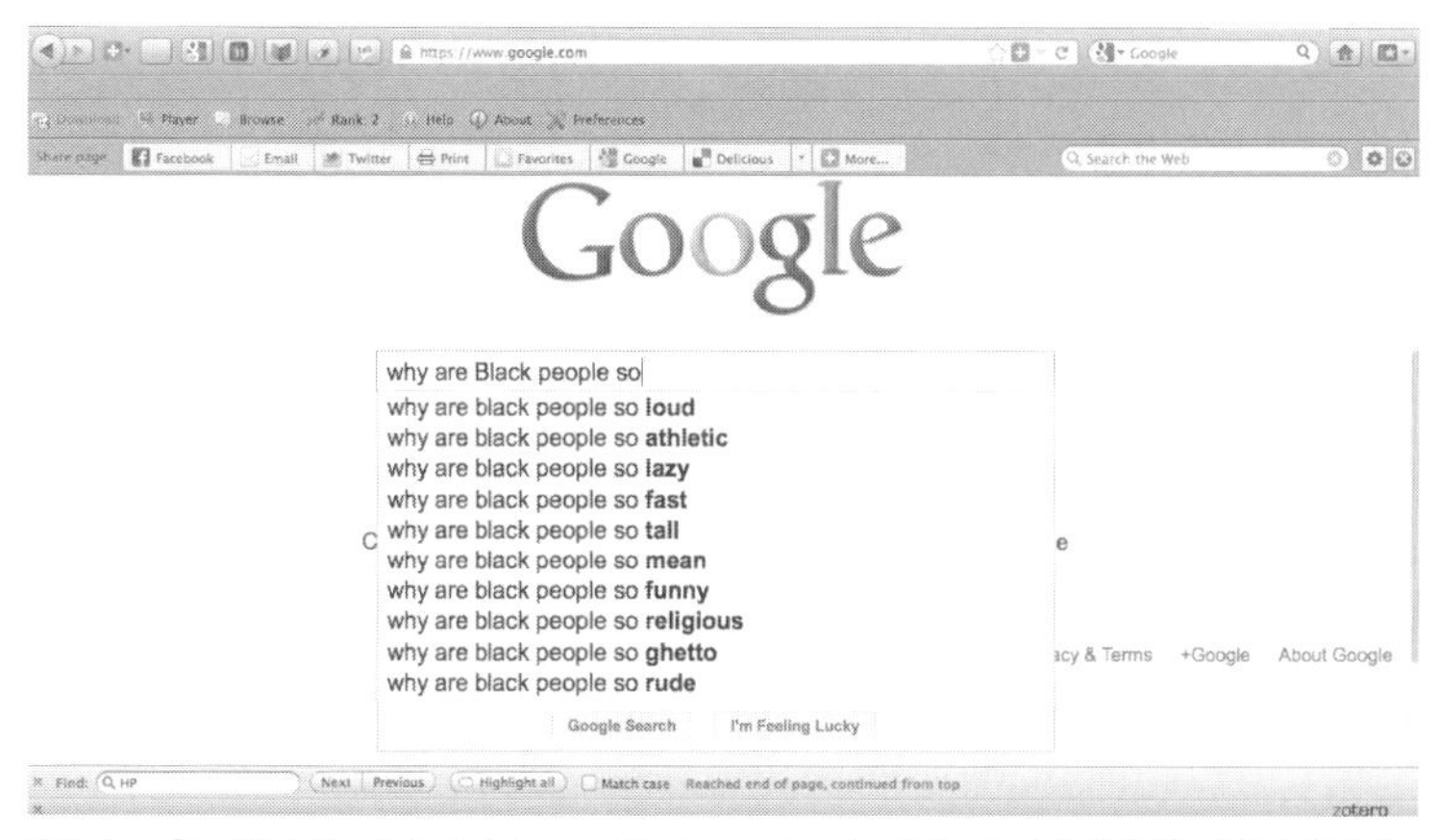

図1-4　「なぜ黒人はそんなに（why are black people so)」と入力したときのグーグルの自動提案（2013年1月25日）

図1-5　「なぜ黒人女性はそんなに（why are black women so)」と入力したときのグーグルの自動提案（2013年1月25日）

図1-6　「なぜ白人女性はそんなに（why are white women so)」と入力したときのグーグルの自動提案（2013年1月25日）

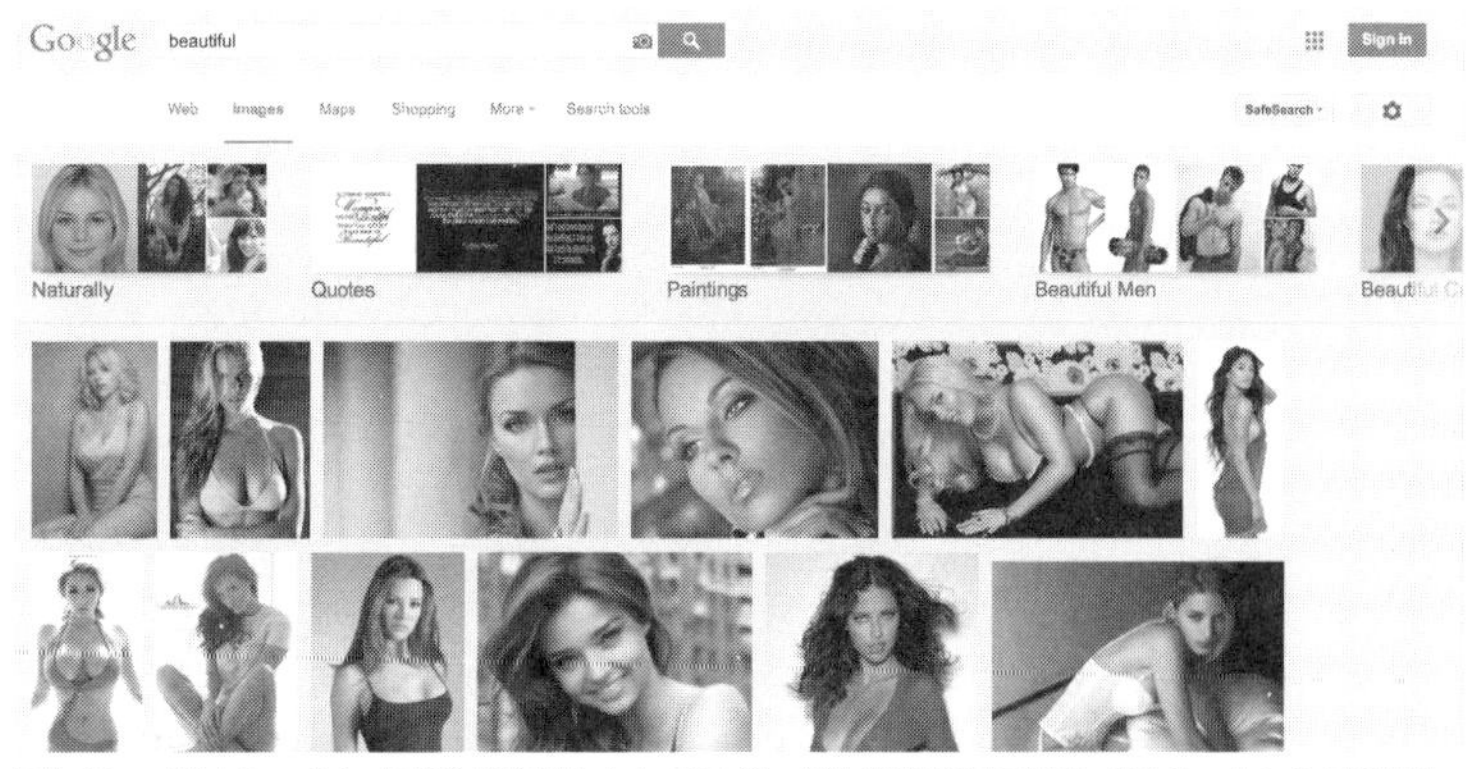

図1-7　「美しい」という概念を検索したときのグーグル画像検索の結果（「女性」という言葉は入力していない）（2014年12月4日）

図1-8　「醜い」という概念を検索したときのグーグル画像検索の結果（「女性」という言葉は入力していない）（2013年1月5日）

図1-9　私のアカウントでログインした状態で「教授　服装」と入力して検索したときのグーグル画像検索の結果（2015年9月15日）

よ、美とは何か、教授はどのような格好をしているか（この質問をしても、その答えに教授の一人である私のような見た目の人は含まれない――「パーソナライゼーション〔個人に合わせた最適化〕」はその程度のものなのだ）といった観念にせよ、グーグルの主要なナラティブは、女性や有色人種の人々がしばしば抵抗感を覚えるような、支配的(ヘゲモニック)な枠組みや考えを反映したものである。私たちは３／１００秒以内〔検索結果が返ってくるまでの時間〕に得られるステレオタイプで瞬間的に満足するのではなく、信頼できる情報として広告会社が何を提供しているのかを精査する必要があるのだ。

　実際、グーグルのような情報独占企業は、さまざまな観点から――たとえば、競合他社や、大規模な多国籍企業と比べて収益性の低い広告主である小企業よりも、自社の事業利益を促進するといった形で[2]――ウェブ検索結果に優先順位をつける力を有している。この場合、ユーザーのクリックは、有料広告を検索結果で優先的に表示する商業的プロセスと相まって、歴史的かついまも続く女性の社会的地位の低さを強調するような形で女性の表象が検索エンジンでランク付けされることを助長している。旧メディアの伝統が、新たなメディア構造に直接的に写像(マッピング)されているのだ。分類における問題のある表象とバイアスは、いまに始まったことではない。批判的図書館情報学の研究者たちは、一部の集団が、ほかの集団に比べて、誤った表象や分類をされることが多いということを十分に立証してきた[3]。この研究者たちは図書館の目録システムや情報組織化のパターンについて広範かつ重要な批評を行ない、アメリカ議会図書館件名標目表（Library of Congress Subject Headings, LCSH）やデューイ十進分類法において女性、黒人、アジア系アメリカ人、ユダヤ人、ロマの人々が皆、「他者」として、誤表象や愚弄という侮蔑に見舞われてきたことを明らかにしてきた。加えて、人種やジェンダーをめぐる社会的価値観が、ありとあらゆる形でテクノロジーデザインに直接的に反映されていることを示してきた研究者たちもいる。(4) このような貢献があってこそ、私は、グーグルの検索エンジンに人種・ジェンダーがどのように組み込まれているかを考察すること、そして現代で最も愛され、尊敬されているブランドを批評する勇気をもつことができた。

検索はきわめて商業的な環境で行なわれるもので、さまざまなプロセスを通じて何が見つかるかが決定される。そのうえで、こうした結果が信用に値するものとして標準化され、事実に基づいたものとしてしばしば提示されるのだ。アリゾナ州立大学の社会学の准教授でインターネット研究者連盟の元会長であるアレックス・ハラヴェは、検索エンジンのように頻繁に利用される技術的人工物(アーティファクト)がデジタル技術とコンピュータに関わる経験の規範の一部となった結果、そのような人工物は非政治的かつ中立的で信用できる正確な情報へのアクセスをもたらすはずだと信じるように人々は社会化されてしまったのだと指摘している。

このような思い込みは、危険なほど間違っている。[……] 検索エンジンのブラックボックスを紐解くことは、技術者やマーケティング担当者にとってだけでなく、新たにネットワーク化された世界を理解する方法を知りたいと思っているすべての人にとって興味深いものである。検索エンジンは、際限なく増えるアクセス可能な情報の海を囲い込み、コントロールするうえで中心的な役割を果たすようになってきたが、あまりにも安易に信頼されている。それらは一見すると、無料で、良いものと悪いものを選り分け、最も深遠な問いにも最もくだらない問いにも答えてく

れる。信仰の対象になっているのだ。(5)

ライコス(Lycos)やヤフー(Yahoo!)といったオンライン・ディレクトリの誕生につながった、初期のインターネットにおける人間の手によるキュレーション〔情報の収集・選別・組織化〕プロセスとは異なり、現在のインターネット環境では情報アクセスは機械の複雑なアルゴリズムに任されており、それらが選別を行ない、ユーザーのために結果に優先順位をつけている。私はハラヴェに賛同するし、検索エンジンは私たち自身の欲望をのぞき見るための窓であり、社会の価値観に影響を与えうるものだという彼の批評は重要である。検索は、ユーザーに情報を与えると同時に、部分的にはユーザーから情報を与えられる、共生的なプロセスなのだ。検索エンジンの全ユーザーが、どのようにシステムが動いているのか、どのように情報が収集され、まとめられ、アクセスされるのかを知るべきだとハラヴェは提言している。このビジョンを実現させるためには、検索の設計と出力へのより深い関与のために必要となる高度なコンピュータ・プログラミングのリテラシーを人々が身につけなければならないだろう。

それに対して私は、ラジオで流れる曲の歌詞、もしくは映画やテレビ番組のなかの人種主義的・性差別的な描写を批判するうえで、ラジオ放送やテレビのスペクトルの仕組み、あるいはブラウン管の製造法を知っている必要はないというたとえを挙げたい。一般の人々の理解が不十分であり、いまよりもはるかに高いレベルのアルゴリズム的リテラシーを身につけるべきだということはたしかである。〔しかし、〕本書で取り上げるプラットフォームはいずれも非公開(プロプライエタリー)であるため、たとえアルゴリズム的リテラシーを身につけたとしても、そのような企業の私有のプラットフォームに介入することはできないのだ。

具体的にいえば、システムの背後にあるコンピュータ・プログラミングコードを批評するうえで、こうしたシステムに大きな影響を与えるためには検索の技術的側面に関する知識が不可欠である。〔そのような考えから、〕ブラック・ガールズ・コード（アフリカ系アメリカ人の若い女の子たちにプログラミングを教えることに注力している組織）のような取り組みが、シリコンバレーのベンチャーキャピタルないしさらに広範な領域で黒人女性が締め出されてきたことへの応答として構築されつつある。一方で、一般市民、特に女性や女の子、有色人種など周縁化された人々にとっては、自分たちを表象しているとされる商用検索エンジンの上位10～20個の検索結果に対して批判的であることが重要だ。こうした人々は、誤表象がもたらす影響に抵抗するための経済的・政治的・社会的資本をもっていない。多大な権力をもつ者であれば、集団レベルで、ときには個人のレベルで、誤表象に抵抗したりその影響を緩和したりすることができる。周縁化され、抑圧されている人々は、自らの集団の地位に結びつけられており、個人の地位を確立したり、自分が属する集団の経験から自律的であったりすることができない場合が多い。このような検索の政治性が明らかにしているのは、アルゴリズムを生み出すのはコンピュータ科学者という人間であること、そしてコードは意味に満ちた言語であり、さまざまな情報にさまざまな形で適用されているということだ。〔だからこそ、〕女性や有色人種の人々にとって、プログラマーになり、代替的な検索エンジン――より弊害が少なく、より幅広い情報のニーズや観点を反映し優先させるもの――を開発することは、多大な利益をもたらすはずである。

研究者たちが懸念を表明する、重要な動きが広がりつつある。ニューヨーク大学のメディア・文化・コミュニケーションおよびコンピュータ科学の教授ヘレン・ニッセンバウムは、ランカスター大学マネジメントスクールの組織・テクノロジー・倫理の教授ルーカス・イントローナとともに、検索エンジンがオンラインで最も大きな力をもつ人々を優遇するように情報を偏らせていることについて論じている。アレハンドロ・ディアスは、グーグル製品の社会政治的なバイアスについてスタンフォード大学で学位論文を執筆し、この二人の研究を裏づけた。マイクロソフト・リサーチ・ニューイングランドの研究者ケイト・クロフォードとタールトン・ギレスピーは、アルゴリズムのバイアスについて幅広く論じている。クロフォードは最近、人工知能が社会に及ぼす影響を憂慮する研究者・業界人・活動家のためのサミットを、ホワイトハウスおよびニューヨーク大学と共催した。その会議で、人工知能と社会的不平等の関係についてのワーキンググループに私は参加したが、そこでは深層学習プロジェクトやソフトウェア・アプリケーションに関して非常に大きな懸念が表明され、社会的不公正や構造的人種主義の助長を憂慮する声も上がった。出席者のなかには、ジャーナリストのジュリア・アングウィンもいた。彼女は、ノースポイント社が開発した法廷判決用ソフトウェアについて最初に報じた記事で調査を行なった一人である。[6] このソフトウェアは、被告人の将来の犯罪性とされるものを判断するためのリスク評価に裁判官が用いるものだ。彼女は同僚たちとともに、この種の人工知能が将来の犯罪行為についてどうしようもないほど誤った予測を行なっており、黒人の被告人の過剰な収監を引き起こしていることを明らかにした。一方で、このソフトウェアは、白人の犯罪者については「再犯はない」と予測する可能性がはるかに高い――それはまったく正確でないと示すデータがあるにもかかわらず――ということも記者たちは発見した。私の隣に座っていたのは、データサイエンティストで『あなたを支配し、社会を破壊する、ＡＩ・ビッグデータの罠（*Weapons of Math Destruction*）』の著者キャシー・オニールであった。彼女は、２００８年の金融・住宅危機に数学とビッグデータがいかに直接的に関与していたかを内部者としての視点から考察している（なお、この金融・住宅危機は、３００年にわたる強制的な奴隷化への補償がなされていない件を除けば、アメリカ史上最も多くのアフリカ系アメリカ人の富を葬り去った出来事であった）。ウォール街で彼女が目にした光景は、きわめて示唆的なものであった。

データエコノミーの原動力である、数学を基盤とするアプリケーションは、間違いを犯すこともある人間の選択に基づいていた。善意からなされる選択もあったことはたしかである。それでもやはり、このようなモデルの多くは、人間の偏見・誤解・バイアスを、ますます私たちの生活を管理するようになったソフトウェア・システムのなかにコード化していた。神々と同じように、このような数学モデルは不透明であり、その仕組みは、この分野の最高位の司祭――数学者とコンピュータ科学者――にしか見えなかった。数学モデルによる裁定は、たとえ間違っていたり有害であったりしても、反論や控訴を許さないものだった。そしてそのような裁定には、私たちの社会のなかの貧しい人々や抑圧されている人々を罰する一方で、豊かな者をますます豊かにする傾向があったのだ。[7]

私たちの仕事は、各自のやり方で、データとコンピューティングがあまりにも根深い形で独自の「真実」になってしまった、そのさまざまな道筋を調べ上げることだ。このような状況ができあがってしまったせいで、社会はいまだに、証拠を目の前にしてなお、テクノロジー企業にその製品や誤った方法の責任をとらせることに苦戦しているのだ。このような過ちは、ますます多くのレイシャル・プロファイリングやジェンダー・プロファイリング、誤表象、ひいては経済的レッドライニングを生み出すようになってきている。

グーグルが自社の経済的利益のために――自社の収益性のために、そして何を犠牲にしても自社の市場優位性を強化するために――いかに検索を偏らせているかという問題が、本書の中心的な論点である。ユーザーは、グーグルが提供する「無料」のツールやサービス（検索エンジン、Gmail、Google Scholar、ユーチューブなど）と引き換えにプライバシーや個人情報、無形労働を提供している。その一方で、グーグルは自社のユーザーに対するデータマイニングから利益を得ている。多くの研究者が、その実態を明らかにしようと取り組んでいる。バージニア大学のメディア論の教授シヴァ・ヴァイディアナサンは、グーグルについてこれまで書かれたなかで最も重要な著作の一つを執筆した人物である。グーグルに関する彼の最近の研究は、情報の領野に対する同社の支配を明らかにしており、この研究の中心的テーマの土台となっている。メリーランド大学の法学の教授フランク・パスカーレも、信用格付けから交際相手の選択にいたるまで、私たちに関する多くの意思決定に対してアルゴリズムがその影響力を強めていること、そしてその差別的な影響への介入が困難であることについて警鐘を鳴らしてきた。テルアビブ大学コミュニケーション学科のメディア・コミュニケーション上級講師で、グーグルへの政治経済学的批判を行なっているイラド・セゲフは、グーグルがグローバルな経済格差を助長する場として機能している以上、同社のグローバルな支配とその権力がデジタル不平等を悪化させている状況を無視することはもはやできないと訴えている。

しかし、グーグルに関する既存の研究には、周縁化された人々に対してグーグルが及ぼす危害が急激に増大している状況を説明する、交差的（インターセクショナル）な権力分析が欠けている。私が本書の執筆を始めて以来、グーグルの親会社アルファベットは、ドローン技術[8]、軍用（ミリタリーグレード）ロボット工学、ファイバー・ネットワーク、そしてネストやグーグルグラスなどの行動監視技術[9]へとその勢力を拡大させてきた。これらは、人権問題として人工知能がもつ意味合いを考えるための数ある入り口のほんの一部にすぎない。私たちは、アイデアや人々がどのように表象されているかについてだけでなく、ドローンや自動兵器の場合に問題になるように、ロボットやほかの形態の自動意思決定が命を奪ってもよいのかという倫理についても気にかける必要がある。私たちは誰に向かって訴えればいいのか？　いかなる機関が人工知能を管理するのか？　一般市民はどこで問題提起を行ない、国内および国際法廷に苦情を申し立てるのか？　このような問いには、まだ満足のいく答えが得られていない。

グーグルの拡大が進むなか、グーグル検索は消費者保護政策の検討が最も不足している領域の一つであり[10]、ＥＵに比べるとアメリカでは規制がかなり遅れている。一般市民を保護するための政策を立案するうえで重要になるのは、規制を受けない商業的な情報空間が脆弱な人々に及ぼす影響についての研究を蓄積することである。そのために私は、特定の時期におけるウェブの実態を詳細に検討し、その結果をアメリカの人種・ジェンダーの歴史と照らし合わせて解釈していく。これは採りうる

Los Angeles Times @latimes　Following

Keith Lamont Scott had a complicated past: 5 arrests, prison, 20 years of marriage, a good review at work

Keith Lamont Scott: A family man, good worker and ex-con ...
The man whose death at the hands of the police in North Carolina had a troubled history, including a conviction for shooting at a man he thought was following him.
latimes.com

Retweets 117　Likes 124

6:35 PM - 24 Sep 2016

221　117　124　221

図1-10　2016年9月20日にノースカロライナ州で警察に殺害されたキース・ラモント・スコットについて、ソフトウェアが自動生成してツイートした見出し（『ロサンゼルス・タイムズ』紙が報じたもの）〔「キース・ラモント・スコットの複雑な過去――5度の逮捕、服役、20年にわたる結婚生活、職場での良い評判」〕

アプローチのうちの一つにすぎないが、データがいかに偏ったものであり、人種主義や性差別を存続させているのかを明らかにするための最も有力な方法の一つであると考えている。

ビッグデータの問題が、誤表象よりも根深いことは間違いない。それらは企業エリートや権力者を優遇する意思決定プロトコルにも及んでおり、グローバルな経済的・社会的不平等に加担しているのだ。人間の思考を再現するためにアルゴリズムを用いる深層学習は、特定の種類の人々――すなわち、社会で最も大きな力をもつ組織およびそれを支配する人々――の特定の価値観に基づいている。ダイアナ・アッシャー[11]は、カリフォルニア大学ロサンゼルス校大学院情報学科でのイエロージャーナリズム〔扇情的ジャーナリズム〕と文化的時間的指向性についての博士論文で、『LAタイムズ』紙のソーシャルメディア担当者が考案した見出しと、アルゴリズム駆動型のソフトウェアが自動生成した見出し（ツイッターでの激しい反発を招いた）の間に明白な違いがみられたと指摘している。アッシャーは、ニュースメディアの自動ツイートは、人種主義的で誤表象を含むものになりやすいということを明らかにした。ノースカロライナ州シャーロットで警官に射殺されたキース・ラモント・スコット――彼の殺害事件をきっかけに、警察の蛮行や行き過ぎた権力に対する全米規模の抗議運動が巻き起こった――に関する報道がその一例である。

このような事例は数多く存在する。以降の章でも引き続き、権力の仕組みについての常識的な理解を引き出す一つの方法として、人種的・ジェンダー的アイデンティティに関係するさまざまなキーワードの組み合わせに対してグーグルが提示する検索結果を精査していく。その目的は、こうした支配のプロセスを変えることである。このような交差的な権力関係を取り上げて議論していくことは、人工知能に埋め込まれた意識を変えていく絶好の機会となる。なぜなら、その意識とは実は、部分的には私たち自身が集合的につくり上げているものだからだ。

検索を理論化する――ブラック・フェミニズム的プロジェクト

本書の研究の推進力となっているのは、インターネットの検索結果をブラック・フェミニズムの観点から理論化すること、すなわち黒人女性の立場からウェブ検索の構造と結果について問うていくことであり、この観点を活かし、グーグル検索の仕組みについて従来とは異なる問いを投げかけていく。この研究の土台になっているのは、ビデオゲーム、[12]ウェブサイト、[13]バーチャル世界、[14]デジタルメディアプラットフォームなど、[15]デジタル技術とのさまざまな関わりにおいて人種化（racialization）が際立った要素となっている状況について考察してきた先行研究である。ブラック・フェミニズムの観点は、グーグル検索をはじめとする商用検索エンジンの結果にみられる人種ヒエラルキーやステレオタイプ化の性質・内容について問う機会をもたらす。つまり、黒人の女性・女の子に関する検索結果の解釈に用いられる支配的な観点を脱中心化することで、それらを文脈化するのだ。このようなアプローチをとることで、私は意図的にフェミニズムの観点から理論化を行ない、同時にテクノロジーをめぐるフェミニズム理論で見落とされがちな人種の側面も取り上げる。カリフォルニア大学ロサンゼルス校の科学技術の名誉教授サンドラ・ハーディングは、フェミニズム的な方法と認識論を明確にすることには価値があると論じている。

フェミニズム的な異議申立ては、何が問われるか――そして、さらに重要なことに、何が問われないか――ということが、私たちが発見しうるあらゆる答えと少なくとも同じくらい、全体像の妥当性を決定づけるものであると明らかにする。科学的説明が必要なものは何かということをブルジョワ白人男性の経験に基づく観点だけで定めることは、社会生活の理解を部分的な、ひいては歪んだものにしてしまう。フェミニズム的研究の際立った特徴の一つは、女性の経験に基づく観点から問題系を生み出すことである。[16]

グーグルの免責条項（ディスクレーマー）に見てとれるように、[17] 問題があるないし人種主義的な検索結果を修正することは不可能だとする主張がある。フェミニズムの観点は、アイデンティティの交差的な側面に関する人種的な意識（レイシャル・アウェアネス）と相まって、そのような「テクノロジーは無害かつ有用である」という問題含みの立場がもつ意味合いを理解するための新たな基盤と解釈をもたらすはずだ。たとえば、ブラック・フェミニズムの知的アプローチは、「黒人の女の子」といった言葉に対する検索結果を検討し、メディアにおいて黒人女性が誤表象されてきた歴史的傾向についての証拠を前景化させる。言うまでもなく、このような誤表象や、社会関係を維持したり悪化させたりするためのビッグデータの利用は、人種・ジェンダー間の支配関係を維持するうえで強力な役割を果たしている。治安維持、技術革新、新興の創造経済（クリエイティブ・エコノミー）の名のもとに、黒人は、異常で人権や尊厳に値しない存在として常態化され続けている。これに対して私は、人間性の剝奪（dehumanization）が自由市場の技術プロジェクトとして正当化されれているおぞましい状態を明らかにすることで、直接的な異議申立てを行なう。

本書では、グーグルなどの商用検索エンジンをめぐる先行研究を基礎にしつつ、制度的に抑圧されている人々のための社会的公正に注意を向けるブラック・フェミニズムの観点から新たな問いを投げかける。そして、（情報の山（パイル）の頂点で正当化されるおかげで）「事実」といえるような情報が存在するという考え方を複雑化させることに目を向ける。というのも、人種化された資本主義システムのもとでは、人種主義と性差別は利益をもたらすものであるからだ。一般市民に受け入れられているランキングヒエラルキーは、一番であることに価値を置く社会の価値観を反映しており、検索結果のランキングも、この事実上の権威システムに根差しているのだ。ほかの研究者たちは、中立性が欠如している、自社の商業的利益を優先させているといった点でグーグル検索を問題視してきた。それに対して、本書の批判の狙いは、過去30年間にわたる新自由主義的な技術政策によって助長されてきた、検索の人種主義的・性差別的バイアスについて明確に論じることにある。

理論的・方法論的アプローチとしてのブラック・フェミニズム

黒人の女性・女の子の身体がオンラインで商品化されているという事態は、研究者の注目を集めてしかるべきである。というのも、この場合、彼女たちの身体を規定しているのは、人種主義的・性差別的表象のより広範な社会的・政治的・歴史的意味を考慮しない技術的システムであるからだ。検索結果における黒人の女性・女の子の存在そのものが、検索エンジンは信頼が置ける公平なものだという支配的なナラティブによって誤解され、損なわれている。要するに、グーグルのランキングにおける黒人女性の侮蔑的ないし問題がある表象の社会的文脈や意味合いは、その置かれている場所によって正常なものとみなされているのだ。そのせいで、一部の人々にとっては、ページ上に存在するものは「何よりもポルノの文脈で黒人女性を探している人が多い」という厳然たる事実の表れなのだと信じやすい状況が生まれている。これはなぜかといえば、検索結果で最上位に表示されるものは、最も人気があるか、最も信頼できるか、その両方であると人々が考えているからだ。

しかし、これは、「黒人の女の子」やほかの有色人種の女の子・女性に関するキーワード検索で、

「ポルノ」という言葉を入れなくとも彼女たちの主要なデータ要素としてポルノが前面に出てくる理由の説明にはなっていない。特にキーワードに「ポルノ」や「セックス」といった言葉を加えなくとも、何の説明もなしに検索ランキングで黒人の女の子があからさまに性的に扱われるとき、このようなアウトプットの政治的・社会的意味合いは剝ぎとられている。この現象は、オフラインの社会関係から複製されたものであり、技術的アウトプットの物質性に深く埋め込まれていると考えられる。すなわち、旧メディアでかねてから存在する誤表象が、オンラインで再び具現化され、人々から信頼されている権威的メカニズム、すなわちグーグルのなかに位置づけられたのだ。インターネット上の人工物（アーティファクト）としてのグーグル検索の研究は示唆に富んでいる。ブラック・フェミニズムの研究者たちは、このようなメディアの誤表象の弊害をすでに明確に指摘している。[18] ジェンダー、階級、権力、セクシュアリティ、その他の社会的に構築された諸カテゴリーは、不平等や抑圧を生み出す社会関係の基盤（マトリックス）のなかで互いに影響し合っているのだ。

　ブラック・フェミニズムの思想は、人種とジェンダーが、歴史的・社会的・政治的・経済的プロセスを通じていかに社会的に構築され、互いを構成しているかを理解するための有用かつ反本質主義的な観点をもたらすものであり、[19] 興味深い研究課題と新たな分析的可能性を生み出している。理論的アプローチとしてのブラック・フェミニズムの思想は、支配的な人種・ジェンダー研究に疑問を投げかける。すなわち、それは、人種や黒人性に紐づく問題を「男性的」なもの（あるいは男性たちの問題）として一般化したり、ジェンダーを主に白人女性の視点と経験を通じて認識されるものとして組織化し、黒人女性を不安定かつ十分に研究されない立場に置いたままにしたりする、従来の研究の傾向に異議を唱える。大衆文化のなかには、表象に対するコントロールを主張するために、あるいは少なくともその恩恵を受けるために、黒人女性のイメージを盗用したり、ネガティブなステレオタイプを利用したりする例が無数に見つかる。ブラック・フェミニズムの研究者ベル・フックスは、新自由主義的資本主義が黒人女性の誤表象と過剰な性的対象化に露骨に加担していることについて詳しく論じてきた。フックスの研究は、新たなメディア環境を理論化することに関心がある黒人女性への呼びかけである。私はそれをインスピレーションとして、また批判的情報学に携わることに関心があるほかの黒人女性に行動を促すものとして用いている。全体として、本書の研究は、テクノロジーの生態系（エコシステム）――図書館のデータベースのような伝統的な分類システムから、商用検索エンジンのような新しいメディア技術にいたるまで――が黒人の女性・女の子についてのナラティブを構築している方法を理解するうえで助けになった、多くの研究者たちの影響を受けている。本書で取り上げる事例を通じて明らかにしたいのは、グーグルのような商用検索エンジンは、利益を優先させるためのさまざまな必要性を媒介するだけでなく、それらの影響下にあるということだ。そうした必要性は、女性のアイデンティティの商品化を支持するような情報・経済政策に支えられている。本書の最終的な目標は、新たなメディア環境のなかで黒人の女性・女の子が自身のイメージや表象を冒瀆され続ける状況が一体なぜ生まれているのかを――黒人コミュニティでの言い回しを借りれば――「明白にする（make it plain）」ことである。古い伝統的なメディアの描写とさほど変わらないイメージが、いまなお流布しているのだ。商品化（コマーシャライゼーション）が、ウェブ上の黒人の女性・女の子の表象的アイデンティティの消費を推し進める原動力となっていることを本書では明確に示していきたい。

本書は、主に検索エンジンで優先されるコンテンツの影響について考察する。しかし同時に、文化的障壁、規範、権力関係が黒人をウェブから遠ざけていると示す研究[20]があるなかでもなお、黒人をインターネットに接続させることに主眼を置いている公共政策の取り組みに示唆を与えるためのより詳細な調査や一連の戦略をもたらすことも意図している。デジタル・ディバイド[21]の解消に力が注がれた10年あまりを経て、ここで提起される研究課題は、「その後（what then?）」についての議論を喚起するためのものである。アメリカのすべての黒人の女性・女の子・男性・男の子をウェブに参加させることとは、何を意味するのか——その大多数が、自身に関するものであるか否かにかかわらず、コンテンツにアクセスするためにグーグルをはじめとする検索エンジンを利用し、本書の冒頭で紹介したような結果に出くわすことになるのであれば。文化的遺産や知識のデジタル化競争は重要だが、図書館の利用者が書庫のなかの膨大な量の情報を案内してくれる図書館員の深い知識とスキルを頼りにするのと同様に、それ〔ウェブ上の情報〕を見つける適切な方法を知らないユーザーにとっては、検索エンジンが仲介役を担う場合が多いのだ。

グーグルの重要性

グーグルはユビキタスな〔遍在する〕存在になり、日常的に利用する多くのユーザーにとっては「インターネット」そのものと同義である。グーグルは、インターネット・ブラウザとしての役割を果たすだけでなく、個人のＥメールの取り扱い、全米の自治体でのＷｉ－Ｆｉネットワークやブロードバンドプロジェクトの立ち上げまで手がけている。従来の電気通信会社とは異なり、非常に規制が緩い市場や政策環境のなかで、さまざまなプラットフォームにまたがってデータの収集・提供ができるという前例のない権利を有しているのだ。グーグルのような営利組織との関わりがどのような影響を及ぼすのか、また消費者にとって何がそれほど魅力的なのかについて、さらに研究を深めていかなければならない。というのも、それらの利用は、監視やプライバシーの侵害を助長したり、隠された労働慣行に加担したりすることにつながるからだ。これら一つひとつが、グーグルの親会社アルファベットのビジネスモデルを強化し、多くの垂直的・水平的市場にわたる同社の市場優位性を高めている。[22]２０１１年には、連邦取引委員会が、グーグルのほぼ独占的といえる地位と市場支配、そしてそれが消費者にもたらしうる弊害について調査を始めた。２０１２年３月16日には、グーグルの株はＮＡＳＤＡＱで１株６２５・０４ドルで取引され、時価総額は２０３０億ドル余りであった。公聴会の時点で、グーグルの最新の損益計算書（２０１１年12月期）によれば、粗利益は２４７億ドルであった。手元資金は４３３億ドルで、負債はわずか62億１０００万ドルであった。２０１２年、検索エンジン市場におけるグーグルのシェアは66・２％にのぼった。グーグル検索の利益は増え続け、その資産があまりに大きくなったために、持ち株会社としてアルファベットが設立され、グーグル検索は多くの子会社の一つにすぎなくなった。本書の執筆が最終段階を迎えた２０１７年８月の時点で、アルファベットの株はＮＡＳＤＡＱで９３６・３８ドルで取引され、時価総額は６４９４億９０００万ドルであった。

日常生活で検索が果たしている役割は社会で広く認識されており、それゆえ検索に対する人々の意見には気がかりな点がある。ピュー・インターネット・アンド・アメリカン・ライフ・プロジェクトが実施した、コムスコア・メディア・メトリックス消費者パネルによる追跡調査および消費者行動傾向の最近のデータによれば、インターネットユーザーにとって、検索エンジンはEメールと同じくらい重要なものになっているという。６０００万人以上のアメリカ人が検索を行なっており、大部分において、検索エンジンで見つかる結果に満足していると人々は回答している。「検索エンジンの利用」についての２００5年と２０１2年のピューの報告書によれば、アメリカ人全体の73％が検索エンジンを利用したことがあり、59％が検索エンジンを毎日利用していると回答した。[23] ２０１2年には、検索エンジン利用者の83％がグーグルを利用していた。しかし、グーグル検索が自社の利益を優先させている状況は、一般市民にはきわめて見えづらいものだ。調査参加者のほとんどは、有料広告と「本物」の検索結果を見分けることができなかった。

検索がそこまで信頼されているというのなら、なぜ本書のような研究が必要とされるのか？　初歩的で単純な検索の向こう側にあるものを探究していくことが、本書の要である。これまでに紹介した検索結果やほかの結果についての議論を通じて、私は次の点を強調したい――すなわち、商業的なデジタルメディアプラットフォームには欠落している社会的文脈があるということだ。これは特にステレオタイプ的・ポルノ的な形で問題含みの表象をされている周縁化された集団、虐げられている人々、絶えず標的にされている人々にとっては重大な問題である。本書では実例としていくつかの検索結果を取り上げ、この点を強調するとともに、商用検索エンジンを通じて何がウェブで見つかるかが社会にとっていかに重要なのかという問題意識を――そして願わくは介入も――喚起したいと考えている。

権力としての検索結果

検索結果は、検索企業の商業パートナーや広告主の価値観や規範を反映するものであり、しばしば私たちが抱く最も低俗で最も侮蔑的な観念を映し出す。というのも、こうした観念はあまりに自在かつ広範に流通しているため、常態化され、きわめて大きな利益を生むものとなっているからだ。検索結果は、ただ単に人気を表しているわけではない。検索結果は「客観的」かつ「人気がある」ものを示しているという支配的な考え方は、女性蔑視の、あるいは人種主義的な検索結果を、あたかも集団を単に映し出したものであるかのように見せてしまう。問題のある検索結果は「正常」に見えるだけでなく、完全に不可避であるようにも見える――そのような見方は、研究者たちによって完全に否定されているにもかかわらず。残念ながら、グーグルのユーザーたちは、グーグルの製品を使い続けることで、このアルゴリズムがもたらす結果を承認してしまっている。これは、学校・大学・図書館がグーグル製品を教育経験に取り入れている以上、ほとんど避けられないことである。[24]

グーグルの独占的地位[25]は、そのアルゴリズムがアメリカの新自由主義的資本家階級や社会的エリートの利益になるように情報を偏らせていることと相まって、信頼できる情報を装いながらも、実際には広告利益を反映した情報が提供されるという事態を招いている。換言すれば、グーグルは最も影響力が大きい有料広告主の利益のために、あるいは大衆の利益と商業的利益の交わる場所で機能している。それにもかかわらず、ユーザーは、グーグルを商業的利益とはもっぱら無関係な公共のリソースとみなしている。グーグルの検索結果を文脈化する能力をさらに複雑にしているのは、その社会的覇権の力である。[26] グーグルは、いわゆるユーザーの「レイバーテインメント[27]（labortainment）」から直接的にかなりの利益を得ている。グーグルおよびその製品の利用と引き換えに、自らの労働や個人データを無償で提供することにユーザーが同意することによって、グーグルにはかり知れないほどの利益がもたらされているのだ。

図書館員、情報の専門家、知識管理者——いずれも、検索エンジンの過度な使用の影響を受けやすく、それらに取って代わられる可能性すらある——を含めた一般市民の商用検索への過度な依存は、いまさらなる注視が求められる問題であり、そのことを示す事例は豊富にある。現在のアルゴリズムの制約や限界のもとでは、商用検索は、すでに過度に人種化され性的に扱われ、複数の〔差別の〕軸に沿って大いに苦しんでいる人々に対して社会的・歴史的・文脈的に適切な意味づけを行なうことはできない。本書で提示する研究は、このような制約が、フォーマルおよびインフォーマルな文化の産物としてのウェブに依存するユーザーにどのような弊害をもたらしうるのかについての理解を深めることに寄与するはずだ。[28] 要するに、検索結果は、それを目にする人々に事実と権威を提供するという強力な役割を担っており、そうであるからこそ慎重に検討されなければならない。グーグルは、デジタルメディア研究者たちの中心的な研究対象になっているが、それはかれらがグーグルの権力と影響力を認識しているからだ。[29] こうした力は、ソーシャルメディアとの関わりのほとんどを検索プロセスから開始する必要性、そしてその必要性に応えるためにデジタルメディア環境のあらゆる側面にグーグルが採用され組み込まれているという普遍性に基づいて行使されている。本書は、検索の仕組みとバイアス、検索に対する一般市民の信頼、検索と情報学の関係、人々（とりわけアフリカ系アメリカ人）がグーグルにおいて媒介され商品化される方法に関する学術的な空白を埋めることを目指すものである。

関連するプロセスを明らかにするためには、まず検索結果はどのように表示されるのかを考えることが重要である。検索エンジンにクエリ（問い合わせ、すなわちデータベースに対する特定の情報の検索要求）を送れば、最も関連性が高い、それゆえ有用な情報が得られると考えている人もいるかもしれない。ところが実際には、このプロセスは、ウェブ上でページがハイパーリンクされ、インデックス化されるさまざまな方法に基づいている。[30] 検索エンジンによってウェブコンテンツ（ページ）を見つけやすくすることは、明白に社会的・経済的・人間的なプロジェクトであり、複数の研究者がその詳細を明らかにしてきた。その成果は、プログラミングコードによって実装された一連の手順（アルゴリズム）を通じてユーザーに提供され、それから「客観的」なものとして自然化される。これが中立的なプロセスとみなされる理由の一つは、アルゴリズム的・科学的・数学的な解（ソリューション）は、手続き的（プロシージャル）かつ機械的な実践（この場合は、ページ間のハイパーリンクの追跡など）を通じて評価されるからだ。このプロセスは、グーグルの創業者であるセルゲイ・ブリンとラリー・ペイジによって「投票（voting）」と定義されている。かれらはこの言葉を、ウェブサイトをランク付けしたリストのなかで検索結果が上下する仕組みを説明するために用いている。ほとんどの場合、こうしたプロセスの多くは自動化されているか、プログラマーではない人（すなわち、コードのレベルで作業しない人）でもウェブサイト間でリンクを共有できるようにするグラフィカル・ユーザー・インターフェース（ＧＵＩ）を通じて実行されている。[31]

調査によれば、ユーザーは検索エンジンで情報を探す際、ごく少数の検索語しか使用しない傾向があり、高度な検索クエリを使うことはめったにないという。ほとんどのクエリが、従来のオフラインでの情報探索行動とは異なるからだ。[32] このようなフロントエンド〔ソフトウェアやシステムの構成要素のうち、直接ユーザーとやり取りを行なう部分〕のユーザーの行動は単純すぎるように見えるが、情報検索システムは複雑であり、ユーザーがクエリを考え出すまでには、必ずしもシステム設計に反映されない認知的・感情的プロセスが含まれている。[33] 要するに、インターフェースの設計上、ユーザーは可能な限り単純なクエリを検索ボックスに入力するが、これはユーザーがあるトピックに対して抱いているより複雑な思考パターンや概念のなかでの検索語の位置づけを必ずしも反映していないのだ。このように、ユーザーのクエリや実際の問いと情報検索システムの間には乖離がある。だからこそ、表示される検索結果の内容と、権力や社会関係の表れとしての検索結果がもつ意味の間の複雑なつながりを理解することがきわめて重要なのだ。

人々は、検索エンジンで見つかる情報を概ね信頼している。しかし、商用検索エンジンのウェブ検索で表示されるコンテンツの多くは有料広告にリンクされており、それが当該コンテンツがページランクの上位に表示される一因となっている。そして多くの場合、検索者は「本物」の情報と広告の違いをよくわかっていないのだ。広告が商用検索の欠かせない一部となっていることを踏まえると、検

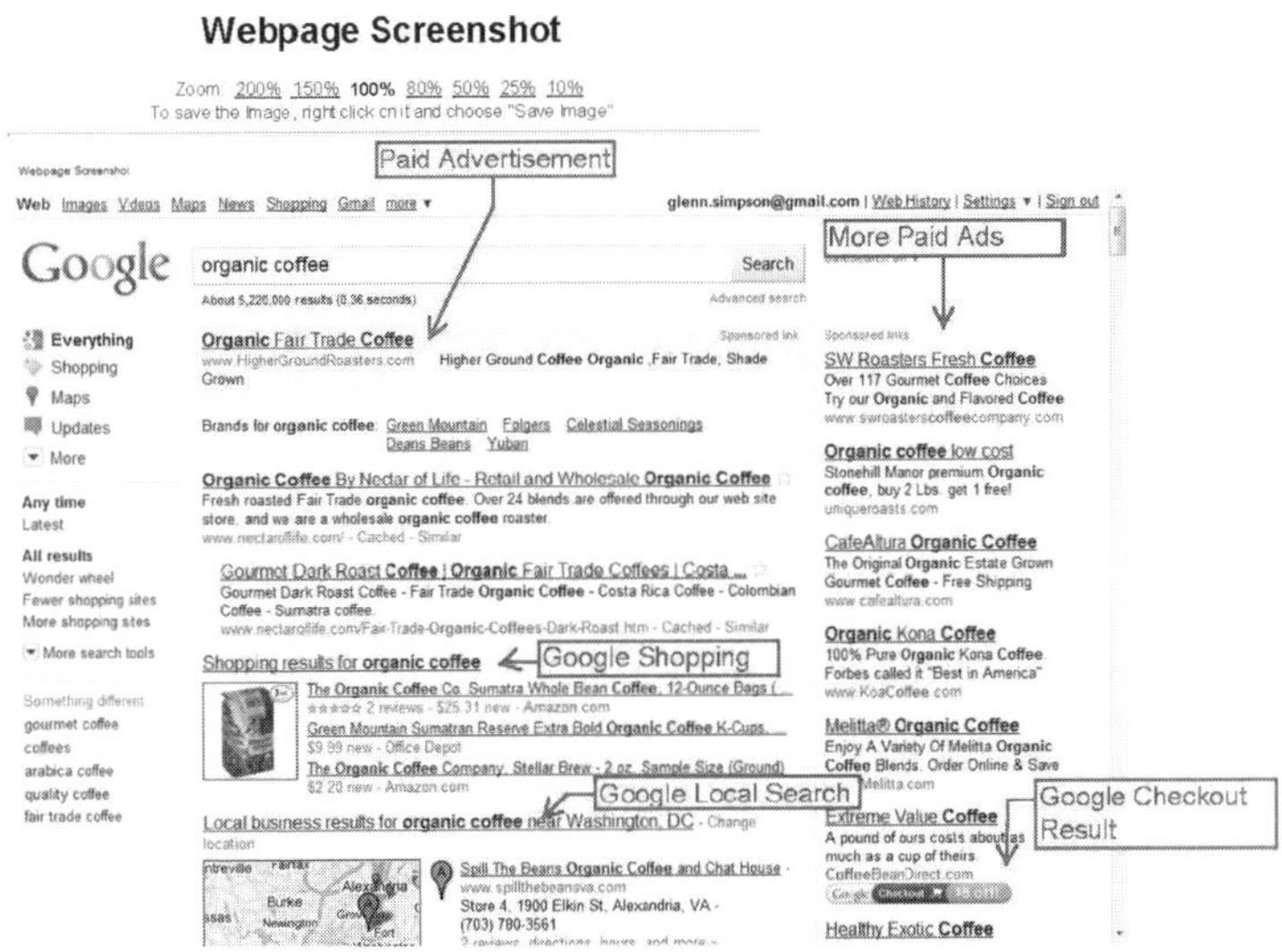

図1-11　グーグルがウェブ検索で自社の資産（プロパティ）〔グーグル社が提供するサービス〕を優先的に表示している例。出典：Inside Google（2010）

索で実際のところ何が提供されているのかを理解するために内容分析を用いることは適切であり、そうしたアプローチは印刷広告のなかの女性のイメージに対するフェミニズム的批評とも重なり合う。[34]〔フェミニズム的批評を展開してきた〕これらの研究者たちは、いかに女性が問題のある形で表象されてきたか——性的対象として、無能な存在として、男性に依存する存在として、あるいは職場における少数派として[35]——を明らかにしている。検索エンジンにおける女性・女の子をめぐるコンテンツや表象も、ほかの広告チャネルにはびこっているような、問題のある偏った考えと変わらない。もちろん、グーグル検索は実際には広告プラットフォームであり、図書館のように公共の情報リソースとしての役割だけを果たすことを意図したものではないため、これは無理もないことである。グーグルがつくっているのは、情報アルゴリズムではなく、広告アルゴリズムなのだ。

本書の文脈で検索を理解するためには、グーグルの共同創業者であるセルゲイ・ブリンとラリー・ペイジによる、グーグル〔の検索エンジン〕の開発についての記述をみていくことが重要である。スタンフォード大学の計算機科学専攻の大学院生であったかれらは、「大規模なハイパーテキストウェブ検索エンジンの構造（The Anatomy of a Large-Scale Hypertextual Web Search Engine）」という論文でこの点を概説している。大学院時代に書かれたこの論文は、グーグルのページランクの構造的な骨組みとなっている。さらに、ブリンとペイジのアイデアの基礎となった引用分析が計量書誌学的（ビブリオメトリックス）プロジェクトとして機能しており、それを大幅に発展させてきたのが図書館情報学の研究者たちである点にも注意を向けることが重要である。あまり理解されていないのは、どちらの力学も、情報の精査における人間の介入の複雑さを考慮しておらず、特定の種類の情報の相対的な重みや重要性にも注意を払っていないということだ。[36] たとえば、出版物において著作物を引用する過程では、参考文献目録ですべての引用に等しい重みが与えられるが、思考の発展に対するそれらの相対的な重要性はまったく等価ではないかもしれない。さらに、ある引用について、それが肯定されているのか、否定されているのか、援用されているのか、あるいは重点的に取り上げられているのかに応じて相対的な重みが与えられることもない。これが、文献のなかで引用が実際のところ何を意味するのかを知ることを困難にしている。たとえば階級や権力の力学に関する現代的な議論においてカール・マルクスに、あるいは「個人」の概念に関してイタリア・ルネサンスの研究者ヤーコプ・ブルクハルトに言及することがないように、あまりに主流になった著者の知的貢献は、議論の枠組みを支えているとしても、もはや引用されることはない。広く理解された概念や確立された知的方法は、主流の学問ではめったに引用されないのだ。この重要な力学は、引用分析の不完全なシステムの一部となっており、計量書誌学が知識生産を評価するための正当な手段として機能するためにはこの点により注意を向けなければならない、と情報科学技術協会（Association for Information Science and Technology, ASIS&T）の元会長でイリノイ大学アーバナ・シャンペーン校情報学部の副学部長であるリンダ・C・スミスは指摘している。

ブリンとペイジは、ウェブ上で何が正当であるかを決めるための思考モデルとして、あるいは少なくとも、特定の種類のコンテンツが多くの人々に受け入れられていることを根拠に人気があるものを示す方法として、人々が引用する著作物を利用することに価値を見出した。引用の直接的な取り込み、すなわちハイパーリンクに関して、ブリンとペイジは本書で指摘してきた問題の一部に気がついていた。かれらは、広告会社や商業的な利害関係者が、広告やウェブサイトをクエリに対する結果のリストの上位に誘導するためにシステムを「悪用」する――現在、「検索エンジン最適化」と呼ばれ、正当化されているプロセス――可能性を当初からはっきり認識していたのだ。このような行為がなされるのは、ページランクの最初のページに掲載されれば「ベスト」と評価されて購入につながるから、つまりウェブリンクへのクリックが利益を生むからだ。この〔検索エンジン最適化〕プロセスは、黄色でハイライトされることが多い有料広告（図1-11を参照）ではなく、ウェブ検索結果をめぐるものである。広告ではないように見える検索結果も、実は広告アルゴリズムに影響されているのだ。一度印刷されると恒久的・固定的なものになる科学的・学術的引用とは対照的に、ハイパーリンクの作成は動的なプロセスであり、刻々と変化していく。[37] その結果、グーグルランキングの結果は変動しやすく、検索エンジン最適化や広告など、以降に取り上げるさまざまなプロセスの影響を受けやすい。つまり、検索結果は時間とともに移り変わるということだ。最もハイパーリンクされているものは何かについてグーグルのアルゴリズムが導き出す結果は、今日と後日で、あるいはグーグルのウェブインデックス作成用クローラーがウェブを通過する以前と以後で変わっているだろう。[38]

引用の重要性は、特定の学問分野における学術的な関連性(レレバンス)〔レレバンス（relevance）は、特に図書館情報学においては、（検索で得られる）文書がユーザーの情報ニーズに合致する度合いを指す。「適合性」「重要性」「有用性」と訳される場合もあるが、本書では文脈および読みやすさを考慮して「関連性」と訳した〕を判断するための基礎となる概念であり、引用分析は、主にある論文や学術研究が研究者のコミュニティにとって重要であるか否かを判断するメカニズムとみなされてきた。ここでは、この概念を再検討したい。なぜなら、これは単に引用可能性や人気だけでなく、情報の正当性について考えるうえでも示唆をもたらすものだからだ。また、これは監修(キュレーション)に携わる人間の役割でもあり、完全に自動化されているわけではない。端的に言えば、研究者がある研究や文書を引用することを選択した場合、かれらはその研究ないし文書の〔主題に対する〕関連性の高さを示したことになる。それゆえ、参考文献目録のなかのすべての引用が同じレベルの意義をもつわけではないものの、文書の関連性に関する判断には人間（研究者）が関与しているのだ。この「引用を通じた信頼性」という概念にページランクは基づいており、ブリンとペイジは、「ある文書を参照しているページが多い場合」、その文書の関連性が高い可能性は「ランダムサーファーがページを訪れる確率」よりも大きいと考えた。[39] ブリンとペイジは、グーグル検索の開発につながった研究のなかで、ウェブ検索プロセスの商業化によるキーワードの独占や操作の可能性について論じている。かれらが情報検索で目指していたのは、ウェブ上で取得できるあらゆる文書のなかから、最も関連性の高い、つまり最良の文書を10件ほど表示させることであった。かれらの検索アーキテクチャ開発が結実したのが、「人々の主観的な重要性の考え方によく対応した、引用の重要性という客観的指標」に基づいたページランクのシステムである。[40]

ブリンとペイジの論文で最も示唆に富む部分の一つは付録Aで、そのなかでかれらは商業的な利害関心が検索結果の質を損ないかねないということを認めている。かれらはベン・バグディキアンを引用しつつ次のように述べている。「携帯電話の広告を表示することで対価を得るような検索エンジンの場合、われわれのシステムが提示するページの正当性を有料広告主に示すのが困難である〔同論文では、グーグルのプロトタイプの検索エンジンで携帯電話について検索すると、上位の結果として、運転中に携帯電話を使用する危険性についての研究が提示されたと述べられている〕ことは明らかである。このような理由と他のメディアにおける歴史的経験から、広告から資金を得る検索エンジンは、本質的に広告主を優遇し、消費者のニーズから遠ざかるものになると考えられる」[41]。ブリンとペイジは、広告本位の検索においてバイアスがどのように作用するか、それがどのような影響を及ぼすことになるかについて明確な道筋(ロードマップ)を示し、検索が広告や商業主義に迎合しないことが消費者の利益になるとはっきり示唆しているのだ。ページランクは、ウェブサーファーとウェブデザイナーの双方の振る舞いを考慮に入れることで、一定程度、人気に基づいた関連性の指標になることを意図していた。ブリンとペイジは、学術的引用と同様に、ウェブページがどの程度バックリンクあるいはハイパーリンクされているかを測定するという形で、ウェブページをその関連性に応じてランク付けするためのモデルとして引用分析を応用することができると考えた。こうして、ウェブページをインデックス化するためのモデルが誕生した。しかし、引用分析の場合には、研究者である著者は、著作物が出版され引用されるようになる前に査読などのいくつかの審査・信頼性検証の段階を経る。ウェブの場合には、そのような信頼性の検証は、何がハイパーリンクされるかを決める要因に含まれない。このことは、２０１６年のアメリカ大統領選挙についての多くのニュース報道のなかで浮き彫りになった。世界中のクリックベイト〔ウェブ上の記事や広告に、ユーザーの興味を引くような扇情的なタイトルや画像を使い、クリックを誘う手法。虚偽や誇張が含まれることが多い〕やねつ造された「ニュース」が、大統領候補者に関する事実の正確な報道を霞ませてしまったのだ。

ページランクの上位にあたる検索結果の1ページ目から、人間によるキュレーションや意思決定を取り除くことの欠点を示す例は、「黒人の女の子」の検索結果のほかにもある。それはたとえば、「ユダヤ人（Jew）」という言葉を検索したときに得られる結果——そこにはかなりの数の反ユダヤ主義的なページが含まれていた——をめぐる、より公的な論争のなかに見てとれる。「ユダヤ人」というキーワードの検索結果に対するグーグルの応答からわかるように、グーグルは人種・ジェンダーをめぐるアイデンティティに関する情報の提供方法についてほとんど責任をとらない。このような情報は、学術的なデータベースではより思慮深く監修される。シヴァ・ヴァイディアナサンの２０１１年の著書『グーグル化の見えざる代償——ウェブ・書籍・知識・記憶の変容（*The Googlization of Everything: And Why We Should Worry*）』では、ユダヤ人コミュニティや名誉毀損防止同盟〔アメリカ最大のユダヤ人団体〕

の近年の取り組みが紹介されている。こうした団体は、グーグルが反ユダヤ主義的でホロコーストを否認するウェブサイトを1ページ目に優先的に表示することに対して、異議申立てを行なった。このような検索結果があまりに厄介なものであったため、2011年にはグーグルは検索プロセスについての声明を発表し、侮辱的な響きのある〔「Jewish」ではなく「Jew」を形容詞として用いることは侮辱になるため〕「Jew」という言葉ではなく、「Jews」や「Jewish people」を検索で使用するように促した。白人至上主義団体がこの言葉〔Jew〕を流用することに対して、同社は何もできないと主張したのだ（図1-12を参照）。

グーグル社の免責条項によれば、同社は違法とみなされるページのみを削除するとしており、ネオナチに関するものの販売や配布が禁止されているフランスとドイツでは、実際にそのような対応がとられている。グーグルは、侮蔑的、人種主義的、性差別的、あるいは同性愛者嫌悪のものに対してはそうした制約は設けずに、ページの削除はできないと主張しつつ、自社のアルゴリズム——本書で見てきたように、ディアスが「ソシオ・ポリティクス」と呼ぶものに満ちている——を議論もなしに存続させている。グーグルは最近では、2012年6月27日に、人名の検索に民族的アイデンティティ（「Jew」）が使用されていることをめぐってフランスの反人種主義団体「反人種主義国際連盟」が起こした訴訟で和解にいたった[42]。フランスの法律では、人種的アイデンティティを示すものをデータベースに保存することは認められていない。しかし、グーグルの検索ボックスで使われているオートコンプリート技術は、過去のユーザーの検索に基づいて、人名と「Jew」という単語を結びつけるのだ。この最近の事例が示しているのは、新メディアにおける人々の歪められたイメージを再定義するという新しい取り組みである。しかしそれとは裏腹に、このようにイメージが歪められる事例はいまなお増え続けている。

ユダヤ文化やホロコーストについての正確な情報に対する一般市民やユダヤ人コミュニティの関心は、消費者への危害をめぐる国民的な議論を引き起こすのに十分な動機となるはずだ。本書で示してきたように、その議論には、検索エンジンで誤表象されているほかの文化的あるいはジェンダーに基づくアイデンティティも加えることができる。しかし、グーグルによる「検索結果は、問題があるとはいえ、コンピュータによって生成されたものだ（したがって同社の責任ではない）」という主張は、名誉毀損防止同盟（ADL）にとっては納得のいく回答であったようだ。ADLは、「一部の検索結果が侮辱的なものであること、偏見や反ユダヤ主義を広めるページの順位が異常に高いことについて、われわれやユーザーが示した懸念をグーグルが聞き入れたことは非常に喜ばしい」[43]という声明を出したのだ。ADLはそのウェブサイトで、グーグルの共同創業者でロシア系ユダヤ人移民の息子であるセルゲイ・ブリンが、同団体に個人的な手紙を送り、「Jew」という検索語をめぐる大騒動の非を認めたことに対して感謝の念を表している。ADLはこの事件に関するプレスリリースのなかで、公共のリソースたるグーグルは許されるべきだ、と寛大にも述べている。その理由は、「技術的な修正が実装されるまでの間、グーグルは、どのように検索結果が得られるかについてユーザーに明確に説明する文章を同社のサイトに掲載している。〔それによれば、〕グーグルの検索結果は、何千もの要因を考慮してページの関連性を計算するコンピュータ・アルゴリズムによって自動的に決定される」[44]から、というものであった。

Google

An explanation of our search results

If you recently used Google to search for the word "Jew," you may have seen results that were very disturbing. We assure you that the views expressed by the sites in your results are not in any way endorsed by Google. We'd like to explain why you're seeing these results when you conduct this search.

A site's ranking in Google's search results relies heavily on computer algorithms using thousands of factors to calculate a page's relevance to a given query. Sometimes subtleties of language cause anomalies to appear that cannot be predicted. A search for "Jew" brings up one such unexpected result.

If you use Google to search for "Judaism," "Jewish" or "Jewish people," the results are informative and relevant. So why is a search for "Jew" different? One reason is that the word "Jew" is often used in an anti-Semitic context. Jewish organizations are more likely to use the word "Jewish" when talking about members of their faith. The word has become somewhat charged linguistically, as noted on websites devoted to Jewish topics such as these:

- http://www.jewishworldreview.com/cols/jonah081500.asp

Someone searching for information on Jewish people would be more likely to enter terms like "Judaism," "Jewish people," or "Jews" than the single word "Jew" In fact, prior to this incident, the word "Jew" only appeared about once in every 10 million search queries. Now it's likely that the great majority of searches on Google for "Jew" are by people who have heard about this issue and want to see the results for themselves.

The beliefs and preferences of those who work at Google, as well as the opinions of the general public, do not determine or impact our search results. Individual citizens and public interest groups do periodically urge us to remove particular links or otherwise adjust search results. Although Google reserves the right to address such requests individually, Google views the comprehensiveness of our search results as an extremely important priority. Accordingly, we do not remove a page from our search results simply because its content is unpopular or because we receive complaints concerning it. We will, however, remove pages from our results if we believe the page (or its site) violates our Webmaster Guidelines, if we believe we are required to do so by law, or at the request of the webmaster who is responsible for the page.

We apologize for the upsetting nature of the experience you had using Google and appreciate your taking the time to inform us about it.

Sincerely,
The Google Team

P.S. You may be interested in some additional information the Anti-Defamation League has posted about this issue at http://www.adl.org/rumors/google_search_rumors.asp. In addition, we call your attention to Google's search results on this topic.

図1-12　検索結果に関するグーグルの説明。出典：www.google.com/explanation.html（最初に公開されたのは2005年）

Ad - Why this ad?

Offensive Search Results
www.google.com/explanation
We're disturbed about these results as well. Please read our note here.

Searches related to **Jew**

jew **jokes** jew **watch**
jew **definition** jew **urban dictionary**
jewish jokes jew **pictures**
famous jews jew **beard**

Advanced search Search Help Give us feedback

Google Home Advertising Programs Business Solutions Privacy & Terms
About Google

図1-13 グーグルのページ下部に表示されるベージュの囲み。不快な検索結果に関するもので、以前は「我が社の検索結果について（An Explanation of Our Search Results）」というページにユーザーを誘導していた。出典：www.google.com/explanation（現在は閲覧できない）

技術的な解決策があるのならば、8年たったいまでもこの問題が解決していないのは、グーグルがどのような制約に直面しているからだというのか？ ２０１２年に「Jew」という単語をグーグルで検索すると、検索結果ページの下部にベージュ色の囲みが表示される。ここには、検索結果のなかにいまなお反ユダヤ主義のサイトと有益なサイトの両方が混在していることについての冗長な免責条項がリンクされている（図1－13を参照）。グーグルが、不適切な検索結果の責任を情報検索者に負わせていることは問題である。なぜなら、人種やジェンダーに関する広範な、あるいはオープンエンドの検索で得られる結果は、一般市民の力が及ばないものであり、完全にグーグル検索がコントロールできる範疇にあるからだ。

　不適切な結果の責任を検索者に負わせようとする免責条項とは裏腹に、ユダヤ人に関する主要な検索結果として反ユダヤ主義が表示されることは問題であるとグーグルが認めたことは注目に値する。たとえばドイツやフランスでは、ナチスの記念品を販売することは違法であり、グーグルはそのような商品を扱うオンライン小売業者が検索結果に表示されないようにフィルターをかけることを余儀なくされた。２００２年には、ハーバード大学バークマンセンターのベンジャミン・エデルマンとジョナサン・ジットレインが、グーグルは現地の法律に合わせて検索結果をフィルタリングし、ネオナチの組織やコンテンツが表示されないようにしていると断定した。[45] これは、グーグルには実際には好ましくない検索結果を削除する力があることを示唆しているものの、その一方で、情報が削除されていることを検索者に知らせずに検索結果を提供していたという意味では憂慮すべき事柄でもある。すなわち、検索結果は、情報が排除されていることへの言及なしに、事実に基づいた完全なものとして提供されていたのだ。同じくアメリカの大手検索エンジンであるヤフーは、親ナチスの記念品が同社の検索エンジンを通じて販売されることを容認し、フランスの法律に違反したために、同国での長期にわたる法廷闘争を余儀なくされた。これらの事例が示唆しているのは、検索結果は客観的で一貫性があり透明であるというよりもむしろ、きわめて文脈依存的で操作が容易だということ、そしてそれらは社会的・政治的・歴史的文脈においてのみ正当化されうるということだ。

侮蔑的な検索結果が引き起こす危害をめぐる違法性の問題は、かなりの議論を呼ぶ問題である。たとえば、アメリカでは、ヘイトスピーチや個人・コミュニティの人種主義的・性差別的描写を含め、あらゆる言説に言論の自由が保障されており、権利を奪われたり抑圧されたりしている人々への危害を示すためにはより高い水準の証拠が求められる。自動化された意思決定システムが社会でますます大きな力を振るうようになっている今日、これまで以上に法的保護が必要とされているのだ。

○システムを出し抜く――検索エンジン最適化と検索結果の流用

グーグルには、アドワーズ（AdWords）〔２０１８年に「グーグル広告（Google Ads）」に改称〕という広告ツールないし最適化製品がある。アドワーズを使えば誰でもグーグルの検索ページに広告を出すことができ、カスタマイズも幅広く行なえる。広告主は、このツールを使って1日あたりの広告費の上限を設定することができる。アドワーズのモデルは、ユーザーが入力する検索クエリに関連しているとグーグルがみなした広告を検索ページに表示するというものだ。ユーザーが広告をクリックすれば、広告主が料金を支払う。グーグルは、広告主（すなわちグーグルの顧客）に対して「あなた方の広告を検索やディスプレイ〔ウェブサイトやアプリ上の広告枠〕に配置するが、料金が発生するのはユーザー（グーグルの消費者）が広告をクリックしたときだけである」と示唆することで、広告を出す意欲をかき立てている。クリック単価（CPC）と呼ばれる仕組みだ。広告主は、広告を出す製品・サービスと密接に関連していると思しきいくつかの「キーワード」を選定するが、その際、キーワード見積もりツールを使って、選んだキーワードの費用がどの程度になるかを調べることができる。この広告システムは、ページランクがページ内で広告を優先的に表示する仕組みの根幹となる部分であり、ページランクと連動するこのプロセスを通じて、特定のキーワードと特定の業界や製品・サービスの結びつきが生まれている。

キーワード検索の特定の結果について理解するためには、グーグルのページランクの仕組み、ページランクに関与している商業的プロセス、検索結果を押し上げるプロセスに影響を与えるために検索エンジン最適化（SEO）企業が発展してきた経緯、[46] 時折発生するグーグル爆弾の仕組みについて知ることが重要である。グーグル爆弾とは、あるウェブサイトへのハイパーリンクを過剰に作成する（ある単語やフレーズにページをリンクさせるHTMLコーディングを繰り返す）ことで当該サイトをページランクの上位に表示させる行為のことである。一方で、グーグル爆弾は、政治的・思想的・風刺的な目的のためにウェブ上で用語やアイデンティティを意図的に流用する、ある種の「奇襲」行為ともみなされている。バル・イラン大学の情報科学の教授ジュディト・バル＝イランは、グーグル爆弾について研究しており、ページランクの上位に特定の結果をねじ込む行為が検索結果に長期的な影響を与えるか否かを調べている。これは、よく組織されたキャンペーンでは起こりうる事態だ。要するに、グーグル爆弾は、コンテンツや用語を流用し、それを無関係なコンテンツに結びつけ直すプロセスである。ネット上の通説では、「グーグル爆弾」という言葉の生みの親は、2001年に友人のウェブサイトに「裸の王様（talentless hack）」という言葉を関連づけたアダム・マセスだとされている。グーグル爆弾（グーグル・ウォッシングとも呼ばれる）のような行為は、SEO企業とグーグルの双方に影響を及ぼしている。グーグルは、ページランクの検索結果の質を維持し、ブリンとペイジが予見していたような「システムの悪用」を試みる企業を取り締まることに注力している。[48] 一方で、SEO企業は、顧客やそのブランドをページランク内で押し上げることに関して出し抜かれるわけにはいかないと考えている。SEOとは、「特定の検索トピックに関して、検索エンジンにおけるサイトやページの順位を向上させるために、HTMLコードの改善、ウェブページの編集、サイトナビゲーション、リンク獲得キャンペーンなど、さまざまなテクニックを用いる」プロセスである[49]。それに対して「有料検索（paid search）」では、特定の言葉が検索されたときに広告が表示されるよう、企業はグーグルに料金を支払う。この種のメディア・スペクタクルとしては、ペンシルベニア州選出の共和党上院議員リック・サントラムの事例が挙げられる。彼のウェブサイトと名前は、不愉快なコンテンツをページランクの上位に表示させる目的で、侮辱的な言葉と関連づけられたのだ[50]。このようにアイデンティティが流用されたり、自分の名前が望まない形で侮辱的な言葉と関連づけられたりした経験がある人物としてはほかに、元大統領のジョージ・W・ブッシュやポップ歌手のジャスティン・ビーバーがいる。

このような検索エンジン最適化やグーグル爆弾といった行為は、ウェブのクローリングやインデクシングのプロセスとは無関係になされることもあれば、連動してなされることもある。実際、発見されることがウェブサイトに意味を与え、ランキングが成立するための条件をつくり出す。検索エンジン最適化は、ウェブでの見つけやすさを左右する重要な要素である。注目すべきは、検索エンジン最適化が、特定のキーワードの価値に影響を与える数十億ドル規模の産業であるということだ。つまり、マーケティング担当者は、自分たちのランキングを最大限に高めるために、特定のキーワードやそれらの組み合わせを用いることに力を注いでいるのだ。

「インターネットは人々が対等な立場で活発に参加することができる民主的な空間である」という

Web Images Groups News Froogle Local more »

Google miserable failure Search Advanced Search Preferences

Web Results 1 - 10 of about 969,000 for **miserable failure**. (0.06 seconds)

Biography of President George W. Bush
Biography of the president from the official White House web site.
www.whitehouse.gov/president/gwbbio.html - 29k - Cached - Similar pages
Past Presidents - Kids Only - Current News - President
More results from www.whitehouse.gov »

Welcome to MichaelMoore.com!
Official site of the gadfly of corporations, creator of the film Roger and Me and the television show The Awful Truth. Includes mailing list, message board, ...
www.michaelmoore.com/ - 35k - Sep 1, 2005 - Cached - Similar pages

BBC NEWS | Americas | '**Miserable failure**' links to Bush
Web users manipulate a popular search engine so an unflattering description leads to the president's page.
news.bbc.co.uk/2/hi/americas/3298443.stm - 31k - Cached - Similar pages

Google's (and Inktomi's) **Miserable Failure**
A search for **miserable failure** on Google brings up the official George W. Bush biography from the US White House web site. Dismissed by Google as not a ...
searchenginewatch.com/sereport/article.php/3296101 - 45k - Sep 1, 2005 - Cached - Similar pages

図1-14 ジョージ・W・ブッシュと「悲惨な失敗」という検索語に対するグーグル爆弾（2005年）

考えは、広く受け入れられている。それにもかかわらず、実際にはインターネットは、権力をもつエリートたちを利するように組織されている[51]。そのエリートには、検索結果を購入して自社のサイトに誘導する力をもつ企業も含まれる。インターネット上で最も人気があるものが何かは、ユーザーが何をクリックするか、ウェブサイトがどのようにハイパーリンクされているかだけで決まる問題ではない――そこにはさまざまなプロセスが関与しているのだ。『サーチエンジン・ウォッチ』のトッド・ホロウェイは、次のように述べている。「グーグルについても同様に、ある検索結果をクリックすることが――あるいはクリックしないことが――将来の検索結果に影響を与える。このような複雑さが、システムの挙動を説明することを難しくしている。私たちは、検索結果の成否を定量的に評価するために、あるいはあるシステムのバリエーションのなかでほかよりもうまく作動するものはどれなのかを知るために、主にパフォーマンス・メトリクス〔性能測定基準〕に頼っている。このような指標があってこそ、システムの継続的な改良が可能になるのだ」[52]。検索エンジン最適化のロジックをとりまくこうした環境を踏まえると、検索語を組み合わせるという目標はほんの始まりにすぎない。

これまで、「インターネットのユーザーにはクリックによる「投票」で個々のコンテンツや情報への関心を表明する力があり、それがオンラインでの民主的な慣行につながっている」という考えを払拭するために多くの研究がなされてきた[53]。ブログ圏（blogosphere）の政治的ニュースや情報は、エリートを利するように仲介され方向づけられていることが、調査から明らかになっている。すなわち、ブログ圏のあまり知られていないウェブサイトやオルタナティブなニュースサイトではなく、大手の報道機関が情報の山（パイル）の上位に表示される仕組みになっているのだ[54]。政治的な情報の探索については、グーグルがウェブ・トラフィックを主流のニュース・コングロマリット〔複合企業〕に誘導していること、それによってこうした企業が政治的言説を形成する力が強まっていることが研究によって明らかにされている。グーグルもまた仲介プラットフォームであり、少なくとも2011年9月の時点では、それまでにインデックス化され得た115億を超える文書（ドキュメント）のなかで、黒人の女性・女の子の表象に関してポルノ業界が優先されることを容認していた[55]。こうした姿勢は2011年のこの時期だけにとどまらず、いまも続くグーグルの力学を象徴するものであった。同社はそれ以来、さらに多くの問題のある検索結果を生み出してきたのだ。

連邦通信委員会がブロードバンドを「新たな共通のメディア」だと言い切ったように[56]、「公共の福社に必要不可欠な［……］多様かつ相対立する情報源からの可能な限り広範囲への情報の発信[57]」に検索エンジンが果たす役割はさらに大きくなってきている。検索エンジンと伝統的な広告主のこの政治経済には、二次市場やグレーマーケットで（しばしばグーグルと対立する形で）活動する検索エンジン最適化企業も含まれている。結局のところ、私たちが目にする検索結果には、グーグルやSEO企業が自社の顧客のランキング最適化を支援する際の経済的利害が絡んでいるのだ。実際、グーグルは最適化を売り込むビジネスを行なっている。検索の政治経済ないし検索エンジン市場の統合(コンソリデーション)が公共のリソースの衰退を助長していることに関するグーグルへの批判は、幅広くなされてきた。これは、全国ネットのラジオ番組『メディア・マターズ（*Media Matters*）』の元司会者でメディア研究者のロバート・マクチェズニーや、『ネイション』誌の記者ジョン・ニコルズがマスメディア・ニュース市場の統合を批判しているのと同じことだ。一方で、検索エンジンの本質的な民主化効果について論じる者もいる。一般市民が思想の市場においてより多くの情報にアクセスできるようになったため、検索は政治組織や政治的言説の多様性を高めている、といった具合だ。[59]〔しかし、〕自動化された意思決定システムが、それらに介入する力をほとんどもたない、最も脆弱で無力な人々に対して不釣り合いなほど大きな害を与えている――誤表象から、量刑判断、クレジットへのアクセスをはじめとする人生に影響を与える計算式にいたるまで――ことを数々の証拠が示している。

検索エンジンをめぐるこうした状況について考えることは、社会にとって検索がもつ意味を理解するために重要であり、オンラインの情報の質がなぜ重大な意味をもつのかを検討するうえでの基礎となる。とりわけ、質の高い、文脈化された、信頼できる情報を探す際に、諸機関がますますグーグルを頼るようになってきているなかで、「公共のリソースとしてのグーグル」という考え方に疑義を呈さなければならない。たとえばグーグルブックスのようなプロジェクトにみられるように、図書館や学校などの公共機関から民間セクターへと情報の仲介役が移行することで、これまで公共の資産であったものが、私的利用を図る多国籍企業に委ねられつつある。情報は新たな商品であり、検索エンジンは私的な情報を囲い込むように機能しうる。(60) 私たちは、オンラインで何が見つかるかを過剰なまでに規定している商業的利害をより可視化する必要があるのだ。

検索エンジンによる公有財産の囲い込み

検索エンジンがアメリカのインターネットユーザーにとって情報探索の主要な入り口(ポータル)になったのと同時に、その同じ検索エンジンにおける情報の商業的仲介の台頭によって公有財産(パブリックドメイン)の囲い込みがさらに進んでいる。図書館や教育機関のような公共の情報機関への資金提供の減少と、個人や民間セクターへの責任転嫁によって、何が公有財産でありうるか、また何が公有財産であるべきかについての社会の認識が変わってきている。しかし、グーグル検索は、多国籍広告企業であるにもかかわらず、公共のリソースとみなされている。かつて公共のリソースとみなされていたもののこのような変化には、著作権や特許など法的保護の領域において、企業・私人の知的財産権やライセンス、出版契約が増大してきたことが影響している。コミュニティに根差した資産・文化の民間への移行が公共の利益を後退させてきた危機であることは間違いないが、公有財産を維持するためにとりうる戦略はまだある。インターネットは「コモンズ」とみなされることも多いが、それに対する商業的支配は、国内的・国際的規制、またネットワーク管理における知的・商業的な境界線を通じて、インターネットを一般市民からさらに遠ざけている。[61] インターネットとネットワーク管理の域を超えて、公の情報ウェブを通じて提供されるものもそうでないものも――は私的領域に委譲（アウトソース）され続けており、公共の情報（インフォメーション）コモンズというアメリカ民主主義の基本理念を蝕んでいる。

現在の情報・通信環境が抱える課題の多くを予見していた批判的メディア研究者ハーバート・シラーは、通信や公的情報の領域におけるアウトソーシングと規制緩和の影響について詳細に検討している。彼の言葉は、いまなお時宜を得たものである。「政府の（あるいはあらゆる）情報を売るという行為は、企業ユーザーにとって非常に都合が良い。通常、個人ユーザーは、情報伝達の列の最後尾に並ぶことになる。かつては公共財だと考えられていた情報の私有化や販売は、きわめて反民主主義的な効果をもたらすものだが、近年では普通のことになっている」[62]。この批判から示唆されるのは、情報が私有化されて商業的な性質を帯びることがあまりに常態化してしまったために、そうした状態を認識できなくなっているだけでなく、結果として、公の場での批判がますます難しくなっているということだ。ピュー・インターネット・アンド・アメリカン・ライフ・プロジェクトは、「一般市民は、インターネットを通じて情報を提供する多国籍企業を信頼しており、情報の私有化に対して人々が抱く不信感の程度は低い」ということを裏づけている。[63] 一般市民の生活がますます企業化されていくことに対するこのような黙認のプロセスは、部分的には、アメリカで生まれたインターネットをはじめとする軍産プロジェクト[64]によって形づくられた経済状況によって説明することができ、そのことが、このようなリソースと説明責任の移行がもたらす影響を扱う研究者たちにとっての課題をより大きなものにしている。イリノイ大学のモリー・ニーゼンは、連邦取引委員会（ＦＴＣ）のような連邦機関による公的な説明責任が失われてきたことについて詳述している。[65]このような議論は、政策介入に関して一般市民がどこに注意を向けることができるかを理解するために非常に役立つ。彼女の研究を踏まえて、ＦＴＣを、企業が情報環境をコントロールする方法に対して管理・介入するための重要な機関として考えるべきなのだ。

アルゴリズムの文化的権力

一般市民は、アルゴリズムの文化的権力と重要性におけるこのような変化をほとんど認識していない。ピュー・リサーチ・センターによる２０１５年の調査「スノーデン以後のアメリカ人のプライバシー戦略」によれば、検索行動、Ｅメールの使用、ソーシャルメディアなど、メディアプラットフォームを通じてオンラインで自動的に行なわれる監視について知っている回答者のうち、政府による監視や自分に及ぶかもしれない影響・危害を懸念してオンライン行動を変化させていると答えた者はわずか34％にとどまった。[66]ほとんどのアメリカ人は、オンライン行動がこれまで以上に重要なものとなっていることを理解していない。実際、インターネットを通じた活動は、特に情報とコミュニケーションの自由な流通の領域において、民主主義と自由がどのように機能するかについての私たちの考えに劇的な影響を与えている。情報環境と関わり合う私たちの能力は、世界や他者についての理

Forbes New Posts +2 posts this hour Most Popular Baseball's Richest Teams Lists Disruptors 2013 Video Hip-Hop's Wealthiest Search

Tim Worstall, Contributor
I write about business and technology.
+ Follow (583)

TECH | 4/02/2013 @ 12:20PM | 1,099 views

Google Is A Significant Threat To Democracy: Therefore It Must Be Regulated

+ Comment Now + Follow Comments

I feel reasonably certain that there are better ways to spend scarce research dollars than this particular paper. However, it has indeed been spent, the paper has been written and thus we must consider what the authors tell us. That Google could be a serious threat to democracy. Here, it's the concluding line of the paper:

> We conjecture, therefore, that unregulated search rankings could pose a significant threat to a democratic system of government.

図1-15　エプスタインとロバートソンの研究に関する『フォーブズ』誌のオンライン報道（および批判）〔「グーグルは民主主義に対する脅威である――だからこそ、規制されねばならない」〕

解に密かに、そして隅々まで影響を与えているのだ。

政治の領域における情報の流れと偏りが近年目立ってきている例として、情報の偏りが選挙結果をいかに大きく変えうるかを示す重要な新研究がある。『サイコロジー・トゥデイ』誌の元編集長で教授のロバート・エプスタインとアメリカ行動研究技術機構の副所長ロナルド・ロバートソンは、2013年の研究で、民主主義が危険にさらされていると指摘した。というのも、検索ランキングを操作することで、有権者自身には気づかれないままその選好を大幅に変えることができたからだ。かれらの研究によれば、検索結果として表示される、候補者に関する記事の趣旨――肯定的なものであれ否定的なものであれ――が人々の投票行動に劇的に影響を与えたという。調査参加者の75%は、検索結果が操作されていることに気づいていなかった。エプスタインとロバートソンは次のように結論づけている。「実際の選挙結果が――特に接戦の場合には――検索エンジンの順位の戦略的な操作によって左右される可能性がないとは言い切れない［……］そしてそのような操作は、人々が気づかないうちになされる可能性がある。規制されていない検索エンジンは、民主主義的な政治システムにとって深刻な脅威になりうる」[67]

２０１２年３月には、ピュー・インターネット・アンド・アメリカン・ライフ・プロジェクトが、２００５年に実施された「検索エンジン利用者」調査の最新版を発表した。コムスコア・メディア・メトリックス消費者パネルによる２００５年・２０１２年の消費者行動傾向の追跡調査では、インターネットユーザーにとって検索エンジンはＥメールと同じくらい重要であることが示されている。実際、『検索エンジンの利用 ２０１２年版（*Search Engine Use 2012*）』の報告書によれば、一般市民は「検索結果の質にこれまで以上に満足している」という[68]。さらに、次のようなことが明らかになった。

- アメリカ人全体の73％が検索エンジンを利用したことがあり、59％が検索エンジンを毎日利用していると回答した。
- 検索エンジン利用者の83％がグーグルを利用している。

特に気がかりなのは、検索エンジンが、信用できる確かな情報を提供する、信頼のおける公共のリソースとしての地位をますます強固なものにしていることだ。ピューによれば、ユーザーは概ね有用な検索結果が得られたと回答し、検索エンジンの性能について比較的高い信頼を寄せていたという。

・検索エンジン利用者の73％が、検索エンジンを利用して得られる情報のほとんどまたはすべてが、正確で信頼に値すると回答している。

しかし、検索エンジンの利用者たちは、自分のスキルに強い自信があり、検索エンジンから引き出す情報を信頼していると答える一方で、検索エンジンの仕組みについてはよくわかっていないと回答している。

・検索エンジン利用者の62％が、有料の結果〔広告と連動した検索結果〕と無料の結果の違いを認識していない。すなわち、それらの違いを認識している者の割合は38％にとどまり、検索エンジン利用者のうち、有料ないしスポンサー付きの結果とそうでないものを常に見分けられると回答した者は８％にとどまる。
・２００５年には、検索エンジン利用者の70％が、有料ないしスポンサー付きの結果というコンセプトについて問題ないと答えていた。しかし、２０１２年には、〔68％の〕ユーザーが、自分のオンラインの行動を追跡・分析されたくないため、ターゲット広告は好ましくないと回答した。
・２００５年には、検索エンジン利用者の45％が、「一部の検索結果が有料で表示されていることが明示されていないと思われる場合には、検索エンジンの利用を止める」と回答した。
・２００５年には、少なくとも１日に１回は検索エンジンを利用しているユーザーの64％が、

検索エンジンは公正で偏りのない情報源であると回答した。２０１２年には、この割合は

66％にまで増加した。

２０１２年のピューの調査では、ユーザーたちはパーソナライゼーションに関する懸念も表明していた。

・検索エンジンが検索を記録し続け、その情報に基づいて将来の検索結果を個々人の好みに合わせたもの（パーソナライズ）にすることは好ましくないと73％が回答した。調査参加者たちは、そのような行為はプライバシーの侵害だと感じると答えた。

このような懸念を背景に、ロンドン大学カルチュラル・スタディーズ・センターのマーティン・フォイツとマシュー・フラー、チューリッヒ芸術大学のフェリックス・シュタルダーは、２０１１年の研究で、パーソナライゼーションは単にユーザーのためのサービスではなく、広告主と消費者をよりよくマッチングさせるための仕組みであり、グーグルのパーソナライゼーションないしアグリゲーションは、積極的に人々を集団に結びつける、すなわち個人を分類する行為であることを明らかにした[69]。多くの場合、ユーザーは皆似たようなコンテンツを目にしているが、プラットフォームが検索結果を形づくるために過去の検索履歴や人口統計学的なデータをどのように用いているのかについて、ユーザーはほとんど知る術をもたない。パーソナライゼーションは、グーグルがユーザーについて把

握していることに基づいて、一定程度、人々が求める結果を提供している。しかし同時に、基本のアルゴリズムを曲げることによって、広告主にとって都合が良いとグーグル検索が考える検索結果を生成してユーザーに提示しているのだ。この双方向性の新たな波については、間違いなく、ユーザーと検索エンジン最適化企業・代理店の両方が意識している。Gmail や Google Docs のようなグーグルのアプリケーションやフェイスブックのようなソーシャルメディアサイトは、ユーザーのウェブ上の足跡を分析してターゲット広告を表示するために、アイデンティティ〔識別情報〕や過去の検索を追跡している。検索エンジンは、カスタムコンテンツをさらに提供するために、ユーザーがどこを訪れたか、どのリンクをクリックしたかというデジタルな足跡をますます記録に残すようになっているだけでなく（この行為は、グーグルが2012年のプライバシーポリシーの変更において、過去の検索行為を利用し、それらをユーザーに紐づけるという方針を発表してから、一層世間の注目を集めるようになった）[70]、ポルノを排除するフィルターがコンピュータで有効になっているか否かも考慮して検索結果を変化させているのである[71]。

検索の山（パイル）の最上部に表示される情報が、ユーザーやロケーションによってそれぞれ異なることはたしかであり、商業広告や、政治・社会・経済に関わるさまざまな決定が、検索結果をコード化し表示する方法に関わっている。同時に、検索結果は一般的にかなり似通っており、検索の完全なパーソナライゼーション——個別具体的なアイデンティティ、欲求、願望に合わせたカスタマイズ——はまだ実現していない。現時点では、個人のアイデンティティに合わせたこの程度のパーソナライゼーションは、一般に考えられているほどには検索結果のバリエーションに影響を与えていないのだ。

検索における自分のイメージや自分自身のコントロールの喪失

アフリカ系アメリカ人／黒人に対するネガティブないしステレオタイプ的なイメージが従来のメディアにはびこっていることはよく知られているが、[72] 新メディアの中心地としてのウェブでは、従来のメディアの関心が複製されている。旧来のメディアで人種主義的・性差別的な方法で不適切かつ不当に表象されてきた人々は、そのような表象を適切に批判し、表象の拡大を要求し、ステレオタイプに抗議し、オルタナティブで非ステレオタイプ的・非抑圧的な表象を生み出すことにより多くの人々が参加するよう呼びかけることができていた。これは、アーバン・リーグ[73]や全米黒人地位向上協会（NAACP）といった公民権団体が担ってきた社会的使命の一部である。これらの団体は、マイノリティの誤表象を監視・報告するとともに、メディアにおけるアフリカ系アメリカ人のポジティブな描写を称えている。[74] 政策レベルでは、いくつかの公民権団体やカリフォルニア大学ロサンゼルス校社会科学部長・社会学科長ダーネル・ハントをはじめとする研究者らが、[75] アフリカ系アメリカ人のメディア表象の問題を扱っている。そしてフリー・プレスのような主流の団体が、メディアにおける多様性の欠如やステレオタイプ化、ヘイトスピーチがもたらす影響についての資料を積極的に提供しているが、そのなかには、ネット中立性の問題やデジタル・ディバイドの解消に焦点を当てたものもある。[76] ウェブの情報・広告をめぐるグーグルの独占的地位を示す証拠が出てきているなか、女性のポルノ化や有色人種のステレオタイプ化の問題に注力するメディア・アドボカシー団体は、新たな統合されたメディアリソースとしてのインターネットに注意を向けていくべきではないだろうか。

検索におけるバイアス

ConsumerWatchdog.orgのインサイド・グーグル〔グーグルによるインターネット支配の危険性について啓蒙するために、非営利の消費者団体コンシューマー・ウォッチドッグが立ち上げたプロジェクト〕による「トラフィック・レポート――グーグルはいかに競合他社を締め出し、新市場に強引に参入しているのか」（２０１０年６月）には、グーグルがいかに効果的に競合するサイトをブロックし、自社の資産(プロパティ)〔グーグル社が提供するサービス〕を検索結果の上位に優先的に（たとえば、ほかの動画サイトよりもユーチューブ、MapQuestよりもGoogle Maps、PhotobucketやFlickrよりもGoogle Imagesを上位に）表示させているのかが詳しく記されている。この報告書は、「ユニバーサル検索」は中立的ではなく、したがって普遍的(ユニバーサル)でもなく、むしろ有料広告を購入したサイトを上位に押し上げるような商業的なものであることを強調している。このような慣行がみられるなか、メディアは、ＦＴＣの調査に後押しされつつ、[77]「〔グーグルが提供する〕これらのサービスは無料であり、グーグルは自社に適した方法でビジネスを行なう権利があるため、アルゴリズムはまったく非倫理的でも有害でもない」と示唆してきた。これは、たしかに正しい。きわめて正しいからこそ、グーグルがどのように情報を偏らせているのか――少なくとも特定の集団に関して、非常にステレオタイプ的で文脈から外れた検索結果に偏らせていることについて――一般市民に対して徹底的に説明がなされる必要があるのだ。フェイスブックやユーチューブのような商業的プラットフォームは、アップロードされたユーザーコンテンツを監視するためであればどのような苦労も惜しまない。ウェブコンテンツの検査官（スクリーナー）を雇い、検査官各自の責任において、一般市民に害を与える可能性のある不正なコンテンツをふるいにかけさせるのだ。[78] このようなフィルタリングに期待されているのは、当該サイトが実際に公衆にとってきわめて有害であるコンテンツを示す何らかの客観的基準に基づいてインターネット上のコンテンツを精査するということである。カリフォルニア大学ロサンゼルス校情報学科のサラ・T・ロバーツが行なった新たな調査によると、実際には、グーグルやヤフーをはじめとする商用テキスト・動画・画像・音声エンジンにおいて表示を許可するか否かの判断にかなり積極的な役割を果たしているのは、商業的コンテンツ・モデレーション（Commercial Contents Moderation, CCM. ロバーツによる造語）であるという。[79] 動画コンテンツのモデレーションに関する彼女の研究は、商業的デジタルメディアプラットフォームが昨今、利用規約同意書に沿った画像・動画コンテンツのフィルタリングをどのように外注あるいは内製化しているかを明らかにしている。ロバーツの研究が示している事柄で憂慮すべきは、コンテンツがすでに主にアメリカの社会規範を反映した一連の価値観に沿って選別・評価されていることである。このような規範には数々の人種主義的でステレオタイプ的な考えが反映されており、結果として人種主義や性差別、人種を理由にした人間の虐待は「あり（in）」側に振り分けられ完全に許容される一方で、動物虐待などのほかの思想（これもまた容認できないものである）は「なし（out）」側に振り分けられ、除外されたり不可視化されたりしているのだ。彼女は、ある商業的コンテンツモデレーター（CCM）へのインタビューを次のように詳しく記している。

われわれの会社には、きわめて具体的な項目別の内部方針があります〔……〕内部方針は公開されていません。もし公開されたら、それらを回避し、実質的に破綻させることがきわめて容易になってしまうからです。その非常に具体的な内部方針について、いつも週に1度、セキュリティポリシー担当者とミーティングをして議論していました。ポリシーの一つに、ブラックフェイス〔顔を黒く塗り、戯画化された形で黒人を演じること〕はデフォルトでヘイトスピーチとはいえない、というものがありました。私はいつもこのポリシーが受け入れられず、おそらく10回はこの件でメルトダウンを起こし〔怒りを爆発させ〕ました。公正を期して言うと、ポリシーを議論するこのミーティングのとき、かれらはいつも私の話に耳を傾けてくれて、決して話を遮りませんでした。かれらは同意しませんし、ポリシーも決して変更しませんでしたが、いつも私に意見を言わせてくれたのです。これは驚きでした。（マックス・ブリーン、メガテック社（MegaTech）のＣＣＭ担当者）

このメガテック社〔仮名。シリコンバレーを拠点とするグローバル企業〕の例は、ソーシャルメディア企業やプラットフォームが、どのような人種主義的・性差別的で憎悪に満ちた画像やコンテンツをどの程度までホストするのかについて、積極的に意思決定を行なっているという事実を示している。このような決定は、ユーザーベースの「言論の自由」や「表現の自由」の問題を中心になされるかもしれないが、商業的なソーシャルメディアサイトやプラットフォームにおいては、こうした方針は常に利潤動機と対抗するものである。もしあるプラットフォームに関して、大半のユーザーから見てあまりにも制約が多いという悪評が立ってしまえば、広告主に提供する参加者を失う危険性がある。それゆえにメガテック社は、自社のＣＣＭチームのメンバーの一人が猛反対し、彼自身の説明によれば、その件で精神的苦痛（「メルトダウン」）を経験したにもかかわらず、人種主義的なコンテンツを過剰に制限するよりはむしろ過剰に許容することを選んだのだ。[80]

ロバーツによるこの研究から示唆されるのは――コンテンツ・モデレーションを担当するフェイスブック〔現・メタ〕社員からのリークがあったことも踏まえればなおさら――ウェブ上のコンテンツの誘導やモデレーションのために人員が割かれ、ポリシーも整備されているということだ。悪質で人種主義的なコンテンツ、すなわち収益性の高いコンテンツが増えているのは、多くのテクノロジー企業のプラットフォームが、人種化された少数派ではなく、アメリカの多数派の興味や注意を引きつけることに関心があるからなのだ。

人種・ジェンダー中立的なナラティブに異議を唱える

グーグル検索の最初のページに表示される結果をこのように探究することによって、インターネット上で保護されている、あるいは周縁化・ポルノ化・商品化の対象になりにくいデフォルトのアイデンティティについても明らかになる。ロヨラ大学シカゴ校コミュニケーション学部長ドン・ハイダーとテキサス大学アーリントン校コミュニケーション学科助教授ダスティン・ハープの研究によれば、インターネットユーザーのちょうど半分強を女性が占めているにもかかわらず、オンラインにおける女性の声や視点は、男性のそれほど大きくなく、影響力ももっていないという。かれらの研究は、社会的平等を推進する民主的な力としてウェブを捉えるユートピア的・楽観的な見方とは対照的に、一部のインターネットユーザーがより大きな力をもち、ウェブを支配することが可能になっているということを明らかにしている[81]。ウェブ上の男性のまなざしとポルノグラフィについての最近の研究では、インターネットは、男性のポルノ的なまなざしに特権を与え、女性を客体として周縁化するようなコミュニケーション環境であると論じられている[82]。ほかの形態のポルノ的表象と同様に、ポルノグラフィは女性に対する支配を構造化するとともに強化しており、広告やアートにおける女性のイメージは、しばしば「男性主体による観賞のために構築されている」[83]。この議論は、ジャーナリストでプロデューサーのジョン・バージャーによる古典『イメージ――視覚とメディア(*Ways of Seeing*)』を思い起こさせる。バージャーは同書で、このような客体化について次のように評している。「女性が男性とはまったく異なった方法で描かれるのは――女性性と男性性が異なるからではなく――「理想的な」観客として常に男性が想定されており、女性のイメージは彼を喜ばせることを目的としているからだ[84]」

男性のまなざしに関する従来の議論は、ほかの形態――とりわけインターネット上――の広告やメディアにも引き続き当てはまるものであり、ウェブにおける女性のポルノ化は、人種主義的で性差別的なヒエラルキーの一つの表れである。このようなイメージが表れるとき、規範となるのは白人女性で、黒人女性は過剰に、ラテン系女性は過少に表象される[85]。トレーシー・A・ガードナーは、ポルノメディアにおけるアフリカ系アメリカ人女性の問題のある描写について、「ポルノグラフィは、この国の有色人種の人々をとりまき抑圧している歴史的神話を利用して儲けており、それゆえ人種主義的なのだ[86]」と、その特徴を指摘している。このような描写は、旧来のメディア表象から新たなメディア形態に翻訳されたものである。社会の構造的不平等はインターネット上で再生産されており、人種・ジェンダー・階級にとらわれないサイバー空間の探求は、「現行の支配システムを存続させ、強化する」だけに終わりかねない[87]。

〔ガードナーの議論から〕15年以上が経過し、昨今の研究はこのような懸念を裏づけるものとなっている。女性、とりわけ有色人種の女性は、検索クエリにおいて、アメリカのインターネットの支配的なパラダイムとして機能している白人男性のまなざしを背景として表象されている。黒人研究および批判的白人性研究を専門とするカリフォルニア大学サンタバーバラ校のジョージ・リプシッツは、「白人性(ホワイトネス)への執拗な投資」について、またアメリカにおける白人性の構築はより「非人種的」あるいはゼロに等しい(null)ものであることについて強調している。白人性は、「黒人(ニグロ)」や「黒人法(Black Codes)」、あるいは残忍な奴隷制のもとでのアフリカ諸民族の多様な集団の人種化といった観念を概念化・成文化するために編み出された法的な抽象概念以上のものである——それは、民族的に多様なヨーロッパ系アメリカ人を結びつける、想像・構築されたコミュニティなのだ。ミンストレル・ショー〔顔を黒塗りにした白人が歌・踊り・劇などを披露するショー〕、ハリウッドで制作される人種主義的な映画やテレビ番組、「ワイルド・ウエスト」のナラティブといった伝統的なメディアやエンターテインメントには、密かに、あるいは明白な形で誰が「他者」を構成するのかについての文化的合意が存在する。それらを通じて「白人至上主義の連帯に訴えることで」、白人性は自らを強固なものにしてきた。[88] 私たちの社会の文化的慣行――インターネット上の表象も含めて――は、人種中立的なナラティブが白人性への投資を増大させてきた方法の一部である。リプシッツはこの点について次のように論じている。

> 社会生活を個々人の意識的・意図的な行為の総計として考える限り、人種主義的であるとみなされるのは、個人的な偏見や敵意が**個別に**表れた場合だけになる。体系的・集団的で組織化された行動は視界から消えてしまうのだ。報酬・資源・機会をある集団から別の集団へと絶え間なく流している集団の権力の集合的行使は、個人を差別する意図を公にすることはめったにないため、この観点からは「人種主義的」とはみなされない。ところがそれらは、異なる人種の人々に大いに異なる生活機会（life chance）を与えることで、人種的アイデンティティを構築するように作用するのだ。[89]

人種的秩序が構築され、維持され、分析しにくいものにされる方法を明らかにしようとするという点で共通しているのが、チャールズ・W・ミルズの古典『人種契約（*The Racial Contract*）』である。ミルズは次のように述べている。

> したがって、一般的に、**人種にまつわる問題をめぐる白人の誤解、誤表象、ごまかし、自己欺瞞**

は、過去数百年で最も広く見られた精神現象の一つだと言える。これは、征服、植民地化、奴隷化を行なううえで心理的に必要となる、効率のよい認知・道徳のあり方なのだ。このような現象は偶然に起こるものでは決してなく、「人種契約」で規定されている。「人種契約」は、白人の統治体制を確立し維持するための、構造化された一連の無知や愚鈍さを必要とするものである。[90]

こうした議論を踏まえて見えてくるのは、シリコンバレーが抱える難題、すなわちテクノロジーが人種化された人々に与える影響について否認する姿勢がはびこっているために、その慣行に対する理解を育み、適切な介入を促すことが難しくなっているという事態である。キーワード検索で呼び起こされる集団のアイデンティティは、現代アメリカの社会的・政治的・経済的生活に反映されているこの根深い権力格差を明るみに出す。複雑な現象をめぐるウェブ上の意味づけ（センスメイキング）の仕組みを、エンジニアたちがどれほど支配しているかを浮き彫りにするのだ。多くのメディア研究者が論じてきたように、インターネットが進歩や向上のためのツールであるというのならば、誰のための（クイボノ）なのか——それは誰にとっての利益で、それを形づくる権力をもっているのは誰なのか——という疑問が生じる。このようなオフラインでの人種・ジェンダーの歴史的構築をたどることで、商用検索エンジンをはじめとする技術的オブジェクトがさまざまな社会的・政治的・経済的関係性を表すものとして機能する背景について、より多くを知ることができる。このような関係性はしばしば技術的実践のなかで覆い隠されたり常態化されたりするもので、シリコンバレーのリーダーたちのほとんどが関与したり取り上げたりしたがらない事柄である。[91]

アイデンティティに関するグーグルのキーワード検索とその結果を研究することは、アメリカにおいて周縁化されている集団との関係でそれが何を意味するのかについて考えを深めることに寄与する。私は、コミュニケーション学者ノーマン・フェアクローが示した理論的根拠に則り、意味づけのプロセスに寄与する言説へのこのような批評を「批判的社会科学」の一形態として行なっている。[92] 私の手法、および理論的アプローチに対するその妥当性を文脈化するために、批判的人種理論やブラック・フェミニズムの研究者たちがクロース・リーディングなどの質的手法をしばしば用いることに触れておきたい。このような手法は、検索結果を説明するために数字以上のものをもたらし、〔数字の〕代わりにこれらの検索結果の前提となっている物質的条件に焦点を当てるものである。

サイバートピアに異議を唱える

ここまでの議論はいずれも、商用検索という概念の安定化・常態化に資するイデオロギー――インターネットそのものの中立性と客観性をめぐるいまだに根強く支持されている支配的ナラティブも含めた――に関するさらなる議論につながる。それは、グーグル、あるいはコンピュータソフトウェア、ハードウェアについてのユートピア的ビジョンにとどまらないものだ。初期のサイバータリアン、ジョン・ペリー・バーロウの悪名高い「サイバースペース独立宣言（A Declaration of the Independence of Cyberspace）」では、次のような主張がなされている。「われわれは、人種、経済力、軍事力、生まれなどによる特権や偏見なしにすべての人が参加できる世界を創造している。誰でも、どこにいても、どんなに特異な考えであっても、沈黙や同調を強要されることを恐れる必要なく、自分の信念を表明できる世界だ」[93]。しかし、ウェブは無形の空間であるだけではない。それはレンガやモルタル、金属製トレーラー、磁気・光学メディアを含む電子機器、ファイバーインフラでできた物理的空間でもある。ウェブはそのすべての性質において完全に物質的であり、私たちのウェブでの経験は、生活のほかのあらゆる側面と同様にリアルなものだ。ウェブへのアクセスは、電気通信会社、ブロードバンドプロバイダー、インターネット・サービスプロバイダー（ＩＳＰ）の存在を前提としている。ウェブユーザーは、地球上で多種多様な人間的条件のもとに暮らしており、特権や偏見とは切っても切り離せない。そしてウェブへの人間の参加は、数多くの社会的・政治的・経済的アクセスポイントによって媒介されている――アメリカというローカルな場においても、地球規模でも[94]。

バーロウの宣言以来、彼が信奉していたような、インターネットの台頭およびそれが人々を解放する力にまつわるユートピア的理想に対して、多くの研究者が個人主義・個人の自由・個人によるコントロールといった新自由主義的な概念とそれらを結びつけ、異議を唱えてきた。このような結びつきは、情報機関を含む公的あるいは国家が支援する機関を社会的自由の仲裁者とみなす考え方から、自由市場・企業・個人化された営みが社会組織の拠点として機能するべきだという考え方への移行を映し出すという点において重要である。このような考えは歴史的に、差異にとらわれない普遍的人間という概念に根差しており、この概念は平等の個人的追求をめぐる特定の思想的伝統の枠組みとして機能している。コーネル大学のナンシー・リーズ・ステパンは、近代資本主義の勃興期に啓蒙思想家たちによって息を吹き返し、それ以降２７０年にわたって続いている自由主義的個人主義の変わらぬ性質について、次のように見事に描写している。

17世紀に始まり、18世紀の新たな社会契約説の理論家たちの著作にいたってついに、政治的個人（political individual）という新しい概念が打ち出された。抽象的かつ革新的で一見して撞着語法でもあるこの概念は、平等な政治的権利を有する、普遍的個人（universal individual）という想像上の存在を指すものである。近代ポリスへの扉を開いたこの概念の卓越した点は、少なくとも理論的には、あらゆる人を代表できるほどに個人的な実体や特性（ユニークな自己）を剝ぎとられた存在として個人を定義したことにある。各人をユニークな存在にするさまざまな特異性（財産、地位、教育、年齢、性別など）にとらわれず、共通の精神と政治的人間性（ヒューマニティ）を表現する、抽象的で特徴のない個人を想像できるようになったのだ。[95]

無論、このような考えに対しては絶えず異議が唱えられてきたが、それでもなお、無印の——人種化もジェンダー化もされず、階級の区別もない——人間性という理想を人間の超越の最終目標とする信念の根拠になっている。抽象化された個人をめぐるこの目的論に対しては、そのような印（マーカー）は不可避であり、印が指し示す個人の特質が、それぞれに異なる現実、葛藤、特権、可能性をもたらすという点で疑義が呈されている。人種、ジェンダー、セクシュアリティによって他者として「印づけられた」人々は、普遍的人間から逸脱した存在とみなされる（そしてしばしば、その印を「超越」したことで称賛される）。一方、カラー・ブラインドネス（人種を問わず、すべての人々を平等・公平に扱うこと。人種的偏見からの解放という肯定的な意味合いで用いられる場合もある一方、社会に存在する人種的不平等の否認という否定的な意味合いを伴う場合も多い）の追求という破綻した試みのなかで「色を見ない」ことに努める人々もいる。普遍的人間性という建前には決して異議が唱えられず、デフォルトの理想化された人間の条件が人種やジェンダーの区別にとらわれることはない。このような含意は、「テクノロジーには、人々の特異性を剝ぎとって平等にすることで、個人的自由を実現する力があるはずだ」という物語（ナラティブ）の重要な一部となっている。言うまでもなく、私たちは、これが真実からかけ離れていることを知っている。「ゲーマーゲート（#Gamergate）」[96]の女性たちの話を聞き、ウェブ上で毎日毎時間毎分、人種主義的・性差別的・同性愛嫌悪的なコメントや荒らし行為が起きている様子を観察してみれば、すぐにわかることだ。

ここまで述べてきたように、インターネットをめぐる多くの神話の一つが、情報の山（パイル）の最上部に表示されるものは、ハイパーリンクによって示される、厳密な意味で最も人気があるものだという考えである。仮にそれが正しいとしても、最も人気があるものが最も正しいものであるとは限らない。このような背景から、最も人気のある商用検索エンジン、すなわちグーグル検索に黒人女性が組み込まれているさまざまな方法を文脈化し、明らかにするという作業が必要だと考えられる。そして、そのように検索エンジンに黒人女性が組み込まれている状況は、「あるコンテンツが表示されるのは、人気、信頼性、商業性のいずれか、あるいはそれらの組み合わせの結果なのか」という複雑な問題を探究する十分な理由になっている。ウェブランキングにおける欠陥のある民主主義の論理に則れば、私が行なった検索で表示された結果は、女性、特に有色人種の女性・女の子に関してインターネット上で最も「人気のある」価値観は性差別とポルノだと示唆していることになる。実際には、検索結果のランキングは単に人々がクリックで「投票する」という仕組みにとどまるものではなく、そこにはさまざまな形態の性差別と人種主義が関わっているのだ。

第2章

黒人の女の子を検索する

2016年6月28日、コンピュータ・プログラミングに関心があるアフリカ系アメリカ人の少女たちを教育・指導するための組織「ブラック・ガールズ・コード（Black Girls Code）」が、グーグルのニューヨークオフィスに入居すると発表し、ブラック・フェミニストや主流のソーシャルメディアは騒然となった。このパートナーシップは、多様性プログラムに1億5000万ドルを投入してシリコンバレーやテクノロジー業界への人材の供給経路（パイプライン）をつくろうとするグーグルの取り組みの一環であった。しかし、このわずか2年前には、「黒人の女の子」を検索すると、グーグル検索がクロールしインデックス化した何兆ものウェブページのなかから「ビーチの黒人女性のお尻（Black Booty on the Beach）」や「甘美な黒人女性のあそこ（Sugary Black Pussy）」が検索結果の最初のページに表示されていたのだ。ブラック・ガールズ・コードのようなプロジェクトを通じてアフリカ系アメリカ人の女の子たちにコンピュータコードを教えるという取り組みは、ソフトウェア設計へのより本格的な参加を促し、慢性的な排除を是正することを一つの目的としている。若者に投資することで新たなパイプラインを築くというこのロジックは、シリコンバレーの産業への黒人女性のさらなる参加につながるエンパワーメントの機会としてもてはやされた。創造性・文化的背景・自由といった言説が、21世紀のコーディング・ギャップないし新たなコーディング・ディバイドを推進する基本的なナラティブとなっているのだ。

　アフリカ系アメリカ人の女性や女の子たちをこの取り組みに参加させる機運を生んでいる一つの要因として、アフリカ系アメリカ人をめぐるナラティブを、デジタル技術によって分断された存在（digitally divided）から分断されていない存在（digitally undivided）へと変化させようとする動きがある。

この枠組みにおいて、黒人女性は、さまざまな新自由主義的な科学、テクノロジー、デジタルイノベーションプログラムのターゲットとなっている。新自由主義は、エリートを利するような社会・経済政策を展開するための枠組みとして登場し、そのように機能すると同時に、個人の自由というイデオロギーによって、個人の創造性・貢献・参加が前面に打ち出される新たな世界観をつくり上げてきた——あたかも、そうした営みがより広範な労働慣行における体系的・構造的排除と結びついていないかのように。グーグルには、検索結果に人種主義的な偏りが存在したという過去があるが、ブラック・ガールズ・コードと、同社の現在の雇用慣行や製品設計に対する改善策の間には何の関連性もないのだ。実際、シリコンバレーで働くアフリカ系アメリカ人の少なさを「パイプラインの問題」とみなす考え方は、正反対の事実を示す証拠があるにもかかわらず、黒人の雇用の少なさを準備が整っていない人々の問題にしているのだ。グーグルやフェイスブックといった巨大テクノロジー企業は、この破綻した論理をめぐって非難を浴びている。CODE2040〔テクノロジー業界における人種的公正を求めて活動する非営利団体〕のローラ・ワイドマン・パワーズは、『USAトゥデイ』紙のジェシカ・グインによるインタビューで次のように述べている。「「今日できることは何もない、だから明日を担う若者たちに投資しなければならない」というこのナラティブは、少数派の背景をもちながらテクノロジー業界で働く何千もの人々の才能と功績を無視するものであり、かれらを不可視の存在にしている」[1]。黒人やラテン系アメリカ人は、コンピュータサイエンスの学位を取得して大学を卒業する人数が増えているにもかかわらず、過少雇用されているのだ。

パイプラインを満たし、「未来の」黒人女性プログラマーたちに、シリコンバレーにおける、あるいは偏見をはらむ製品開発における人種主義的な排除や誤表象の問題を解決する責任を負わせることは、解決策にはならない。商用検索は、まったく客観的でも公平でもないさまざまな要因に基づいて、検索結果に優先順位をつけている。実際、知識や情報へのアクセスを設計する方法についてはほかにも無数の可能性があるものの、グインが指摘したような白人・アジア系男性の支配的な立場への注意が欠けていることによって、これらの企業の現在の技術設計者や問題含みの製品に対する責任者が追及を逃れているのだ。シリコンバレーのアフリカ系アメリカ人女性イノベーターやテクノロジー企業のリーダーのうち、アフリカ系アメリカ人女性を遠ざけている「多様性の問題」を再考するために声を上げた者はわずかしかいない。多くの人々の関心を集めたのは、ｅポートフォリオを手がける教育テクノロジー企業「パスブライト（Pathbrite）」の元ＣＥＯヘザー・ハイルズがニュースサイト「リコード（Recode）」に寄稿した論考で、そこではシリコンバレーで黒人女性が直面する限界について率直に語られている。

私はいま、この記事をオースティン空港で書いている。ＳＸＳＷ〔音楽、映画、インタラクティブをテーマにした大規模イベント「サウス・バイ・サウスウエスト」の略称。新技術の見本市としての側面もある〕からオークランドに帰るところだ。執筆のためにノートパソコンを取り出す前、メディウム（Medium）〔記事の投稿・閲覧を行なうオンラインプラットフォーム〕である投稿を読んだ。ベンチャーキャピタルから数百万ドルを調達したことで知られる3人の黒人女性のうちの一人として、私の名前を挙げているものだ。この記事の冒頭では、アメリカのベンチャーキャピタルのうち、黒人女性創業者に投資されている割合は0・1パーセント未満であるという驚くべき事実が紹介されている。このうち何パーセントがテクノロジー業界の女性への投資なのかはわからないが、全体の数字がこれほどまでにひどい以上、それは些末なことだ。問題は、投資に値する、才能豊かな有色人種の女性が不足していることではない。黒人・ラテン系・女性の人材育成や支援、そしてかれらが活躍するための道筋を整備することができていない、シリコンバレーのシステムこそが問題なのだ。私の言葉を鵜呑みにせずに、シリコンバレーにおける多様性へのコミットメントの欠如をめぐる『USAトゥデイ』紙の記事で紹介されている業界のリーダーたちの話を聞いてみてほしい。〔記事を執筆した〕ジェシカ・グインによれば、「ベンチャー投資家たちは、企業に出資するときは「カラーブラインド」なのだといつも〔ミッチ・ケイパーに〕言っている。このような投資家は「シリコンバレーは能力主義社会なのだ」という深く根づいた認識を改める準備ができているのか、彼は疑念を抱いている」[2]。

ハイルズは続けて、シリコンバレーにおける排他的な慣行について論じ、「評価と機会は、イノベーションを起こす準備ができている最も賢明な人々に与えられる」という考え方に異議を唱えている。彼女は同性愛者であることを公表している黒人女性として唯一、自身の会社に1200万ドルのベンチャーキャピタルを調達した人物である。それにもかかわらず、同じような立場の非黒人は経験しない、とてつもない障害にいまでも直面している。有色人種の人々を非技術的とみなすことで、テクノロジーの領域は白人の「所有物」となり、アフリカ系アメリカ人についての問題のある見方が助長される。[3]現状の問題を、雇用慣行から製品設計にまで及ぶ人種主義と性差別の問題としてではなく、「パイプライン」の問題として捉えることで、これはさらに悪化する。「黒人の女の子はコードの書き方を学ぶ必要がある」というのは、シリコンバレーにおける黒人女性の慢性的な周縁化に対処しないための言い訳なのだ。

検索結果に責任を負うのは誰か？

シリコンバレーには、アフリカ系アメリカ人や、人種主義・性差別の醜い歴史についての深い見識をもつ人が少ない。その結果、製品設計において、その製品がさまざまな人々に及ぼしうる潜在的な影響についての慎重な分析が欠落している。グーグルのソフトウェアエンジニアがアルゴリズムの設計に責任を負わないというのなら、誰が責任をもつのか？「黒人の女の子」を検索すると、検索ボックスに「ポルノ」「ポルノグラフィ」「セックス」という言葉を入力していないにもかかわらず、それに関連する検索結果が長年にわたって表示されてきた。たとえば、検索結果の最初のページのテキストのうち、黒人の女の子の描写として名詞の「女性のあそこ（pussy）」が4回使われている。そのほか、最初のページのテキストに含まれる言葉としては、「甘美な（sugary）」（2回）、「毛深い（hairy）」（1回）、「セックス（sex）」（1回）、「尻／ケツ（booty/ass）」（2回）、「ティーン（teen）」（1回）、「デカい（big）」（1回）、「ポルノスター（porn star）」（1回）、「セクシーな（hot）」（1回）、「ハード

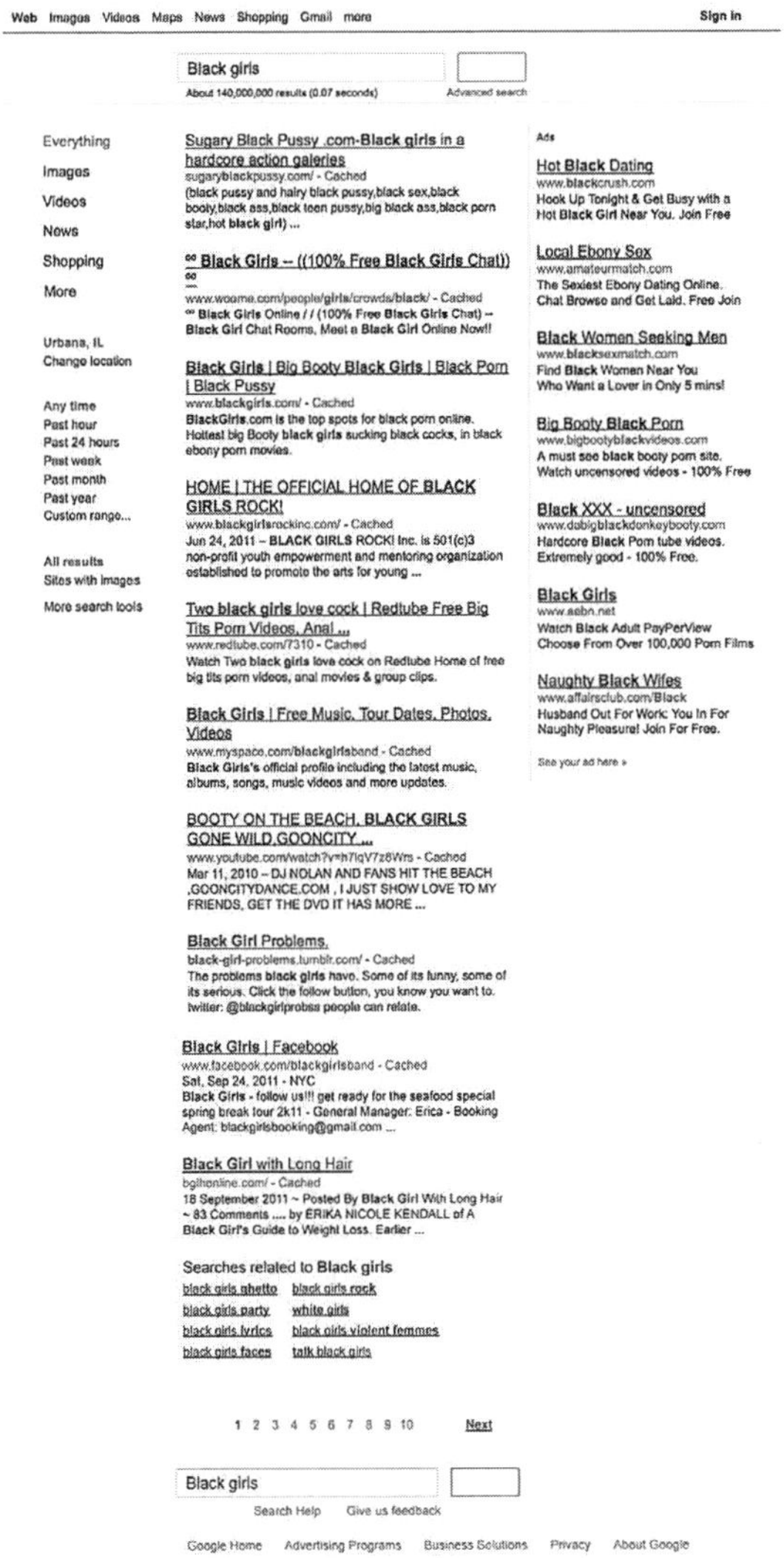

Web Images Videos Maps News Shopping Gmail more Sign in

Black girls

About 140,000,000 results (0.07 seconds) Advanced search

Everything
Images
Videos
News
Shopping
More

Urbana, IL
Change location

Any time
Past hour
Past 24 hours
Past week
Past month
Past year
Custom range...

All results
Sites with images
More search tools

Sugary Black Pussy .com-Black girls in a hardcore action galeries
sugaryblackpussy.com/ - Cached
(black pussy and hairy black pussy,black sex,black booty,black ass,black teen pussy,big black ass,black porn star,hot black girl) ...

∞ Black Girls -- ((100% Free Black Girls Chat))
www.woome.com/people/girls/crowds/black/ - Cached
∞ Black Girls Online / / (100% Free Black Girls Chat) -- Black Girl Chat Rooms, Meet a Black Girl Online Now!!

Black Girls | Big Booty Black Girls | Black Porn | Black Pussy
www.blackgirls.com/ - Cached
BlackGirls.com is the top spots for black porn online. Hottest big Booty black girls sucking black cocks, in black ebony porn movies.

HOME | THE OFFICIAL HOME OF BLACK GIRLS ROCK!
www.blackgirlsrockinc.com/ - Cached
Jun 24, 2011 – BLACK GIRLS ROCK! Inc. is 501(c)3 non-profit youth empowerment and mentoring organization established to promote the arts for young ...

Two black girls love cock | Redtube Free Big Tits Porn Videos, Anal ...
www.redtube.com/7310 - Cached
Watch Two black girls love cock on Redtube Home of free big tits porn videos, anal movies & group clips.

Black Girls | Free Music, Tour Dates, Photos, Videos
www.myspace.com/blackgirlsband - Cached
Black Girls's official profile including the latest music, albums, songs, music videos and more updates.

BOOTY ON THE BEACH, BLACK GIRLS GONE WILD,GOONCITY ...
www.youtube.com/watch?v=h7lqV7z6Wrs - Cached
Mar 11, 2010 – DJ NOLAN AND FANS HIT THE BEACH ,GOONCITYDANCE.COM , I JUST SHOW LOVE TO MY FRIENDS, GET THE DVD IT HAS MORE ...

Black Girl Problems.
black-girl-problems.tumblr.com/ - Cached
The problems black girls have. Some of its funny, some of its serious. Click the follow button, you know you want to. twitter: @blackgirlprobss people can relate.

Black Girls | Facebook
www.facebook.com/blackgirlsband - Cached
Sat, Sep 24, 2011 - NYC
Black Girls - follow us!!! get ready for the seafood special spring break tour 2k11 - General Manager: Erica - Booking Agent: blackgirlsbooking@gmail.com ...

Black Girl with Long Hair
bglhonline.com/ - Cached
18 September 2011 ~ Posted By Black Girl With Long Hair ~ 83 Comments .... by ERIKA NICOLE KENDALL of A Black Girl's Guide to Weight Loss. Earlier ...

Searches related to Black girls
black girls ghetto　black girls rock
black girls party　white girls
black girls lyrics　black girls violent femmes
black girls faces　talk black girls

1 2 3 4 5 6 7 8 9 10 Next

Black girls

Search Help　Give us feedback

Google Home　Advertising Programs　Business Solutions　Privacy　About Google

Ads

Hot Black Dating
www.blackcrush.com
Hook Up Tonight & Get Busy with a Hot Black Girl Near You. Join Free

Local Ebony Sex
www.amateurmatch.com
The Sexiest Ebony Dating Online. Chat Browse and Get Laid. Free Join

Black Women Seeking Men
www.blacksexmatch.com
Find Black Women Near You Who Want a Lover in Only 5 mins!

Big Booty Black Porn
www.bigbootyblackvideos.com
A must see black booty porn site. Watch uncensored videos - 100% Free

Black XXX - uncensored
www.dabigblackdonkeybooty.com
Hardcore Black Porn tube videos. Extremely good - 100% Free.

Black Girls
www.aebn.net
Watch Black Adult PayPerView Choose From Over 100,000 Porn Films

Naughty Black Wifes
www.affairsclub.com/Black
Husband Out For Work: You In For Naughty Pleasure! Join For Free.

See your ad here »

図2-1　「黒人の女の子」というキーワードに対する検索結果の1ページ目（2011年9月18日）

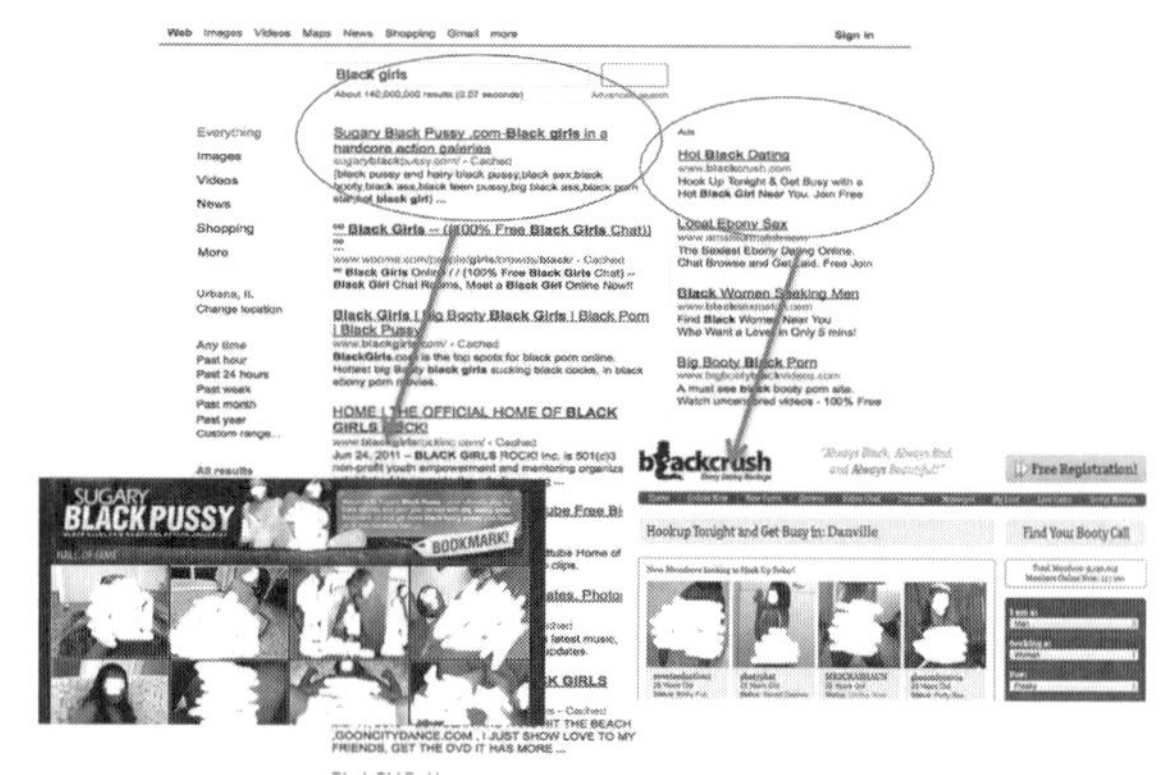

図2-2　「黒人の女の子」というキーワードに対するグーグル検索の結果の1ページ目（一部）、最上位の結果の詳細および広告

▶ Sugary Black Pussy .com-**Black girls** in a hardcore action galeries
sugary**black**pussy.com/
(black pussy and hairy black pussy,black sex,black booty,black ass,black teen pussy,big black ass,black porn star,hot **black girl**) ...

図2-3　「黒人の女の子」というキーワードに対するグーグル検索の結果の1ページ目の最上位の結果

コア（hardcore）」（1回）、「アクション（action）」（1回）、「ギャラリー（galeries［ママ］）」（1回）などがある。

「黒人の女の子」の検索結果の最初のページで、私は最上位の検索結果（無料）と最上部の有料広告の両方のリンクをクリックした。この有料広告は、右側のサイドバーに表示されるもので、グーグル・アドワーズ[4]を通じて費用を支払う意思と能力がある広告主は、検索クエリとの関連性に応じて、このスペースにコンテンツを表示させている[5]。長年にわたり、黒人の女の子に関連する広告はいずれも、たとえ単に出会い系やソーシャル［・メディア］だと称している場合でも、過剰に性的でポルノ的であった。そのうえ、イギリスのロックバンド「ブラック・ガールズ（Black Girls）」のように、

図2-4　2016年、スナップチャットは、その「ボブ・マーリー」および「イエローフェイス」フィルターが人種主義的なステレオタイプ化であるとして強く非難され、メディアによる厳しい追及にさらされた。

黒人の女性・女の子とまったく関連性がない検索結果もある。これはアイデンティティの流用の興味深い例であり、バンドを応援するファンの存在と、おそらくは検索結果の最適化戦略のおかげで、このバンドのファンサイトはグーグル検索の最初のページの有力な位置を占めることができている。

ウェブで公開されているテキストは過剰なほど多くの意味をもちうるため、こうした検索結果の分析にあたっては、検索結果のテキストと、それらに付随する有料広告の両方に含まれる、黒人の女性・女の子に関する暗示的・明示的なメッセージに焦点を当てた。それらをアメリカの主流の大衆文化における黒人の女性・女の子をめぐるより広範な社会的ナラティブと比較することで、検索エンジン技術がこうした考え方を複製し具体化している様子が見てとれる。グーグルで黒人女性がほとんど雇用されていないことを踏まえれば、これは驚くにはあたらない。グーグル、フェイスブック、スナップチャットなどの有名なテクノロジー企業で、コンピュータプログラマーとして雇用されるアフリカ系アメリカ人が少なすぎるというだけではなく、人種主義的・性差別的なステレオタイプ化や誤表象がもたらす影響を理解している人々の専門知識を活かせるポジションや、エスニック・スタディーズ、黒人／アフリカ系アメリカ人研究、女性学、ジェンダー研究、アメリカンインディアン研究、アジア系アメリカ人研究の学士号やさらに上級の学位を必要とするポジションが存在しないのだ。

テクノロジー企業が採用を行なうような、全米各地の大規模な研究大学の伝統的な工学カリキュラムでは、メディアによるステレオタイプ化の歴史や構造的抑圧のニュアンスを正式かつ学術的に学ぶことはできない。倫理学の講義はまれで、ジェゼベル（Jezebel）、サファイア（Sapphire）、マミー（Mammy）といった一連のステレオタイプも含めた黒人女性の歴史について正式な教育を受ける機会は、主流の工学課程には存在しない。私がカリフォルニア大学ロサンゼルス校の工学部の学生たちに、アメリカの人種的ステレオタイプ化の歴史、そしてそれらがコンピュータ・プログラミングのプロジェクトにもコード化されていることについて教えると、学生たちは、こんなことを講義で話す人はいままで誰もいなかったと呆然としながら教室を去っていく。多くの学生は、少なくとも10週間にわたってテクノロジーデザインの政治性について議論の場をもてたことに感謝するが、それは情報技術分野での生涯にわたるキャリアの準備としては決して十分なものではない。社会のためにテクノロジーをデザインする人々には、最低限、周縁化された人々の歴史についての訓練と教育を受けることが必要である。そしてかれらは、人文社会科学の分野で厳しい訓練と準備を積んできた人々とともに働くべきである。人々のためにテクノロジーをデザインする際、人々やコミュニティについての詳細で綿密な研究が欠けていると、私たちが目にしているような、有色人種の人々や女性の犠牲の上に成り立つさまざまな醜悪なテクノロジーデザインが生み出されることになるのだ。

アメリカにおける人種・ジェンダーの複雑性を紐解くためのアプローチを探るにあたり、人種やジェンダーをめぐる二項対立を本質化するような考え方には抗したいと考えている。とはいえ、「黒人」や「女性／女の子」といったカテゴリーの言説上での存在が、このようなカテゴリーを本質化・具体化する傾向があるアメリカの権力関係によって部分的に形作られていることは確かである。それゆえ、黒人性を研究するうえでは、その歴史的構築に着目することが重要なアプローチの一つとなるが、その構築のプロセスは、社会秩序としての白人性、およびそれへの近さゆえに権力を手にしている人々を背景としている。この研究で黒人性と白人性を比較するのは、白人のアメリカ人であること（White-American-ness）を中心に構築され、しばしば名づけられず認識もされない規範性を背景とした、黒人の女の子・女性のアイデンティティの言説的表象をより明確にするためだけである。白人の男性・男の子・女の子・女性などのアイデンティティに関する私の研究の成果は、白人性の社会的構築に関する広範な研究群や批判的白人性の観点を用いて個別に検討されるべきであるはずだ。〔しかし〕本書では、これらの検索結果をそうした方法で深く議論することはしない。私がこの研究を始めた時点で、黒人の女性・女の子はほかの集団よりもはるかに不適切な形で表象されていたものの、検索で中傷されているのは彼女たちだけだと主張するつもりはない。社会的アイデンティティとしての黒人の女の子の表象を研究する目的は、そうした研究を利用して、人種やジェンダーを生物学的なものとみなし、それによる人々の分類を本質化・自然化するような態度を正当化することではない。

また、この研究は、検索エンジンにおける人種やジェンダーに関する言説が、人々についての特定の「性質」や「真実」を反映していると示唆するものでもない。

検索エンジンの結果が、社会における歴史的に不均等な権力分布を反映した特定のナラティブを存続させている方法について考察することはさらに興味深い。検索のバイアスとステレオタイプ化について論じるにあたり、本書では主に黒人の女の子の例を取り上げているが、検索において周縁化されている女の子・女性は黒人だけではない。この研究を始めて2年後の２０１１年に、アジア系・インド系・ラテン系・白人の女の子などについて検索した際には、女の子のアイデンティティが、検索エンジンのまなざしのなかで、商品、性的な対象、あるいは好奇の的にされている実態が、その結果から浮き彫りになった。グーグル検索は、女性や女の子にとって良い場所ではない——これは明らかだ。本書が目指すのは、これについて周知することではなく、検索結果について、またそのような結果が私たちのものの見方や関わり方に及ぼす力について考えるための新たな方法を示すことである。ここでは黒人の女の子の事例に光を当てていくが、有色人種の女性・女の子のさまざまなアイデンティティに固有の歴史や文脈についてさらに多くのことが書かれる余地があることは間違いない。そして実際、検索におけるアイデンティティの商品化をめぐっては、問われるべきことや主張されるべきことがまだたくさんあるのだ。

この慢性的な現象について十全に調べるためには、人種と人種化について学ぶ必要がある。というのも、このようなプロセスは、アメリカの仕事・文化・知識生産のあらゆる側面に組み込まれているからだ。新たなメディアにおける人種・ジェンダーの表象について理解するためには、人種的カテゴリーに基づく社会的・経済的・政治的ヒエラルキーとしていかに人種が構成されているのか、人々はいかに人種化されるのか、これがいかに階層的秩序をさほど揺るがすことなく時間とともに変化していくのか、そして白人アメリカ人というアイデンティティがいかに目に見えない「規範」や「無(nothingness)」として機能し、それに基づいてほかのすべての人々が異常とされているのか、といった問いを扱う研究を参照することが必要不可欠である。

オンライン上の人種をめぐる主要な思想は、人種編成論[6]あるいは階層的・構造的白人至上主義理論[7]のいずれかに沿って整理されてきた。人種を研究する学者たちは、人種のイデオロギー的理解を中心にアメリカの積極的な経済・社会政策が組織されてきたことについて、「特定の人種的境界線に沿った資源の再編成・再分配の取り組み」であると指摘している[8]。カリフォルニア大学サンタバーバラ校の黒人研究学科長で社会学の教授であるヴィルナ・バシー・トレイトラーは、アメリカのエスニック・グループ間で起きている人種化のプロセスについて幅広く論じてきた。こうした人種化のプロセスはいずれも、白人性を社会的・政治的・経済的秩序の頂点に据え続ける人種的ヒエラルキーを通じて構造化されている。トレイトラーにとって、人種編成論はそれほど重要ではない——人種は社会の論理を構造化する支配的パラダイムであるため、人種を信じるか否かは問題ではないのだ。すなわち、人種とは認識上の表現型と遺産に基づいて人々に与えられる特権と権力の階層システムであり、エスニック・グループは、しばしばほかのエスニック・グループを犠牲にしつつ、既存の人種ヒエラルキーのなかでより大きな権力を手に入れようとするのだ。人種化をめぐる詳細な研究のなかでトレイトラーは、白人と黒人という人種的二項対立のシステムのなかで、白人のアメリカ人を利するよ

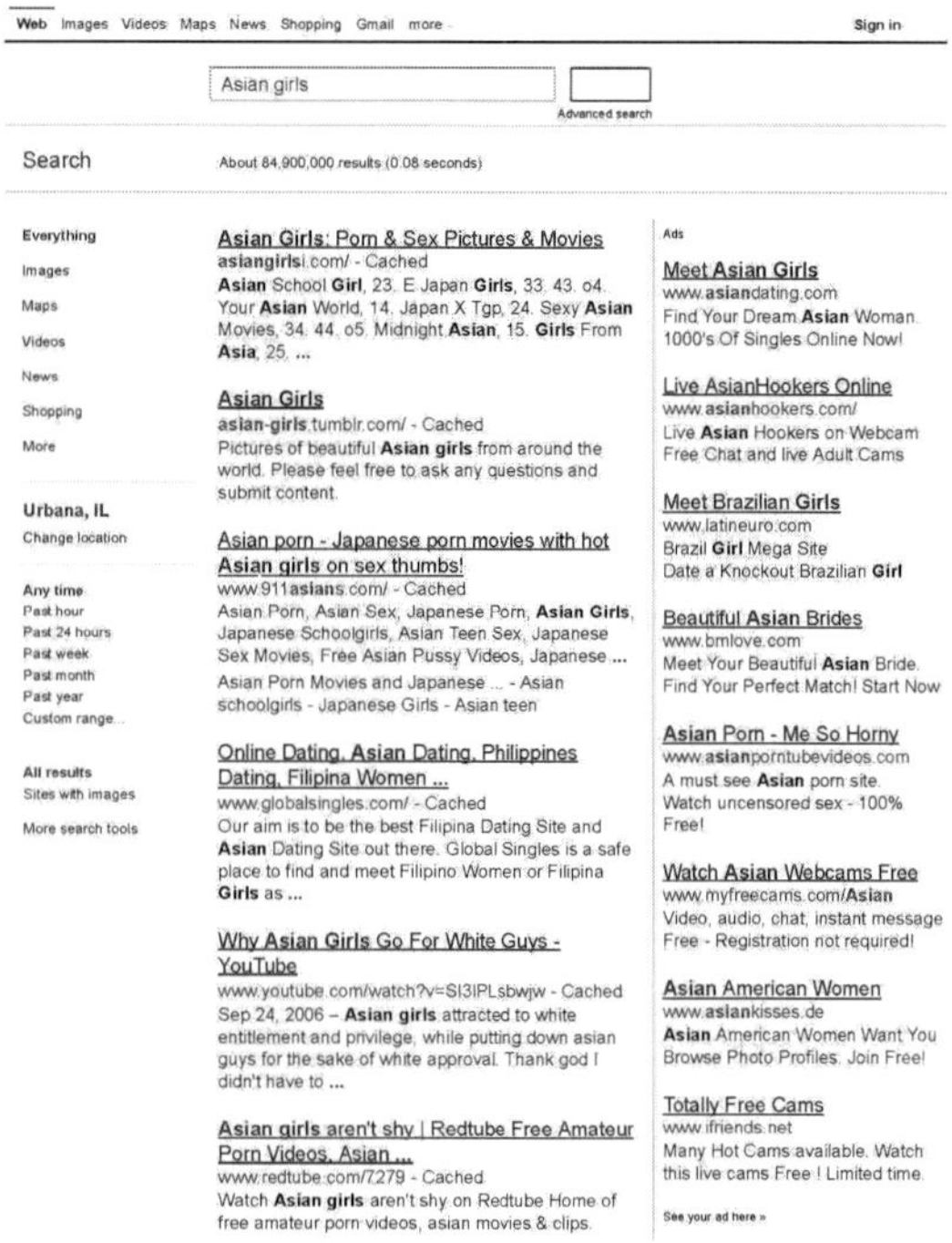

Web Images Videos Maps News Shopping Gmail more Sign in

Asian girls

Advanced search

Search

About 84,900,000 results (0.08 seconds)

Everything
Images
Maps
Videos
News
Shopping
More

Urbana, IL
Change location

Any time
Past hour
Past 24 hours
Past week
Past month
Past year
Custom range...

All results
Sites with images

More search tools

Asian Girls: Porn & Sex Pictures & Movies
asiangirlsi.com/ - Cached
Asian School **Girl**, 23. E Japan **Girls**, 33. 43. o4. Your **Asian** World, 14. Japan X Tgp, 24. Sexy **Asian** Movies, 34. 44. o5. Midnight **Asian**, 15. **Girls** From **Asia**, 25. ...

Asian Girls
asian-girls.tumblr.com/ - Cached
Pictures of beautiful **Asian girls** from around the world. Please feel free to ask any questions and submit content.

Asian porn - Japanese porn movies with hot Asian girls on sex thumbs!
www.911**asians**.com/ - Cached
Asian Porn, Asian Sex, Japanese Porn, **Asian Girls**, Japanese Schoolgirls, Asian Teen Sex, Japanese Sex Movies, Free Asian Pussy Videos, Japanese ...
Asian Porn Movies and Japanese ... - Asian schoolgirls - Japanese Girls - Asian teen

Online Dating, Asian Dating, Philippines Dating, Filipina Women ...
www.globalsingles.com/ - Cached
Our aim is to be the best Filipina Dating Site and **Asian** Dating Site out there. Global Singles is a safe place to find and meet Filipino Women or Filipina **Girls** as ...

Why Asian Girls Go For White Guys - YouTube
www.youtube.com/watch?v=SI3IPLsbwjw - Cached
Sep 24, 2006 – **Asian girls** attracted to white entitlement and privilege, while putting down asian guys for the sake of white approval. Thank god I didn't have to ...

Asian girls aren't shy | Redtube Free Amateur Porn Videos, Asian ...
www.redtube.com/7279 - Cached
Watch **Asian girls** aren't shy on Redtube Home of free amateur porn videos, asian movies & clips.

Ads

Meet Asian Girls
www.**asian**dating.com
Find Your Dream **Asian** Woman. 1000's Of Singles Online Now!

Live AsianHookers Online
www.**asian**hookers.com/
Live **Asian** Hookers on Webcam Free Chat and live Adult Cams

Meet Brazilian Girls
www.latineuro.com
Brazil **Girl** Mega Site
Date a Knockout Brazilian **Girl**

Beautiful Asian Brides
www.bmlove.com
Meet Your Beautiful **Asian** Bride. Find Your Perfect Match! Start Now

Asian Porn - Me So Horny
www.**asian**porntubevideos.com
A must see **Asian** porn site. Watch uncensored sex - 100% Free!

Watch Asian Webcams Free
www.myfreecams.com/**Asian**
Video, audio, chat, instant message Free - Registration not required!

Asian American Women
www.**asian**kisses.de
Asian American Women Want You Browse Photo Profiles. Join Free!

Totally Free Cams
www.ifriends.net
Many Hot Cams available. Watch this live cams Free ! Limited time.

See your ad here »

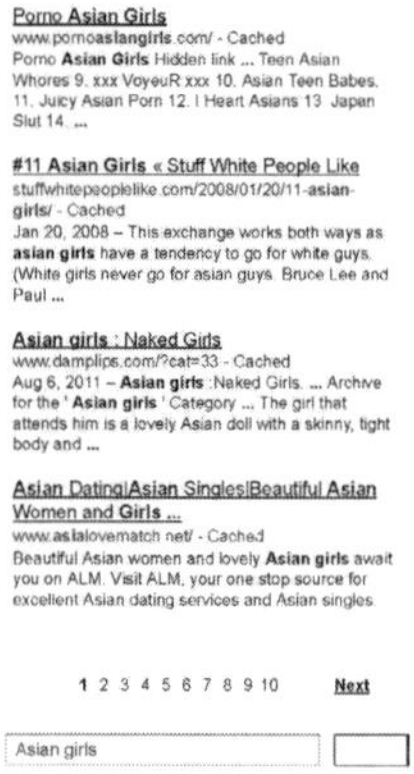

Porno Asian Girls
www.porno**asiangirls**.com/ - Cached
Porno **Asian Girls** Hidden link ... Teen Asian Whores 9. xxx VoyeuR xxx 10. Asian Teen Babes. 11. Juicy Asian Porn 12. I Heart Asians 13. Japan Slut 14. ...

#11 Asian Girls « Stuff White People Like
stuffwhitepeoplelike.com/2008/01/20/11-**asian-girls**/ - Cached
Jan 20, 2008 – This exchange works both ways as **asian girls** have a tendency to go for white guys. (White girls never go for asian guys. Bruce Lee and Paul ...

Asian girls : Naked Girls
www.damplips.com/?cat=33 - Cached
Aug 6, 2011 – **Asian girls** :Naked Girls. ... Archive for the ' **Asian girls** ' Category ... The girl that attends him is a lovely Asian doll with a skinny, tight body and ...

Asian Dating|Asian Singles|Beautiful Asian Women and Girls ...
www.**asia**lovematch.net/ - Cached
Beautiful Asian women and lovely **Asian girls** await you on ALM. Visit ALM, your one stop source for excellent Asian dating services and Asian singles.

1 2 3 4 5 6 7 8 9 10 Next

Asian girls

図2-5　「アジア系の女の子」のグーグル検索結果（2011年）

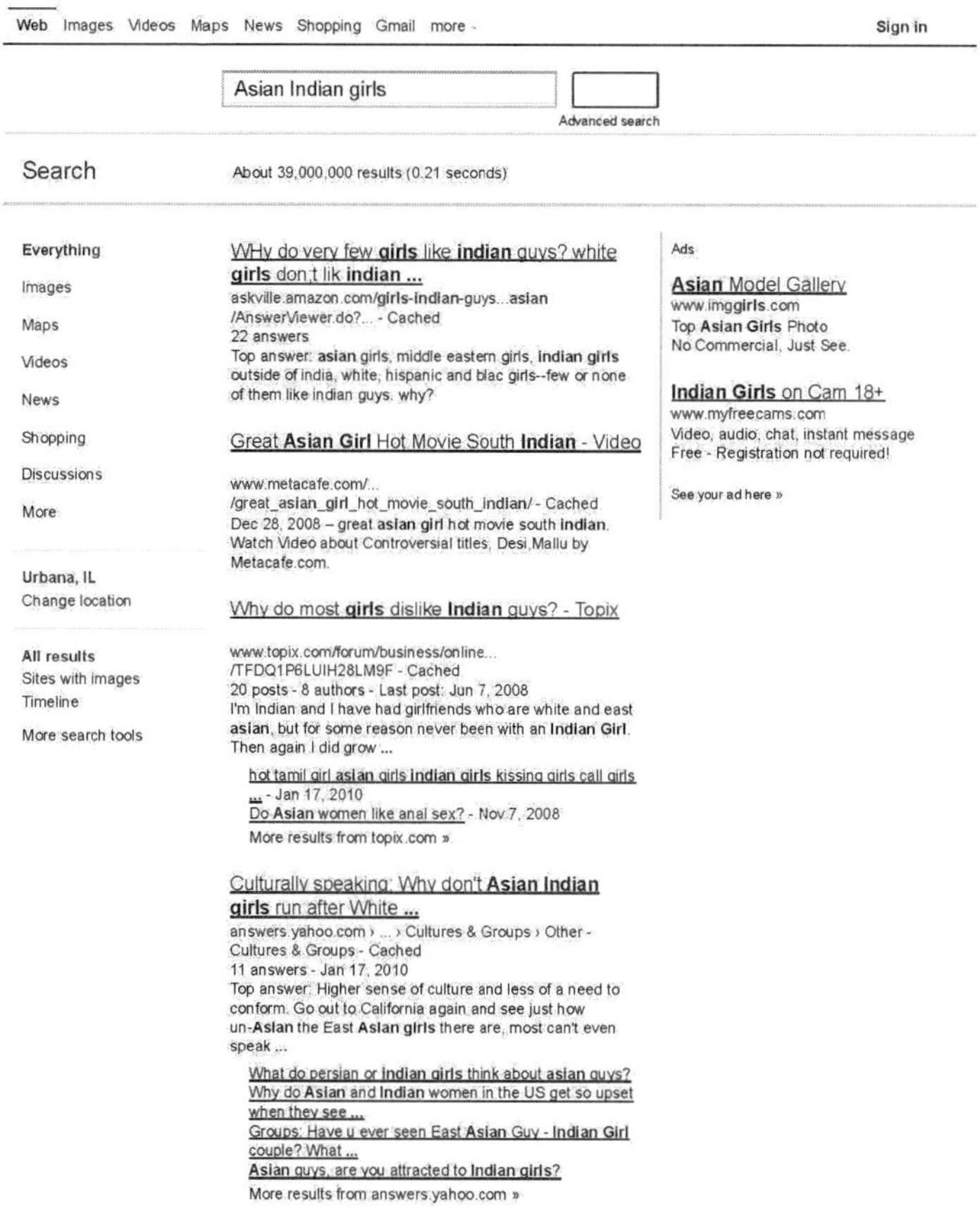

Web Images Videos Maps News Shopping Gmail more · Sign in

Asian Indian girls

Advanced search

Search

About 39,000,000 results (0.21 seconds)

Everything

Images

Maps

Videos

News

Shopping

Discussions

More

Urbana, IL

Change location

All results

Sites with images

Timeline

More search tools

WHy do very few **girls** like **indian** guys? white **girls** don;t lik **indian ...**
askville.amazon.com/**girls-indian**-guys...**asian**/AnswerViewer.do?... - Cached
22 answers
Top answer: **asian** girls, middle eastern girls, **indian girls** outside of india, white, hispanic and blac girls--few or none of them like indian guys. why?

Great **Asian Girl** Hot Movie South **Indian** - Video
www.metacafe.com/.../great_**asian_girl**_hot_movie_south_**indian**/ - Cached
Dec 28, 2008 – great **asian girl** hot movie south **indian**. Watch Video about Controversial titles, Desi,Mallu by Metacafe.com.

Why do most **girls** dislike **Indian** guys? - Topix
www.topix.com/forum/business/online.../TFDQ1P6LUIH28LM9F - Cached
20 posts - 8 authors - Last post: Jun 7, 2008
I'm Indian and I have had girlfriends who are white and east **asian**, but for some reason never been with an **Indian Girl**. Then again I did grow ...
hot tamil girl **asian** girls **indian girls** kissing girls call girls ... - Jan 17, 2010
Do **Asian** women like anal sex? - Nov 7, 2008
More results from topix.com »

Culturally speaking: Why don't **Asian Indian girls** run after White ...
answers.yahoo.com › ... › Cultures & Groups › Other - Cultures & Groups - Cached
11 answers - Jan 17, 2010
Top answer: Higher sense of culture and less of a need to conform. Go out to California again and see just how un-**Asian** the East **Asian girls** there are, most can't even speak ...
What do persian or **indian girls** think about **asian** guys?
Why do **Asian** and **Indian** women in the US get so upset when they see ...
Groups: Have u ever seen East **Asian** Guy - **Indian Girl** couple? What ...
Asian guys, are you attracted to **Indian girls**?
More results from answers.yahoo.com »

Ads

Asian Model Gallery
www.img**girls**.com
Top **Asian Girls** Photo
No Commercial, Just See.

Indian Girls on Cam 18+
www.myfreecams.com
Video, audio, chat, instant message
Free - Registration not required!

See your ad here »

図2-6　「インド系の女の子」のグーグル検索結果（2011年）

Web Images Videos Maps News Shopping Gmail more · Sign in

Hispanic girls

Advanced search

Search

About 17,800,000 results (0.22 seconds)

Everything
Images
Maps
Videos
News
Shopping
More

Urbana, IL
Change location

All results
Sites with images
More search tools

Meet **Hispanic Girls - Hispanic** Dating And Singles Site. Ad
www.latinamericancupid.com/Dating
Browse Photos. Join Free Now!

Related searches: hispanic girls **gone wild** **mexican** girls hispanic girls **pictures**

Urban Dictionary: **hispanic girls**
www.urbandictionary.com/define.php?term=**hispanic%20girls** · Cached
The best **girls** there are. Them and **hispanic** women.
Because they have color, rhythm and they actually have full figures, which means titty's and ass...

View **Hispanic Girls** - Rate Hispanic - The Hispanic HOT or NOT site
www.rate**hispanic**.com/view.php?ut=1 - Cached
1 post - Last post: 17 hours ago
Email the webmaster · AIM the webmaster · Privacy Policy · Terms & Conditions. Pics View **Hispanic Girls** · View Hispanic Guys · Top 50 Girls ...

°° **Hispanic**/Latin **Girls** -- ((100% Free **Hispanic**/Latin **Girls** Chat)) °°
www.woome.com/people/**girls**/crowds/latin/ - Cached
°° **Hispanic**/Latin **Girls** Online / / (100% Free **Hispanic**/Latin **Girls** Chat) -- **Hispanic** /Latin Girl Chat Rooms, Meet a **Hispanic**/Latin Girl Online Now!!

Ridiculously Hot **Hispanic** Girl Dancin' - YouTube

www.youtube.com/watch?v=iZ8KuYxljcw
4 min - Oct 23, 2007 - Uploaded by J1Goro
Amature **Hispanic Girls** Hot Butt Shakeby DaneInJamaica6786 views; Featured Video. Thumbnail 3:03. Add to. Ridiculously Hot LATINA girl ...

Ask an Asian guy? Black and **Hispanic Girls** part 2 of 2 - YouTube

www.youtube.com/watch?v=siF_WDDN6l4
8 min - Sep 15, 2007 -
Uploaded by CocoaAndMe
This video was mean as a joke. I am obviously being facetious and absurd. Episode 5 Do Asian guys date Black and **Hispanic girls**?

More videos for **Hispanic girls** »

Ads

Amazing **Hispanic Girls**
www.internationalcupid.com/Latin
Exotic Dating & Singles Site.
View Members for Free Now.

Meet **Hispanic Girls**
www.latinaromance.com
Find Single **Hispanic Girls** Near You
View Profiles 100% Free. Join Now!

Meet **Hispanic Girls**
www.latinopeoplemeet.com
Free to Join. 1000's of pictures & videos of Beautiful Latin Singles!

Amazing **Hispanic Girls**
www.amolatina.com
From Brazil, Argentina, Mexico, Cuba. Find Your Match!

Beautiful Latin Women
www.mexicancupid.com
Cute Mexican **Girls** Await You
Don't Miss Out. Join Free!

Hot Latin **Girls**
www.foreignladies.com/Latin.html
Date real, marriage-minded, sexy **girls** from Latin America.

See your ad here »

図2-7 「ヒスパニック系の女の子」のグーグル検索結果（2011年）

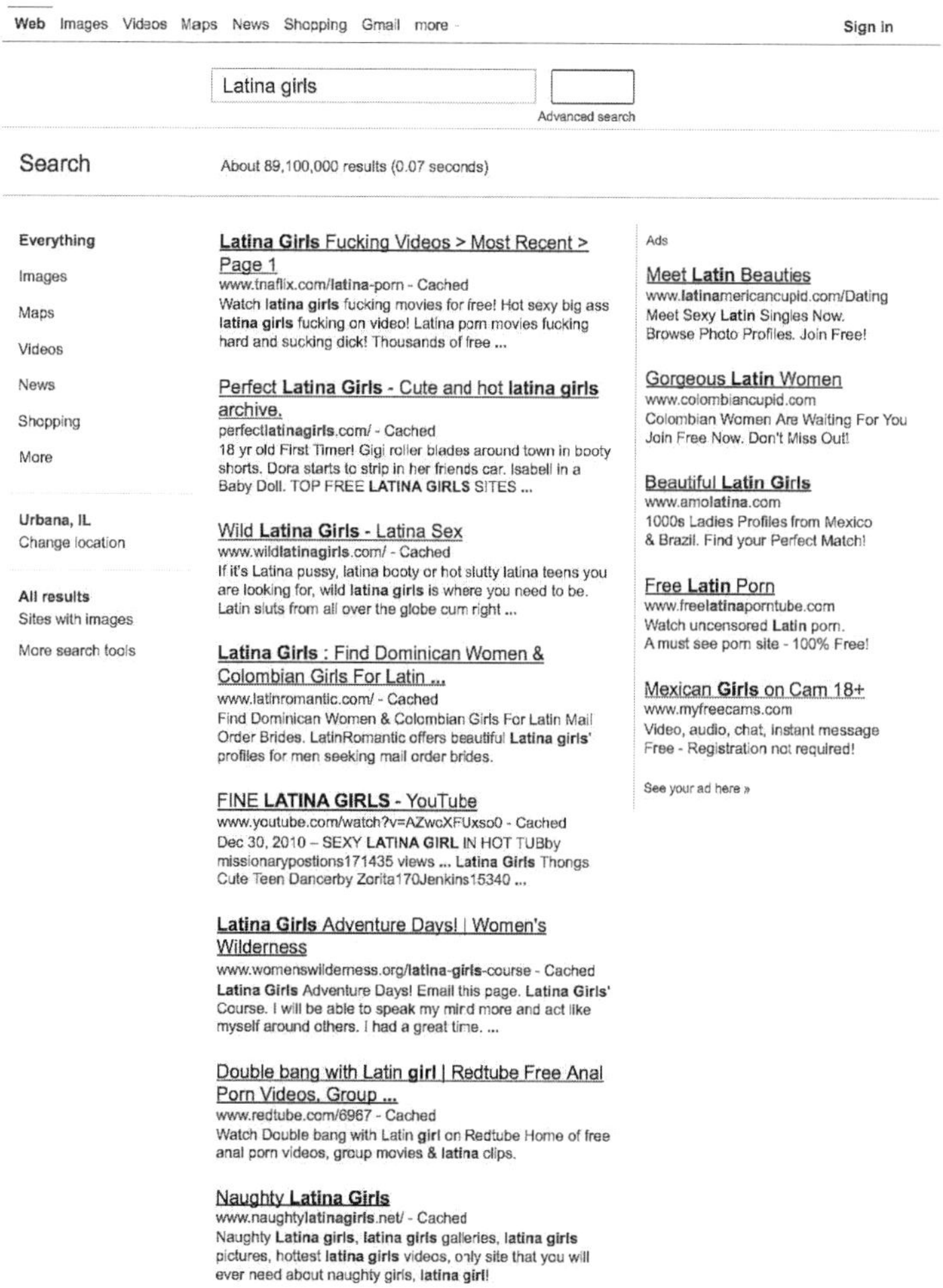

Web Images Videos Maps News Shopping Gmail more Sign in

Latina girls

Advanced search

Search About 89,100,000 results (0.07 seconds)

Everything
Images
Maps
Videos
News
Shopping
More

Urbana, IL
Change location

All results
Sites with images
More search tools

Latina Girls Fucking Videos > Most Recent > Page 1
www.tnaflix.com/**latina**-porn - Cached
Watch **latina girls** fucking movies for free! Hot sexy big ass **latina girls** fucking on video! Latina porn movies fucking hard and sucking dick! Thousands of free ...

Perfect **Latina Girls** - Cute and hot **latina girls** archive.
perfect**latinagirls**.com/ - Cached
18 yr old First Timer! Gigi roller blades around town in booty shorts. Dora starts to strip in her friends car. Isabell in a Baby Doll. TOP FREE **LATINA GIRLS** SITES ...

Wild **Latina Girls** - Latina Sex
www.wild**latinagirls**.com/ - Cached
If it's Latina pussy, latina booty or hot slutty latina teens you are looking for, wild **latina girls** is where you need to be. Latin sluts from all over the globe cum right ...

Latina Girls : Find Dominican Women & Colombian Girls For Latin ...
www.latinromantic.com/ - Cached
Find Dominican Women & Colombian Girls For Latin Mail Order Brides. LatinRomantic offers beautiful **Latina girls'** profiles for men seeking mail order brides.

FINE **LATINA GIRLS** - YouTube
www.youtube.com/watch?v=AZwcXFUxso0 - Cached
Dec 30, 2010 – SEXY **LATINA GIRL** IN HOT TUBby missionarypostions171435 views ... **Latina Girls** Thongs Cute Teen Dancerby Zorita170Jenkins15340 ...

Latina Girls Adventure Days! | Women's Wilderness
www.womenswilderness.org/**latina-girls**-course - Cached
Latina Girls Adventure Days! Email this page. **Latina Girls'** Course. I will be able to speak my mind more and act like myself around others. I had a great time. ...

Double bang with Latin **girl** | Redtube Free Anal Porn Videos, Group ...
www.redtube.com/6967 - Cached
Watch Double bang with Latin **girl** on Redtube Home of free anal porn videos, group movies & **latina** clips.

Naughty **Latina Girls**
www.naughty**latinagirls**.net/ - Cached
Naughty **Latina girls**, **latina girls** galleries, **latina girls** pictures, hottest **latina girls** videos, only site that you will ever need about naughty girls, **latina girl**!

Ads

Meet **Latin** Beauties
www.**latina**mericancupid.com/Dating
Meet Sexy **Latin** Singles Now. Browse Photo Profiles. Join Free!

Gorgeous **Latin** Women
www.colombiancupid.com
Colombian Women Are Waiting For You Join Free Now. Don't Miss Out!

Beautiful **Latin Girls**
www.amo**latina**.com
1000s Ladies Profiles from Mexico & Brazil. Find your Perfect Match!

Free **Latin** Porn
www.free**latina**porntube.com
Watch uncensored **Latin** porn. A must see porn site - 100% Free!

Mexican **Girls** on Cam 18+
www.myfreecams.com
Video, audio, chat, instant message Free - Registration not required!

See your ad here »

図2-8　「ラテン系の女の子」のグーグル検索結果（2011年）

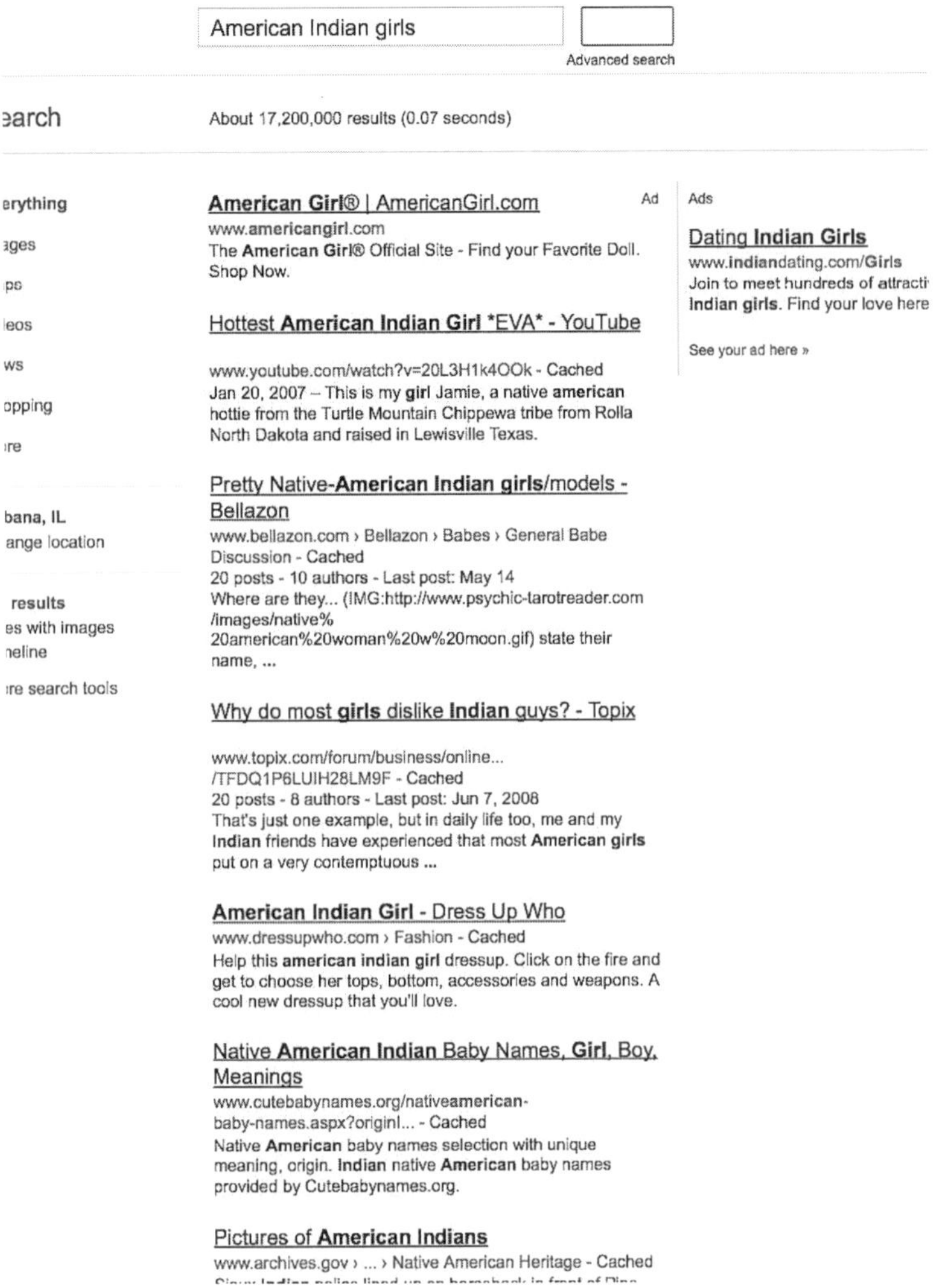

American Indian girls

Advanced search

earch

About 17,200,000 results (0.07 seconds)

erything
ages
ps
leos
ws
opping
re

bana, IL
ange location

results
es with images
neline
re search tools

American Girl® | AmericanGirl.com Ad
www.**americangirl**.com
The **American Girl**® Official Site - Find your Favorite Doll. Shop Now.

Hottest **American Indian Girl** *EVA* - YouTube

www.youtube.com/watch?v=20L3H1k4OOk - Cached
Jan 20, 2007 – This is my **girl** Jamie, a native **american** hottie from the Turtle Mountain Chippewa tribe from Rolla North Dakota and raised in Lewisville Texas.

Pretty Native-**American Indian girls**/models - Bellazon
www.bellazon.com › Bellazon › Babes › General Babe Discussion - Cached
20 posts - 10 authors - Last post: May 14
Where are they... (IMG:http://www.psychic-tarotreader.com/images/native%20american%20woman%20w%20moon.gif) state their name, ...

Why do most **girls** dislike **Indian** guys? - Topix

www.topix.com/forum/business/online.../TFDQ1P6LUIH28LM9F - Cached
20 posts - 8 authors - Last post: Jun 7, 2008
That's just one example, but in daily life too, me and my **Indian** friends have experienced that most **American girls** put on a very contemptuous ...

American Indian Girl - Dress Up Who
www.dressupwho.com › Fashion - Cached
Help this **american indian girl** dressup. Click on the fire and get to choose her tops, bottom, accessories and weapons. A cool new dressup that you'll love.

Native **American Indian** Baby Names, **Girl**, Boy, Meanings
www.cutebabynames.org/native**american**-baby-names.aspx?originl... - Cached
Native **American** baby names selection with unique meaning, origin. **Indian** native **American** baby names provided by Cutebabynames.org.

Pictures of **American Indians**
www.archives.gov › ... › Native American Heritage - Cached

Ads

Dating **Indian Girls**
www.**indian**dating.com/**Girls**
Join to meet hundreds of attracti
Indian girls. Find your love here

See your ad here »

図2-9　「アメリカンインディアンの女の子」のグーグル検索結果（2011年）

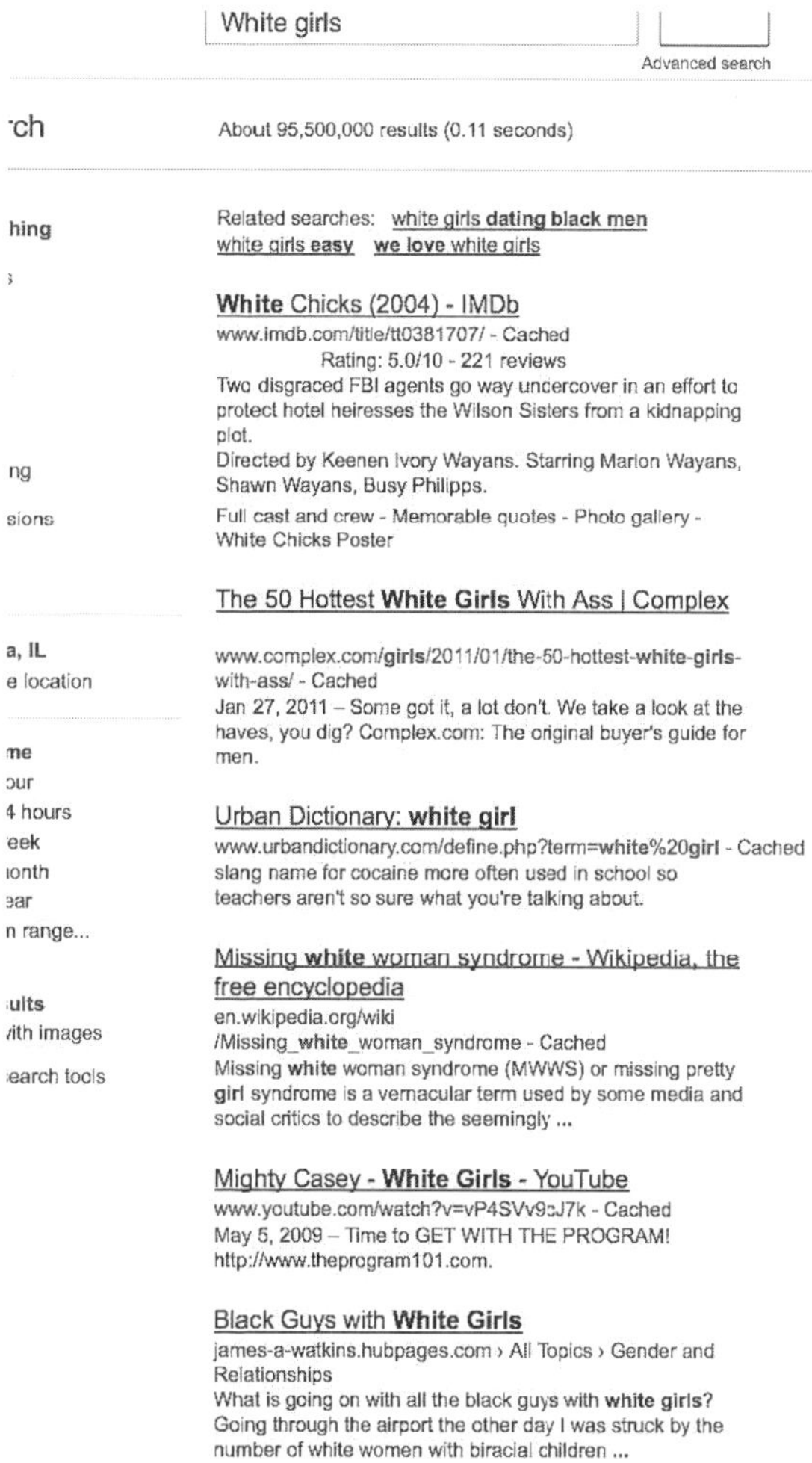

White girls

Advanced search

·ch

About 95,500,000 results (0.11 seconds)

hing

ng

sions

a, IL
e location

me
our
4 hours
eek
ionth
ear
n range...

ults
vith images
earch tools

Related searches: white girls **dating black men**
white girls **easy** **we love** white girls

White Chicks (2004) - IMDb
www.imdb.com/title/tt0381707/ - Cached
Rating: 5.0/10 - 221 reviews
Two disgraced FBI agents go way undercover in an effort to protect hotel heiresses the Wilson Sisters from a kidnapping plot.
Directed by Keenen Ivory Wayans. Starring Marlon Wayans, Shawn Wayans, Busy Philipps.
Full cast and crew - Memorable quotes - Photo gallery - White Chicks Poster

The 50 Hottest **White Girls** With Ass | Complex
www.complex.com/**girls**/2011/01/the-50-hottest-**white-girls**-with-ass/ - Cached
Jan 27, 2011 – Some got it, a lot don't. We take a look at the haves, you dig? Complex.com: The original buyer's guide for men.

Urban Dictionary: **white girl**
www.urbandictionary.com/define.php?term=**white%20girl** - Cached
slang name for cocaine more often used in school so teachers aren't so sure what you're talking about.

Missing **white** woman syndrome - Wikipedia, the free encyclopedia
en.wikipedia.org/wiki/Missing_**white**_woman_syndrome - Cached
Missing **white** woman syndrome (MWWS) or missing pretty **girl** syndrome is a vernacular term used by some media and social critics to describe the seemingly ...

Mighty Casey - **White Girls** - YouTube
www.youtube.com/watch?v=vP4SVv9cJ7k - Cached
May 5, 2009 – Time to GET WITH THE PROGRAM! http://www.theprogram101.com.

Black Guys with **White Girls**
james-a-watkins.hubpages.com › All Topics › Gender and Relationships
What is going on with all the black guys with **white girls**? Going through the airport the other day I was struck by the number of white women with biracial children ...

図2-10 「白人の女の子」のグーグル検索結果（2011年）

African-American girls

Advanced search

ːch

About 59,500,000 results (0.14 seconds)

hing

ng

a, IL
e location

me
our
4 hours
eek
weeks
ıonth
ear
n range...

ults
vith images
ıe

earch tools

American Girl® | AmericanGirl.com Ads
www.**americangirl**.com
American Girl® - Celebrate girlhood Dolls, Outfits, Books, Movie, More

African American Singles | eHarmony.com
www.eharmony.com/Black-Dating
Meet **African** Americans. Get Matched On 29 Dimensions of Compatibility.

Black Girls and Modern-Day Slavery
www.theroot.com/views/**black-girls**-are-still-enslaved - Cached
Apr 10, 2010 – The sexual trafficking of our young females is happening at an alarming rate. Who will free them?

Images for **African-American girls** - Report images

How Hair Affects **African American Girls'** Self-Esteem
jezebel.com/.../how-hair-affects-**african-american-girls**-self+esteem - Cached
May 12, 2009 – Taking a cue from Chris Rock's documentary Good Hair, today's Tyra examined how **black** women — including little **girls** — feel about their hair, ...

[PDF] Change It Up! Research Summary-What **African American Girls** Say
www.**girls**couts.org/research/pdf/change_it_up_**african_american_girls**.pdf
File Format: PDF/Adobe Acrobat - Quick View
What follows is what **African American girls** are clearly saying: We need to ... For **african american girls**, preferred definitions of leadership imply personal ...

How **African American Girls**/Women ... - What About Our Daughters
www.whataboutourdaughters.com/.../how-**african-american-girls**women- ...
How **African American Girls**/Women become freaks.

Ads

It's A **Girl African America**
www.cafepress.com
cafepress.com is rated
Find 100's of Unique Designs.
Buy T-shirts, Hoodies, Mugs & Mo

Beautiful Black Women
www.blackpersy.com
100%Free Black Singles Dating, C
Contact Free. No Credit Card Nee

See your ad here »

図2-11 「アフリカ系アメリカ人の女の子」のグーグル検索結果（2011年）

うに設計された法律や経済政策・公共政策を通じて人種が体系化されてきたことを指摘している。各エスニック・グループにより大きな、あるいはより小さな特権を与え、白人のアメリカ人を権力と特権の最終的な受益者にしているこのシステムこそが、人種を構成しているのだ。このようにしてエスニック・グループは階層システムのなかで「人種化」され、そのなかで権力を奪い合うようになる。トレイトラーは、人種の社会的構築と人種化のプロセスを次のように説明している。

> 人種的アイデンティティが獲得されるのは、人が自らにつけうる民族的（エスニック）ラベルの選択肢に気づかないからではなく、人種化された社会のなかで人種抜きに存在することが許されないからだ。人種は社会文化的ヒエラルキーであり、人種カテゴリーはその人種ヒエラルキーから切り出された社会的な空間ないし地位なのだ。人種カテゴリーの研究が重要なのは、カテゴリーがラベルや意味を変容させるからであり、人種カテゴリーの意味やその表れにおける変化を観察することで、人種ヒエラルキーの変化を観察しうるからだ。[9]

トレイトラーの研究は、オンラインにおける人種的な権力ヒエラルキーの再生産が、私たちが解体・介入を試みている対象（すなわち、私たちの社会の基本的な構成論理となっている差別と人種主義）と同種の権力システムの表れであるということを理解するうえで欠かせない。カリフォルニア大学マーセド校の社会学部長ターニャ・ゴーラッシュ＝ボザは、批判的人種研究について、単に人種化と不公正を特定するにとどまらず、公共政策の境界を押し広げ、周縁化が維持されている複雑な方法についての理解を大きく変えていかなければならないと論じている。[10] アメリカの人種研究を牽引してきたマイケル・オミとハワード・ウィナントは、アメリカにおける人種化された集団に対する支配を覆い隠す手段として人種的統治が「独裁体制から民主主義へ」と移行してきた方法を明らかにした。[11] ウェブの文脈では、シリコンバレーでのアフリカ系アメリカ人の雇用水準の低さといった職場慣行、およびそこから生まれた製品（一般向けに情報を組織化するアルゴリズムなど）が免責されているという状況がある。すなわち、それらはこの分野に根強く残る支配に関わる問題ではなく、民主的で公正なプロジェクトとみなされ、その多くが人種主義の作用を覆い隠しているのだ。無論、このような差別的な慣行を見たり認識したりすることができなければ、介入することもできない。本書の読者にもこうした慣行を見えやすくするために、ここでアルゴリズムによる人種的抑圧がグーグル検索においてどのように作用しているかについてのさらなる例を示すこととする。

２０１６年６月６日、バージニア州ミッドロージアンのクローバー高校に通うアフリカ系アメリカ人のティーンエイジャー、カビール・アリは、@iBeKabir というユーザー名で、「黒人のティーンエイジャー３人（three black teenagers）」というキーワードでグーグル画像検索を行なった際の動画をツイッターに投稿した。グーグルが提示した検索結果は、アフリカ系アメリカ人のティーンエイジャーの逮捕時の人物写真（マグショット）で、黒人ティーンエイジャーと犯罪行為の結びつきをほのめかすものであった。続いて彼が単語を一つ――「黒人」を「白人」に――変えて検索すると、まったく異なる結果が得られた。「白人のティーンエイジャー３人（three white teenagers）」は、いかにも健全なアメリカ人らしい姿で表されたのだ。この動画は２日もしないうちに急速に拡散し、『ＵＳＡトゥデイ』紙のジェシカ・

図2-12　「黒人のティーンエイジャー3人」の検索結果についてのカビール・アリのツイートでは、逮捕時の人物写真（マグショット）が表示されている。一方、「白人のティーンエイジャー3人」を検索すると写真素材（ストックフォト）の健全なティーンエイジャーたちが表示される（2016年）

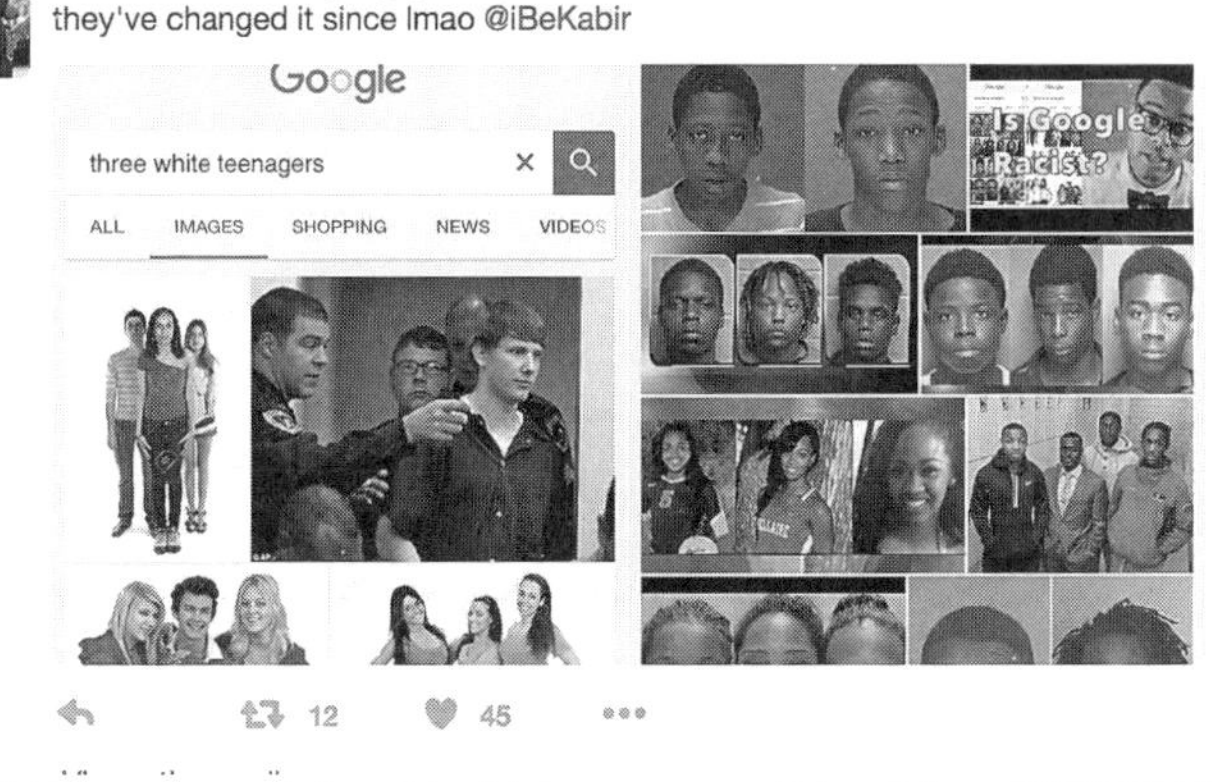

図2-13　「黒人のティーンエイジャー3人」「白人のティーンエイジャー3人」の画像検索結果に変化がみられたことについてのカビール・アリのフォロワーのツイート（2016年）

グインがこの件に関して私に連絡してきた。例によってグーグルは、このような検索結果は例外的で、同社のコントロールが及ばないものであると説明したため、私はまたしても「もしグーグルが自社のアルゴリズムに責任をもたないというのなら、誰が責任を負うのか？」とコメントすることになった。その後、アリのツイッターのフォロワーの一人が、グーグルがアルゴリズムに加えた微調整について投稿した。「白人のティーンエイジャー3人」の検索結果には、白人ティーンエイジャーの「犯罪者としての」画像が新たに追加され、黒人ティーンエイジャーについては「健全な」画像がより多く含まれるようになったのだ。

グーグル製品における人種的ステレオタイプ化への同社の対応について私たちが知っているのは、グーグルは加害の責任や意図についてはいつも否定するものの、その後、このようなシステムの異常や「不具合」を「微調整」ないし「修正」することはできるということだ。私たちが問うべきは、そもそもなぜ、どのようにこのようなステレオタイプ化が起きるのか、こうした誤表象の標的となっている人々に対して人種・ジェンダーのステレオタイプ化はどのような公的な危害を及ぼすのか、ということである。グーグルの画像検索結果では、白人のアメリカ人の画像が執拗に表示され、それによって白人性の優位が強化されるとともに、主流社会でデフォルトの「善（good）」として白人性が受け入れられ、ほかのすべての人々が不可視化される状況が助長されている。このことを示す例は数多く存在し、グーグル検索のユーザーたちは、執拗に現れるこのような表象から受けたショックや失望についてオンラインで報告している。図2-14と図2-15はそうした例の一部だ。一方で、人種的アイデンティティや職業とは関係なく、ユーザーが「仕事にふさわしい髪型」といった概念を検索した

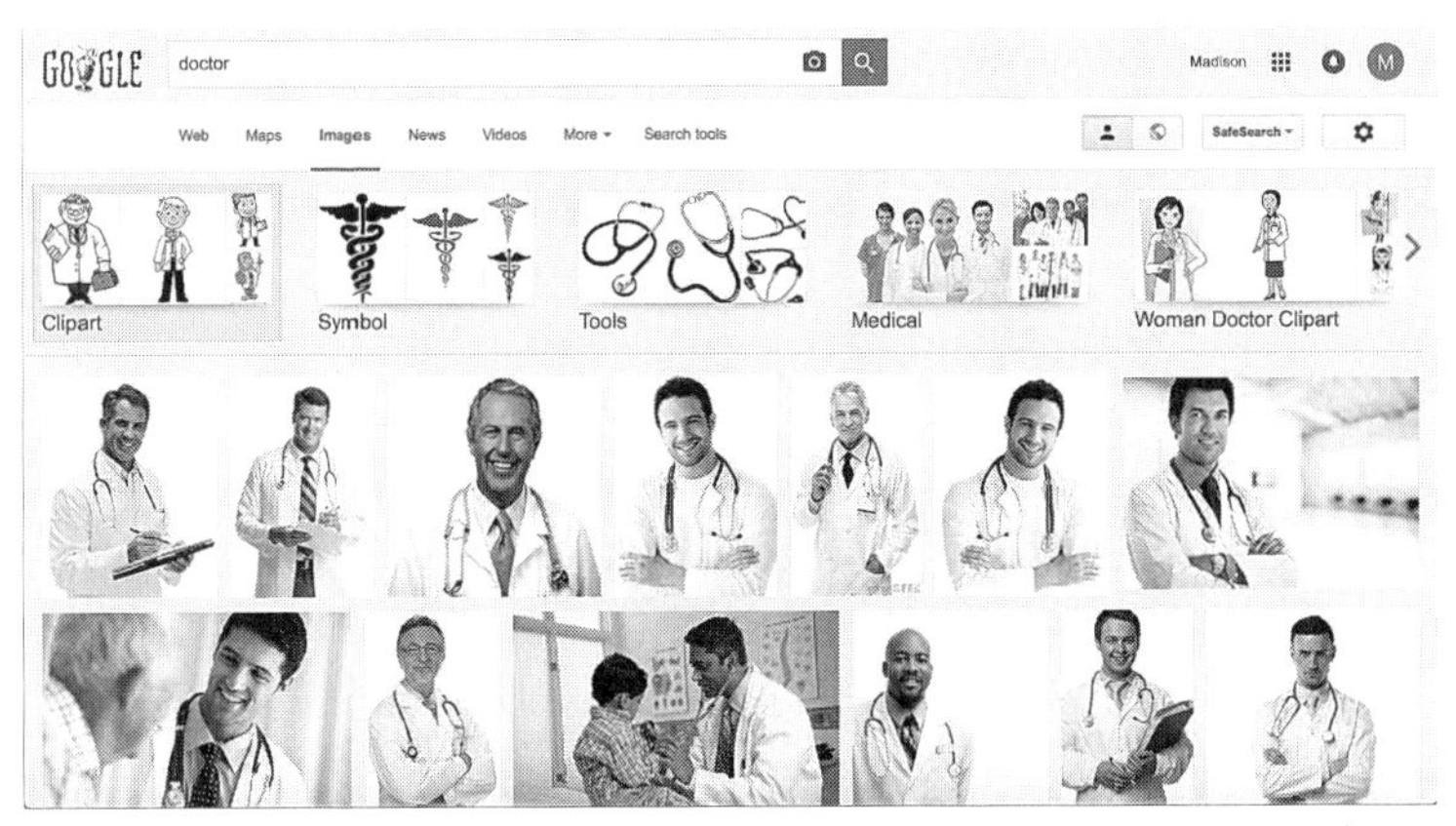

図2-14　グーグルで「医者」を画像検索すると、支配的な表象として男性（大半が白人）が表示される（2016年4月7日）

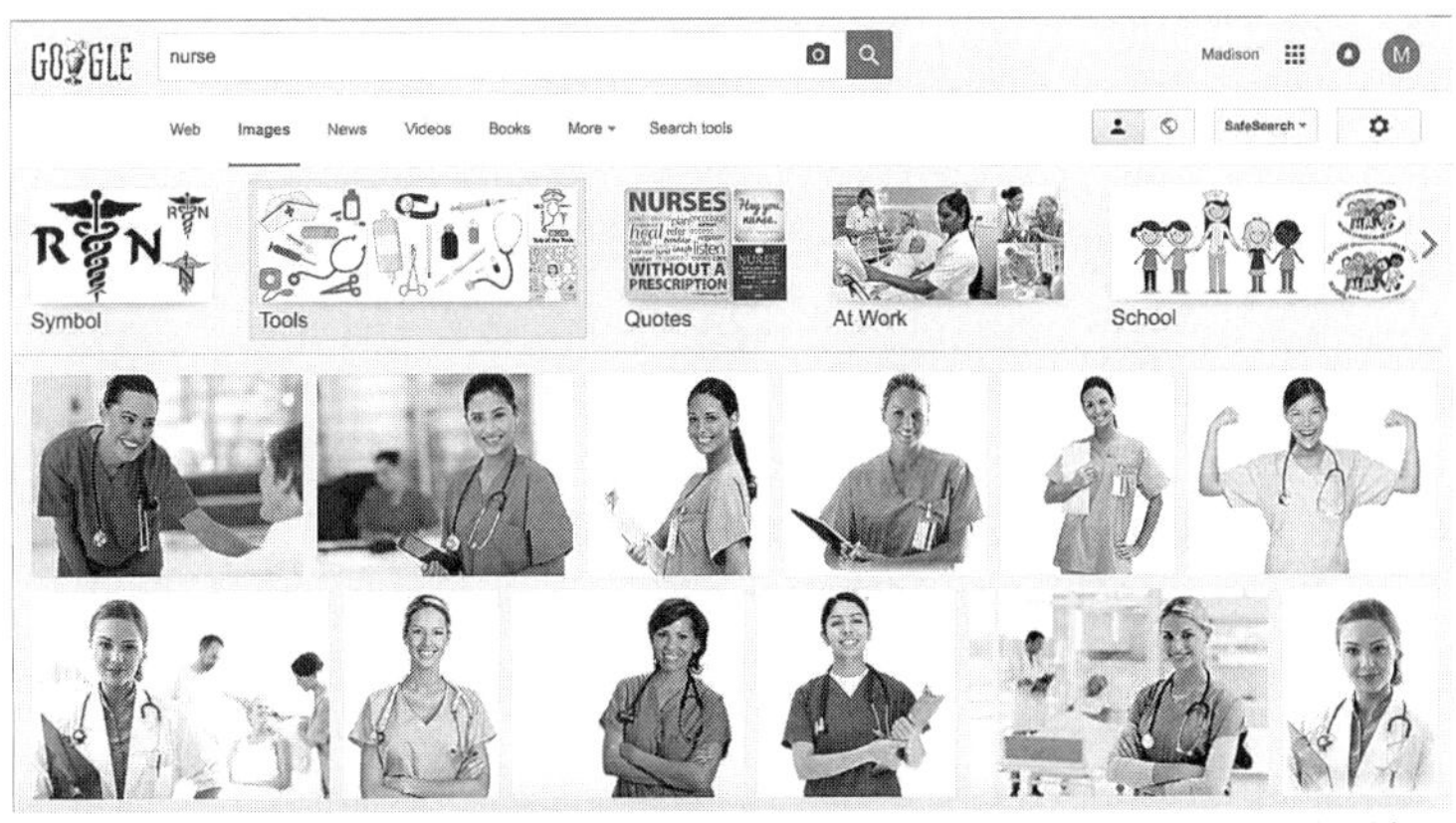

図2-15　グーグルで「看護師」を画像検索すると、支配的な表象として女性（大半が白人）が表示される（2016年4月7日）

図2-16　グーグルで「仕事にふさわしくない髪型」を検索すると黒人女性だけが表示される一方、「仕事にふさわしい髪型」を検索すると白人女性が表示されることに関するツイート（2016年4月7日）

際に、図2-16のような画像に出くわすこともある。「仕事にふさわしくない髪型」の画像検索の結果は、「黒人のティーンエイジャー3人」と同様に、2016年に広く出回った。複数のメディアがこの件を取り上げ、「アルゴリズムは人種主義的になりうるか？」という問いを再び提起した。

アルゴリズム的抑圧の特定の一形態として技術的人種化（technological racialization）を理解することで、インターネットを民主的な環境とみなす言説を批判し、商用ウェブ検索で例示されている慣行について新たに捉え直すための重要な枠組みとしてそれ〔技術的人種化という概念〕を利用することができる。社会学者・メディア研究者のジェシー・ダニエルズは、ウェブ上の人種をめぐる議論を体系化するための軸として人種編成論を用いる研究者たちに対する重要な批判を展開するなかで、同様の見解を示している。彼女は、オンラインで人種をめぐる意味づけ(センスメイキング)を行なう支配的な観点および構造として白人至上主義について考えるというアプローチのほうが、より有力かつ歴史的に正確だと論じている。つまり、オンラインでの人種関連の現象を説明するために人種編成論を用いることは、有色人種に対する白人支配の歴史に根差した抑圧とオンライン上の権力がどのような関係にあるかを分析する妨げになる、とダニエルズは主張しているのだ[12]。

多くの場合、アメリカにおける集団のアイデンティティの形成や承認は、部分的には現在進行形の社会的な経験や相互作用に基づいており、人種・ジェンダー・教育といった、イデオロギー的でもあるような社会的要因を中心に組織されることが一般的である[13]。このような問題が「承認の政治」[14]の中核にある。「承認の政治」は、支配的な文化における偽情報によって、従来、中傷され、無視され、不可視化され、周縁化されてきた集団のための再分配的正義の本質的な一形態である。本書を通じて私が主張したいのは、権力——白人至上主義と性差別を通じて同時に行使されることも多い——が表象に関わる信頼できる情報の伝達をいかに歪めるかを認識することなしには、社会正義や承認の政治を実現することはできないということだ。黒人コミュニティは、承認と資源をめぐる自由闘争を背景として物理的・空間的に構築された物質的条件のもとで生きている。だからこそ、アイデンティティに基づく情報を含め、資源の分配を意味づける公共空間として機能している私営のインターネット・ポータルについて、徹底的に調べる必要があるのだ。

一般的に、検索エンジンのユーザーは、一つまたは複数の自然言語の言葉をグーグルに送信する、といった単純な検索を行なっている。たいてい、広範ないし綿密に調べるというよりは、少数のキーワードで検索を行なうことが多く、検索エンジンの結果の最初のページより先を見ることもあまりない。[15] 人工物（アーティファクト）としての検索結果には、象徴的・物質的な意味がある。これはグーグルだけでなくほかのアルゴリズムにも当てはまることであり、その点については結論部であらためて取り上げる。結論部ではソーシャルネットワークのイェルプ（Yelp）をビジネスに利用している小企業の経営者へのインタビューを紹介するが、彼女もまたアルゴリズムによって〔ユーザーから〕見えない存在にされているのだ。検索アルゴリズムは教育現場でも機能しており、学校や図書館、教育支援テクノロジーに組み込まれている。検索アルゴリズムの働きは「ググれ（just Google it）」といった大衆文化的な表現にも見てとることができ、それらは検索で得られる情報や表象の正当化に一役買っている。文化の産物（アーティファクト）としての検索アルゴリズムがもつ機能は、キャメロン・マッカーシーがインフォーマルおよびフォーマルな教育的構築物の働きについて指摘したことと重なる部分がある。

学校で学ぶ知識の関係性（relationality）を強調することによって、教育および大衆文化における支配集団・被支配集団のイデオロギー的表象の問題も提起される。ここで「表象」という言葉が意味するのは、教科書における少数集団や第三世界の人々のイメージの模倣や存在・不在だけではない。フォーマルおよびインフォーマルな文化の産物における、主観性の特定の配置・展開がはらむ権力の問題も指しているのだ。[16]

これを踏まえると、インターネットは、正規の教育プロセスの延長線上にあるものとしても、「インフォーマルな文化」としても人工物(アーティファクト)であり、したがって「主観性の展開(deployment of subjectivity)」の一つの形態であるといえる。この考え方は、メディアにおける表象(および誤表象)が権力関係の表れであることを理解するための新たな視点をもたらす。検索エンジンの結果について考察する場合、マッカーシーの分析は、諸コミュニティの主観性を支配的または従属的な形で位置づける役割をイデオロギーが担っている状況について考えるための新たなアプローチを切りひらくものである。

インフォーマルな文化が大衆的ステレオタイプのメディア表象において具現化されるというこの概念――検索もその一例である――については、メディア研究者のジェシカ・デイヴィスとオスカー・ガンディー・ジュニアも次のように言及している。

有色人種、とりわけアフリカ系アメリカ人のメディア表象は、歴史的かついまも続く人種プロジェクトに加担してきた。このようなプロジェクトは、ステレオタイプ的なイメージを利用して資源の再分配に影響を及ぼし、支配的集団がほかの集団を犠牲にして利益を得られるように仕向けている。しかし、そうしたプロジェクトは、支配とそれに対する抵抗の間の深刻な緊張関係を特徴としていることも多い。人種的アイデンティティが顕著になるのは、イデオロギー的な立場から、アフリカ系アメリカ人の視聴者が有害、不快、あるいは悪趣味なメディア表象と思われるものに対して抗議を行なうときである。[17]

このような緊張関係は、検索エンジンが、覇権的なデバイスとして、一部の人々を犠牲にしつつ支配的集団に利益をもたらすように用いられているという重要な側面を明るみに出す。すでに見てきたように、「ユダヤ人（Jew）」の検索結果は、こうした現象をのぞき見る窓となる。同時にこれは、支配的集団がほかの人々の表象を分類・組織化する力をもちつつ、そうした表象の背後にある行為主体性を中立化・自然化していることについてなされるべき一連の重要な調査の端緒にすぎない。本書が、自身が集団的に表象される方法に抗議したいと考えている、アフリカ系アメリカ人女性をはじめとする有色人種の女性たちの存在感を高める一助になればと願っている。

　グーグルは、情報提供の独占的リーダーという比類のない地位のおかげで、情報の組織化とカスタマイズを同社の経済的必要性に沿って行なうことができている。それによって社会に広く影響を及ぼし、オンラインの情報文化の創造者・管理者としてみなされるようになった。これは、ウェブ上の「門番（ゲートキーパー）」[18]という、アメリカ帝国主義の新たな形態である。この主張の背景には、グーグルの政治経済についてのイラド・セゲフの詳細な研究がある。国際的なデジタル・ディバイドを助長するようなグーグルの取り組みに抵抗する機運を生んでいる一つの要因は、グーグル・ブック・プロジェクトやグーグル検索といった同社の製品を通じて、英語圏ないしアメリカの価値観がほかの国民国家に輸出されていることである。[19]ユーチューブを含め、同社の資産（プロパティ）をすべて合わせるとユニークビジター〔特定の期間にウェブサイトを訪れた正味の人数〕が７億７０００万人を超えるというグーグルの国際的地位は、世界のインターネットユーザーの半分近くを包含するものである。グーグル／アルファベットが文化的帝国主義の仲介者（ブローカー）であり、いまだかつてないほど強力なウェブ上のメディア支配の表れであることは疑いようがない。[20] この独占状態を解体し、それに代わりうる公共の検索手段をつくり出すべきときが来ているのだ。

検索エンジンにおける「黒人の女の子」のポルノ化はどのように起こるのか

通常、ウェブマスター〔サイトの管理者〕や検索エンジンマーケティングの担当者は、人々が使う可能性の高いキーフレーズやキーワード、検索語を探し求める。検索される可能性が高い言葉に基づいて検索やページインデックスを最適化するために、グーグルのアドワーズのようなツールも利用されている。ウェブデザイナーは、そうしたツールから得られる情報を用いて、ウェブサイトへのアクセスを増やすための戦略を立てている。それゆえ私は、検索エンジン最適化（SEO）の掲示板を研究し、それによってなぜ特定の言葉が多くの表象的アイデンティティと関連づけられるのかについて理解を深めることができた。

第一に、ポルノグラフィ業界は、さまざまな層の検索リクエストをもとに、どのような情報やコンテンツが最もよく検索されているかを念入りに観察している。ポルノ業界は、SEOの高度な利用法に最も通じている業界の一つである。FreePorn.com の元SEOディレクターは、グーグルをうまく出し抜いて検索結果の最初のページに自社サイトが表示される可能性を最大限に高める方法についてブログで詳述している。[21] こうしたテクニックの多くには、特定の言葉を流用し、それを長期的かつ効果的にポルノコンテンツと結びつけるという長期戦略が含まれている。こうしたキーワードが特定されると、次にいわゆる「ロングテールキーワード」を通じて、これらの言葉のバリエーションが作成される。こうした手法によって、ポルノ業界は、ユーザーにさまざまなフェチや興味を「自ら選択」させることができているのだ。たとえば、ＳＥＯ掲示板「SEOMoz」ではこのプロセスについて次のように説明されている。

> たいていの人は、ロングテールキーワードを後付けで使ったり、自然に出てくるものだと思ったりしている。しかしポルノ業界は、実際にこの「ロングテール」を調査し、それを発展させている。「特定のものを求めて検索する、実に風変わりな人々が大勢いる」というユニークなリアリティがあるのだ。Wordze（無料のキーワード調査ツール）によると、現在、「おばあちゃん（grandma）」という言葉を含む検索で最も人気があるのは「おばあちゃんのセックス（grandma sex）」で、１ヶ月あたり推計１万６１４８回検索されている。そこから、「フィリピン人のおばあちゃんのセックス（filipino grandma sex）」などを含む、かなりの種類のロングテールがある。「ティーン・セックス（teen sex）」というフレーズに関しては、１０００以上のロングテールがWordzeに登録されているが、私の経験からいえば、ここから漏れているものもたくさんある（Wordzeでは検索数がかなり多いものだけが表示されている）。ポルノ業界が最終的にこれだけのアクセスと利益を手に入れている最大の理由は、このようなロングテールキーワードを探し出し、それらを念頭にマーケティングを行なうという形で積極的に利用しているからだ。これが第二の理由につなが

る。[……]あるトピックについて市場が完全に飽和している場合、それに対処する唯一の方法は、より小さな、より容易にアプローチできるニッチにその市場を分割することだ。先述したように、ポルノ業界は、こうした事柄に漠然と言及するサイトをつくるにとどまらず、明確にそれらにターゲットを絞ったのだ。もし、一見すると不自然なフレーズでランキングに載っているサイトがあるとしたら、それはかれらがその領域を調べ上げたうえでそのロングテールフレーズに特化したサイトを丸ごとつくり上げたからである。[22]

さらに、アメリカはポルノコンテンツのページ数に関して抜きん出ている。だからこそ、言葉とアイデンティティ（前述のように、おばあさんも含む）のありとあらゆる組み合わせを試すことでさまざまなニッチにリーチできるのであり、それによってページランキングを上位に押し上げる力を高めている。アメリカのポルノ業界は強大であり、どのようなキーワード――およびアイデンティティ――でも購入できるだけの資本をもっている。アメリカがポルノコンテンツの供給においてこれほどの牙城を築いているとあれば、そのようなコンテンツの検索も、アメリカ中心的な検索語の枠組みに深く文脈化されることになる。これを踏まえると、さまざまな「テール」や結びつき（アフィリエイション）の発展・拡大を基盤とする検索最適化戦略において、アメリカに根差した多様な言葉やアイデンティティがいかに結びついているのか、より深く理解することができる。

情報アーキテクトのピーター・モービルは、テクノロジープラットフォーム上の情報を見つけるうえでのキーワードの重要性について次のように論じている。

近年、キーワードは驚くほど重要なものとなった。オンラインの検索プロセスに欠かせない要素として、キーワードは私たちの日常的な経験の一部となっている。私たちはグーグル、ヤフー、MSN、イーベイ、アマゾンにキーワードを供給している。私たちはニュース、商品、人物、中古の家具、音楽などについて検索する。そしてその成功の鍵を握るのは言葉なのだ。[23]

モービルはまた、ウェブ上のロングテール現象を強調しつつ、何が見つからないかということにも注意を促している。ロングテールは、ウェブ検索の上位に表示されることのない、あらゆる形態のコンテンツが存在する場所である。多くのサイトが、適切なウェブサイト・アーキテクチャをもっていなかったり、ウェブインデックス化アルゴリズムがサイトを見つけるための適切なメタデータがなかったりするために、発見されることなくロングテールに滞留している。検索エンジンにとって、ひいては検索者にとって、そのようなサイトは存在していないのだ。

このような検索結果がはらむ問題は根深く、検索結果の絞り込みか、グーグルのデフォルトのフィルタリング設定（現在、検索結果に特にフィルターをかけていないユーザーであれば「中」になっている）の変更を除いて、結果を変える手段がないまま提示されることも多い。[24]黒人の女性・女の子をはじめ自身のアイデンティティがメディアで中傷されている女性たちにとって、このような検索結果は、社会的・政治的・経済的な承認と正義を求める取り組みをより一層貶め、辱めるものでしかない。[25]このような慣行は、メディアにおける有色人種の偏狭でネガティブな描写[26]——アメリカの人種主義の決定的かつ標準的な特徴である――を具体化するものである。[27] メディア研究者たちは、このようなネガティブな描写から一般市民が直接的にどのような影響を受けるのかについて研究してきた。[28] テレビの場合、黒人のネガティブなイメージは社会における黒人に対する認識を悪い方向に変え得るということが、研究から明らかになっている。[29] テキサス工科大学のコミュニケーション研究者ナリッスラ・M・プニアナント＝カーターは、特にアフリカ系アメリカ人の社会的役割に関するメディアの描写を研究しており、それは黒人のネガティブなメディアイメージが大学生に与える影響についての先行研究を裏づけるものとなっている。[30] トーマス・E・フォードは、白人も黒人も、テレビで黒人のネガティブな描写を目にすると、かれら（自身）に対してネガティブな印象を抱きやすいことを明らかにした。[31] ユキ・フジオカは、ポジティブな実体験がない場合、テレビにおける黒人のステレオタイプ的な描写が黒人に対する認識に影響を与える可能性がきわめて高いと指摘している。[32]

これまで見てきたように、検索エンジンの設計は技術的な問題であるだけでなく、政治的な問題でもある。検索エンジンは、発信・提供する側と閲覧・探索する側の双方に、必要不可欠なウェブへのアクセスを提供する。検索は政治的なものであるが、それに同時に検索エンジンは特定の種類の情報を探しているときには非常に便利である。検索が具体的で凡庸なものであるほど、求めている情報が手に入る可能性は高くなるからだ。たとえば、電話番号や地元の飲食店などの情報を探しているときには、検索エンジンを使えば、最寄りのサービスやレストラン、顧客レビューがすぐに見つかる（ただし、こうしたプロセスは、見かけ以上に複雑である。この点については結論部で取り上げる）。カード目録から現代的な検索システムやデータベースにいたるまで、情報分類システムの発展においては、関連性も重要な要素である。検索者が自らの関心に合う項目を見つけやすくするために、システムはつくられているからだ。しかし、ウェブには、特定の考えに偏った、広告のための一連の商業的慣行が反映されている。多大な権力・影響力・資本を有するこれらの業界やその利害関係者は、しばしば他者に害をもたらすほどに優遇され意のままにバイアスをコントロールすることができるのだ。

ウェブ上の人種主義や性差別に関する研究は、目新しいものではない。テクノロジーをめぐる多くの言説のなかで、機械は、人間の価値観を反映するものというよりは、単なるツールとして扱われ位置づけられている。[33] デザインは、その道具的・文化的使用を通じて経路と境界の両方を形成するという意味において、目的をもったものである。[34] レンセラー工科大学科学技術学科の人文社会科学トーマス・フェラン・チェア〔卓越した研究者に贈られる称号〕であるラングドン・ウィナーは、テクノロジーの形態を分析しており、その対象は、中央集権的で権威主義的な国家によるエネルギー支配を反映した原子力発電所のデザインから、市民による独立した民主的な参加を促す太陽光発電のデザインにまで及ぶ。ウィナーは、デザインが経済的・政治的なレベルで社会関係に影響を与えるということを明らかにしている。[35] テクノロジーの政治的側面の透明性を高めることができれば、資源の分配——住宅ローンから保険や教育機会にいたるまで——をめぐる公共政策の議論がアルゴリズムに置き換えられつつある事態に介入することができるようになるかもしれない。

新自由主義的市場における黒人性

「そうはいっても、テクノロジー企業は人種差別をしようとしているわけではない。そんな意図はないだろう」と多くの人々は言う。〔しかし〕意図は特に重要ではない。影響や結果が重要なのだ。本書では、広告主やグーグルが何を「しようとしている」のかについて詳細に検討するつもりはない。焦点を当てるのは、アメリカで生きる黒人女性の生活をとりまく社会状況であり、公共の情報プラットフォームが黒人女性の生活をより困難なものにするような無数の条件に加担していることである。バーニー・ワーフとジョン・グライムズは、ウェブをめぐる強固なイデオロギー的概念を取り上げ、インターネットに関する言説を検討している。そうした概念は、ウェブ規制に対する抵抗の一部を支えるとともに目立たなくさせている外的な論理の一部として昔からあるものだ。

> 商業、学術あるいは軍事目的のインターネット利用の大部分が、個人主義という強固なイデオロギーや、消費を通じた自己の定義を強化している。多くのインターネット利用は、単純な娯楽や個人的なコミュニケーションなど、表面上は非政治的な目的のもとに行なわれている〔……〕広告やショッピングはもちろん、仕入れやマーケティングにも使われているほか、公的機関による利用もあり、それは既存のイデオロギーや政治を「正常」「必要」「自然」なものとして正当化し維持している。ほとんどのユーザーは、自分自身および自らのネットの使い方を非政治的なもの

だと考えているため、支配的な言説が無意識のうちに再生産される傾向がある。〔……〕人種主義や性差別といった受け入れがたいイデオロギーにまみれた露骨なものの見方が社会全体に広がると、きまってサイバースペースに持ち込まれ、そのなかで再生産されることになるのだ。[36]

ミシガン大学のコミュニケーション学の教授アンドレ・ブロックはさらに、「「正常性としての白人性」という修辞的ナラティブが、情報技術とソフトウェアデザインを形づくる」とともに、デジタル技術を通じて再生産されていると述べている。ブロックは、テクノロジーのデザイン・実践を人種的イデオロギーと結びつける、こうした境界侵犯的な実践を次のように特徴づけている。

西洋のインターネットは、社会構造として、白人・男性・ブルジョワ・異性愛・キリスト教の文化を、そのコンテンツを通じて表象し維持している。これらのイデオロギーは、ブラウザのデザインやそれに付随する情報実践によって見えにくい形で媒介されている。英語圏のインターネットユーザー、コンテンツプロバイダー、政策立案者、デザイナーは、自らの人種的枠組みをインターネット経験に持ち込み、この電子メディアを通じて人種の力学を解釈すると同時に、人種的境界線に沿って文化資源を再分配している。このような慣行は、女性や有色人種を周縁化し、オフラインでの人種的相互関係のパターンを反映した社会力学をオンラインで巧みに再現している。[37]

ブロックが指摘しているのは、テクノロジーをめぐる言説が人種的・ジェンダー的アイデンティティとあからさまに結びついているということだ。それによって、白人性と男性性がデジタル技術の領域における標準とされるとともに、資源、コンテンツ、ひいては情報通信技術（ＩＣＴ）のデザインの優先順位を決める前提条件になっているのだ。

グーグル検索におけるウェブサイトの勢いや地位を維持することを目的とした、検索エンジン最適化の戦略と予算は急増している。ニューヨーク市立大学大学院の人類学・地理学の教授デヴィッド・ハーヴェイとランカスター大学の言語学の名誉教授ノーマン・フェアクローは、新自由主義の政治的プロジェクトが、新市場を開拓するために、社会関係をめぐる新たな条件と需要をつくり出してきたと指摘している。[38] このことは、アイデンティティ（人種・ジェンダーは格差や不平等を理解するための安定したカテゴリーであるものの、それだけに限られない）に根差した共通の利害関心を軸とした社会的・政治的・経済的組織の維持・拡大にネガティブな影響を与えていると考えられる。富と資源の不平等な分配というこの潮流は、公共の議論の封じ込めと民主主義の弱体化に寄与してきた。ハーヴェイもフェアクローも、かれらが「新しい資本主義（new capitalism）」と呼ぶものの影響の重大さをそれぞれ指摘している。この概念は、新たなメディアと情報化時代という文脈で捉えると、イリノイ大学アーバナ・シャンペーン校の名誉教授ダン・シラーが唱えた「情報化された資本主義（informationalized capitalism）」と密接に関連している。ウェブの文脈において新しい資本主義がなぜ重要かといえば、それがかつての公共の領域・空間を急激に変容させているからだ。[39] このような資本主義のウェブへの拡張は、情報やアイデンティティの商品化に対する新自由主義的な正当化に大いに寄与してきた。キーワードに関する本書の研究が示すように、アイデンティティ・マーカーは、商品化されたウェブにおいて最も高い値をつける者に売られている。公共から民間へという資源・責任の新たな分配によって社会関係が変容しつつある状況に、私たちが関与しているという点が重要である。たとえば、デジタル技術への過度の依存は、環境やグローバルな労働力の流れに多大な影響を与えてきた。ウェブ上で民間企業が定義を管理・コントロールできるようになったことで、コミュニティのアイデンティティに対するコントロールは変化しつつある。そして、インターネット・インフラへの民間資本の投入によって、アメリカを基盤とするウェブは、国の資金で賄われるプロジェクトから、民間による支配がますます強くなっている新自由主義的なコミュニケーションの領域へと変化してきた。その結果、ウェブ上のコミュニティ・コントロールという概念そのものが無力なものになりつつあるのだ。

商品(コモディティ・オブジェクト)としての黒人の女の子

性的対象としての黒人女性の社会化は、部分的には、奴隷化および経済的依存・搾取のシステム——黒人の身体に対するレイプや征服の常態化、黒人女性についてのフィクションの創作も含む——のもとに生きる存在としてアフリカ人女性が歴史的に構築されてきたことに由来している。[40] 米州でアフリカ人が奴隷化された時期に形成されたレイプ文化は、家父長制、奴隷制、暴力が重なり合ってできている。[41] ベル・フックスの記念碑的な論考「セクシーな女性器を売る（Selling Hot Pussy）」（『ブラック・ルックス――人種と表象（Black Looks: Race and Representation）』所収）は、ブラック・フェミニズムの理論的伝統を黒人女性の文化・思想・表象の市場へと向かわせた。彼女の著作は、黒人女性の身体がどのように商品化されてきたのか、また、そうした慣行が私たちの社会の文化的市場の日常的な経験のなかでいかに常態化されているのかについて、詳しく論じている[42]。家父長制のもと、女性の身体は性的な搾取や表象の場として機能しているが、黒人女性は、白人女性の身体と対置されるとき、性的逸脱者の役目を果たすことになる[43]。この伝統を踏まえたうえで、人種的・ジェンダー的アイデンティティをグーグルがいかに仲介しているかを解き明かすことが、性的対象としての女性・女の子の身体をウェブ上の収益性の高い市場にしている潮流について理解することにつながるのだ。

黒人女性にとって、レイプがはびこる背景となってきたのは、植民地化や奴隷化のモデル、そしてパデュー大学のアフリカ系アメリカ人研究の教授ジョセフ・C・ドーシーが「根本的に分断された社会構造」と呼ぶものである[44]。レイプ文化を形成している主要な要素は、男性の暴力は自然なものだと主張すること、性的暴力を違法ないし刑事罰の対象としないこと、性的暴力の被害者・加害者に対する法的考慮において人種・ジェンダー・階級による差があることなどである。また、レイプ文化は、ストレート／異性愛的な性的行為と暴力の結びつきは一般的であるという考え方を助長するものでもある[45]。黒人の女性・子どもが恒常的に最下層階級に属し、貧困状態にある市民のうち最も大きな割合を占めているという歴史的瞬間に、このような分断された社会構造が存続しているという点を指摘しておきたい[46]。アメリカにおける相対的貧困率〔の差〕――貧困状態にある人々と、所得水準が最も高い人々との間の隔たり――は、黒人の女性・子どもと白人男性の間で最も大きい。単身世帯と既婚世帯のいずれにおいても、黒人の貧困率は白人のおよそ2倍である。[47] 黒人は白人に比べて3倍も貧困状態に陥りやすい。黒人のうち貧困ラインを下回る生活をしている者の割合は27・4％であるのに対し、白人は9・9％である。[48] 女性の地位は、すべての社会階層で不安定なものであり続けている。男性の収入・地位・資源をもたない、女性が世帯主の家庭のうち、47・1％が貧困状態にある。黒人と白人の所得格差は、公民権運動の成果が表れ始めた1974年以降、むしろ拡大してきたのである。2004年には、黒人家庭の所得は白人家庭の所得の58％にとどまり、黒人家庭の所得が白人家庭の所得の63％であった1974年と比べて大幅な減少がみられた。[49]

フェミニズム研究者ゲルダ・ラーナーは、アメリカにおける黒人女性と白人女性の歴史を跡付ける名著を残している。彼女の著作は、人種化・ジェンダー化された家父長制の動態、およびそれが女性を従属的な立場に置き続けている状況の理解に大きく貢献した。アメリカにおける社会的抑圧にはさまざまな側面があるが、人種化・ジェンダー化された社会構造を成り立たせている多くの条件の一つは、黒人の女性・女の子から体系的に権利を奪うことである。家父長制、人種主義、レイプ文化は、性的商品、疎外された怒りっぽい／哀れな他者、あるいは白人の心理的欲求を満たす従順な世話役（ケアテイカー）・協力者として黒人の女性・女の子を常態化する社会的諸実践の結合体の一部である。ラーナーは、女性をめぐる覇権的なナラティブ、とりわけ社会の「象徴システム」によって規範になっているナラティブを受け入れることがもたらす影響について、次のように論じている。

> 前例がなければ、既存の状況に代わるものを想像することはできない。男性支配のこの特徴こ

そが、女性にとって最も有害であり、何千年もの間、女性を従属的な地位にとどめてきたのである。[……]この図式は誤っている[……]と今日の私たちは知っているが、歴史上の女性の進歩は、自由を奪うこのような歪曲に対する闘いを特徴としてきたのだ。[50]

ラーナーによれば、女性にとって、代替的なアイデンティティ構築について理解することは、過去にあったほかの観点が葬り去られてきたために脆弱なプロセスになる可能性がある。一方、グーグルの商用検索には、史上最も広く利用されている検索エンジンとしての突出した立場ゆえに、社会の支配的な「象徴システム」として機能するという力がある。[51]

人種アイデンティティの歴史的分類——古い伝統は死なない

アフリカ人のセクシュアリティに対してヨーロッパ人が強い関心を寄せてきたことについては、盛んに研究され、激しい論争の的となってきた。最も有名な例は、「ホッテントットのビーナス」とも揶揄された南アフリカ出身の女性、サラ・バートマンの公共の場での展示である。彼女はしばしば、娯楽目的で、あるいは人種的な差異とアフリカ人の劣位を示す生物学的な証拠として展示された。[52]これは言うまでもなく、ヨーロッパおよび白人の大衆による消費のために非白人の身体のキュレーションと展示にしばしば加担してきた博物館の慣行の問題含みの側面だ。動物園・サーカス・万国博覧会といった見世物（スペクタクル）は、インターネットの1世紀以上も前から存在する重要な場であるが、先住民の身体を展示するというこのような伝統は、情報化時代にまで及ぶものであり、黒い、あるいは褐色の身体についての情報がさまざまな問題のある形でインデックス化・組織化・分類されるなかで——とりわけ商業的なウェブにおいて——その伝統が複製されているのだ。

新発見を求める西洋の科学的・人類学的探求は、人種化スキームの発展において中心的な役割を果たしてきた。そして科学の進歩はしばしば、黒人女性の虐待——生前（そして死後）のバートマンの展示がその一例である——を正当化する根拠となってきた。このような慣行から、生物学的・遺伝的・医学的同質性に焦点を当てたステレオタイプが生み出されるのだ[53]。科学的分類は、現代まで続く人種化の発展に重要な役割を果たしてきた。

歴史的につくられた人種カテゴリーには、しばしば隠された意味がある。2003年まで、PubMed/MEDLINE〔医学分野の代表的な文献データベース〕や旧軍医総監局のインデックス・カタログ〔MEDLINEの前身〕では、コーカソイド、モンゴロイド、ネグロイド、アウストラロイドといった19世紀の人種カテゴリーを用いて医学レポートが分類されていた。もともと劣位・優位の尺度を示唆していたこのようなグループ分けは、人間のヒエラルキーという概念をいまでも含意している。さらに重要なことに、大陸集団や祖先集団といったPubMedの新しいカテゴリーは、古いカテゴリーを単に言い換えたにすぎないのだ[54]。

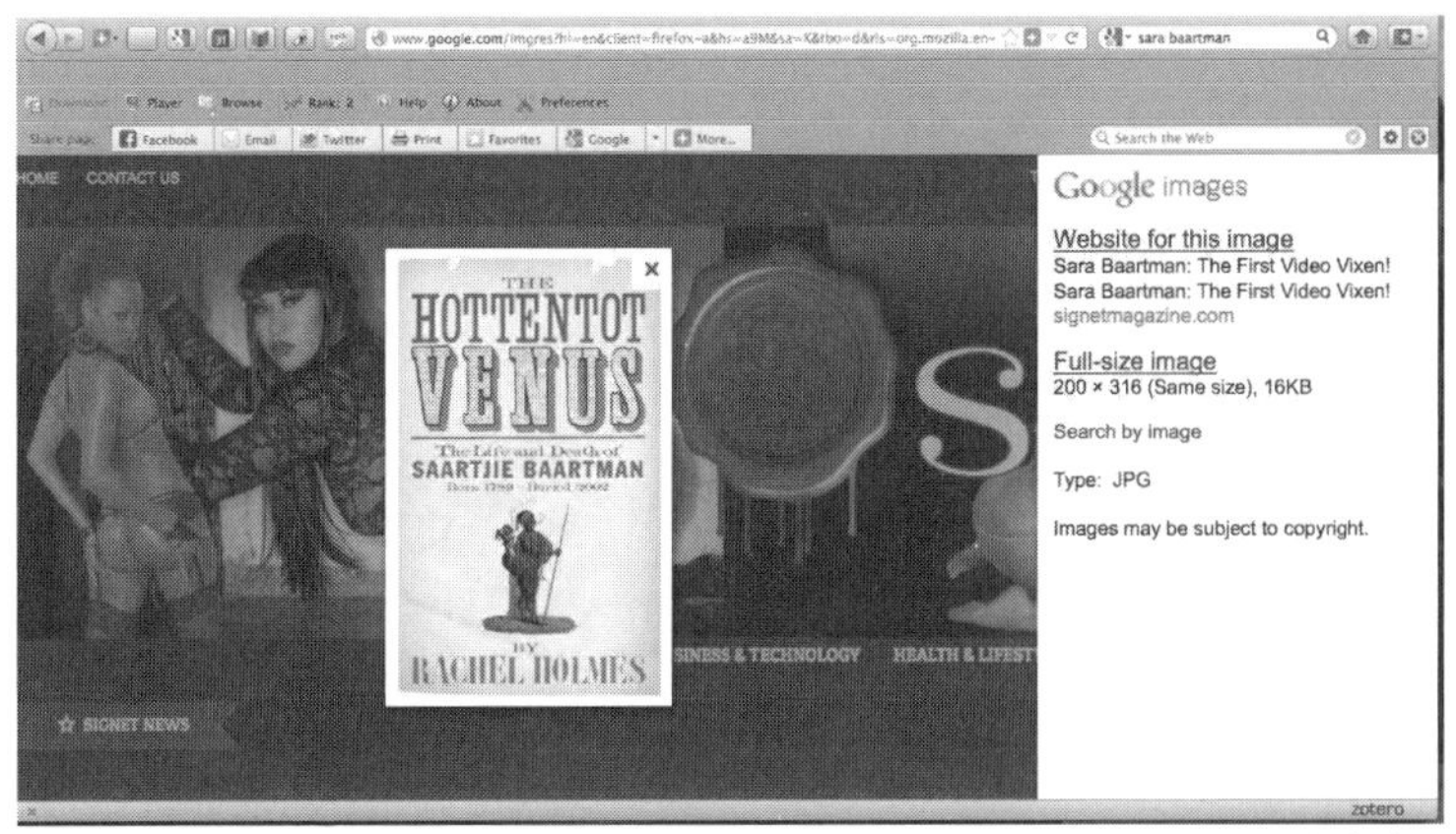

図2-17　映画内の黒人女性に関する講義の準備のためにサラ・バートマンについてグーグル検索した際の結果（2013年1月22日）

人種カテゴリーという創作物は、流動的で、それぞれの時代に特有のものである。たとえば「ムラート（黒人と白人の混血児）」という言葉は、「混血（ハイブリッド）」の人々は生物学的に「絶滅」しやすいということの証明に用いる情報を集めるための科学的分類として用いられていた。もちろん、こうした分類は国によって異なる。南アフリカなどの国では、「混血（カラード）」「黒人」「白人」といったカテゴリーが人種浄化プロセスの一部となってきた(55)。ジェンダーの分類も、同様に多くの問題と矛盾をはらんでいる。フェミニズムの研究者たちは、女性たちは性差別を本質化するような特徴としての生物学的分類を拒否しつつも、政治的・経済的資源や進歩を求めて組織化する際にはジェンダーを基盤とすることを強いられるのだと指摘している(56)。

このような概念やステレオタイプは過去のものではなく、われわれの生きる現在の一部であり、世界中に広がっている。2012年4月、スウェーデンの文化大臣レーナ・エーデルソン・リーイェロスは、ス

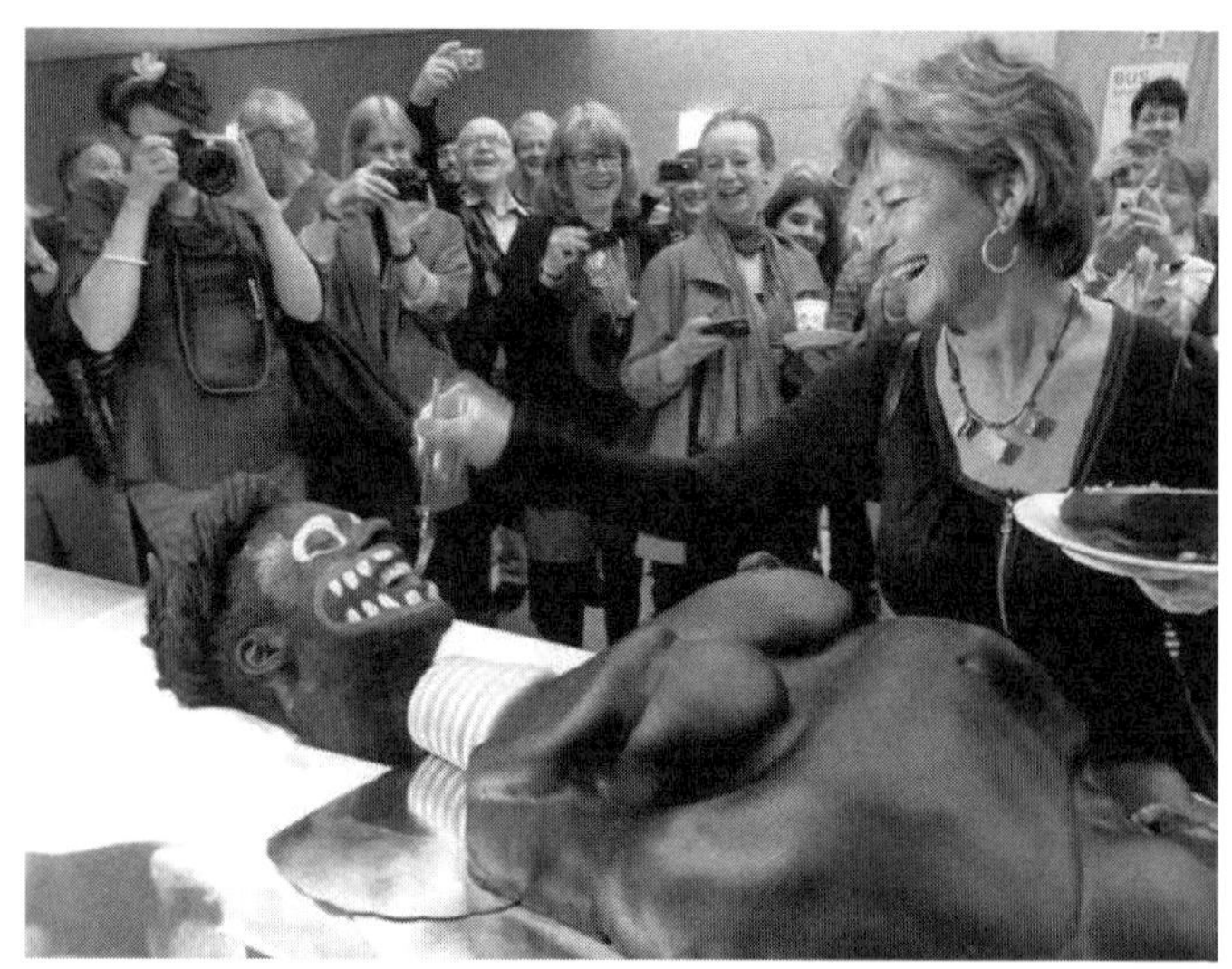

図2-18　スウェーデンの文化大臣レーナ・エーデルソン・リーイェロスが、顔を黒塗りしたアーティスト、マコデ・エージェー・リンデにケーキを食べさせる様子。ストックホルム近代美術館にて（2012年）。

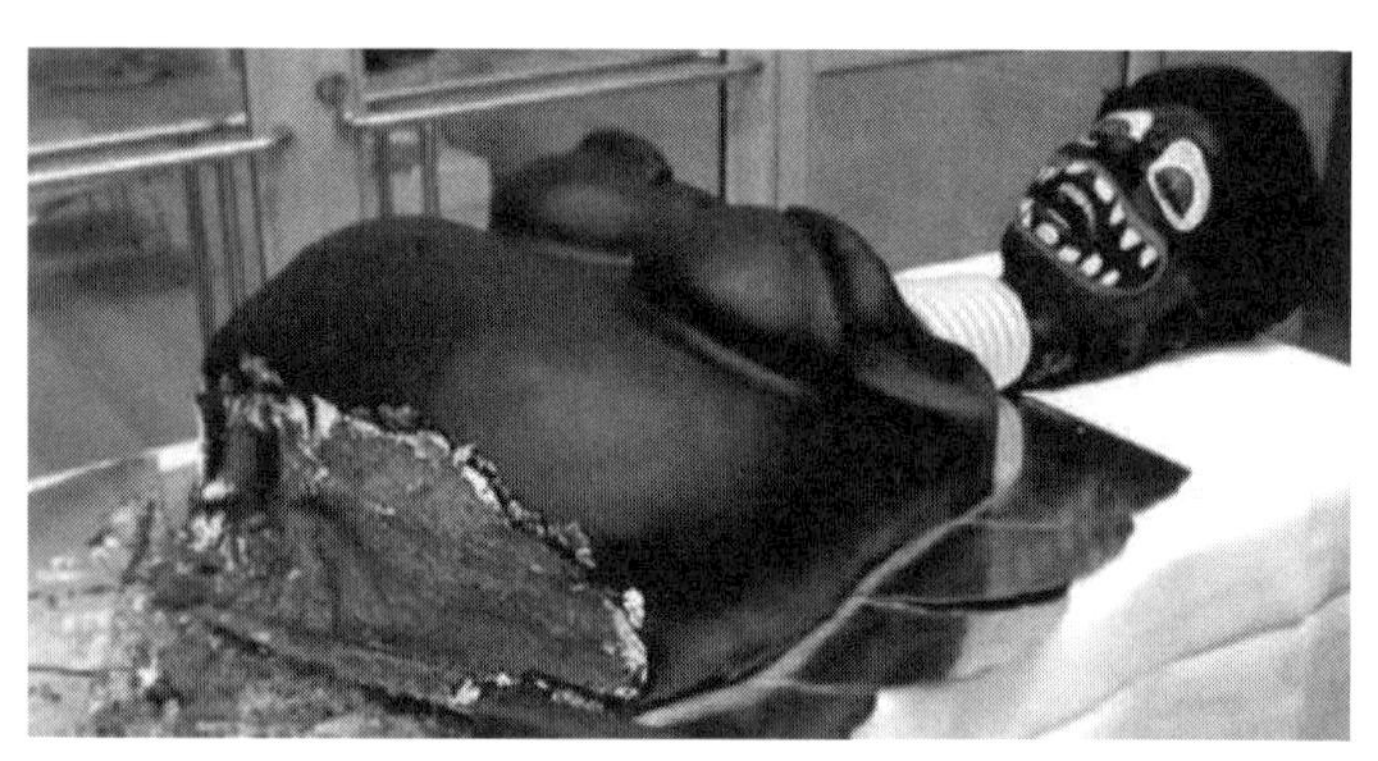

図2-19　マコデ・エージェー・リンデによる、ストックホルム近代美術館でのパフォーマンスアート作品。出典：www.forharriet.com（2012年）

ウェーデンの「世界芸術の日(ワールド・アート・デー)」を祝うグロテスクなイベントに参加した。このイベントでは、女性器切除の問題に世界の注目を集めるためのアート・インスタレーションが展示されていた。ところが、そうした趣旨を訴えるために、アーティストのマコデ・エージェー・リンデ(Makode Aj Linde)は、黒人女性を貶める白人至上主義者についての見出しをまさしく体現するようなケーキをつくったのだ。彼は顔を黒塗りにして自分で作ったケーキの上部を飾ったが、黒人女性をだしにした、この挑発的な芸術実験は失敗に終わった。このようなイメージは、人種主義的な女性蔑視の光景を構成する多くの要素の一つにすぎない。国際的に反感を買ったリーイェロスは、このプロジェクト、そして彼女の参加が、その雰囲気や表現において人種主義的である可能性を完全に否定した。[57]

奴隷制の時代には、所有者による黒人女性への性的虐待を正当化するためにステレオタイプが利用されていた。法的に黒人女性は所有物であったため、レイプの被害者とはみなされなかったのだ。「ジェゼベル」というステレオタイプの創出は、黒人女性を性的に貪欲かつ無償の存在として描写するうえで重要な役割を果たした。フェリス州立大学のジム・クロウ人種差別記念博物館は、人種主義的・性差別的ナラティブの複雑さや問題点を理解するための貴重なリソースである。同館は、征服の一つの手段としてメディアや大衆文化のなかでいかに黒人が誤表象されてきたかを伝える有益かつ古典的な文書を、18世紀の北米の奴隷制以前のものも含めてすべて記録している。そこでは、黒人女性を苦しめ続けてきた、二つの主要なナラティブに焦点が当てられている――エキゾチックな他者としての「娼婦ジェゼベル(Jezebel whore)」と、哀れな他者としての「マミー(Mammy)」である。[58]注目すべきは、哀れな他者は、分別のある男性を性的に惹きつけるにはあまりに醜く、あまりに愚かで、あ

図2-20　黒人女性をめぐるナラティブの支配的なステレオタイプの一つである「娼婦ジェゼベル」は、100年以上にわたって文化的人工物に描かれてきた。出典：フェリス州立大学ジム・クロウ人種差別記念博物館（www.ferris.edu）

まりに異質だということだ。その代わりに、彼女は同情、嘲笑、あざけりの種となる。たとえば、同館は、17世紀にアフリカを訪れて半裸の人々や土着の風習を目にしたヨーロッパの白人旅行者が、さまざまな文化を卑猥で残忍、人間未満のものだといかに誤って解釈したか――これは間違いなく、かれら自身の外国人嫌悪(ゼノフォビア)の表れである――を指摘している[59]。

　ジム・クロウ人種差別記念博物館の研究者たちは、ジェゼベルのイメージについて分析を行ない、黒人の女児もしばしば性的な対象にされていることを明らかにした。これは、ウェブ上の黒人の女の子の表象を深く検討する本書の試みの妥当性を裏づける事実である。たとえば、ジム・クロウ法の時代には、黒人の女の子はプレティーン〔9～12歳〕の顔で戯画化され、大人サイズの露出した臀部とともに描かれ、性的なニュアンスで枠づけられた。このステレオタイプは進化し、

１９７０年代には、マミー、トム〔白人に卑屈な態度をとる黒人男性〕、悲劇の混血児（トラジック・ムラート）、ピカニニー〔黒人の子どもの蔑称〕といった伝統的なメディアにおける黒人の描写は減少し始め、獣（ブルート）やバック〔白人の脅威となる、屈強で暴力的な黒人男性〕など、黒人をめぐる新たな概念が出現した。その一方で、白人の想像力の産物として愛されてきた「ジェゼベル」は生き続けている。ジェゼベルは、アメリカのメディアになくてはならない、不朽のイメージとなったのだ。２０１７年の時点で、このような描写は、ブラック・エンターテインメント・テレビジョン（ＢＥＴ）、ＶＨ１、ＭＴＶなどケーブルテレビの全域にわたる24時間週７日のメディアサイクルにおける必需品となっている。ジェゼベルはいまでは、ビデオ・ヴィクセン〔ヒップホップ系のミュージックビデオに登場するセクシーな女性〕、「売春婦（ho）」「セクシーな近所の女の子（around the way girl）」、ポルノスターとして知られている――そして彼女は、黒人女性の二級市民としての地位を正当化する見世物の重要な一部であり続けている[60]。「黒人女性」で検索すると、「怒れる黒人女性」についてのサイトや、「なぜ黒人女性は魅力に欠けるのか」という記事が見つかる。ジェゼベル[61]、サファイア、マミー[62]といった心理的に有害なステレオタイプに起源をもつ、エキゾチックな、あるいは哀れな黒人女性についてのこのようなナラティブは、黒人の女の子を表象するポルノ的なイメージを悪化させるばかりである。黒人の女の子たちは、こうした形で表現されることがほとんどなのだ。彼女たちはさまざまなレベルで組織化し抵抗してきたが、それにもかかわらず、最大の商用検索エンジンは、社会やメディアにおいて黒人の女性・女の子が伝統的にどのように差別され、権利を否定され、冒瀆されてきたのかについて、文化的に状況づけられた知識（culturally situated knowledge）を提供することができていない。

〇ポルノ的表象を読み解く

本書は、人々に付与されるイメージ・概念・価値観をコントロールするアルゴリズムの力を詳細に示す例としてグーグル検索における誤表象に光を当てるものであり、特に黒人の女の子について詳しく検討している。インターネットに存在する黒人の女性・女の子の膨大な表象や文化的生産物――その一部は、実際のところ、自己表象（自撮り（セルフィー）文化など）における個人の行為主体性（エージェンシー）を反映している――を包括的に評価することを意図しているわけではない。とはいえ、商用検索における黒人女性の表象が主にポルノ的なものであるということには、グーグルによる性的表象の商業化が明確に表れている。ポルノグラフィは、男性の権力、女性の無力さ、性的暴力を示す特殊な表象である。このような女性や有色人種のポルノ的表象は、マスメディアの文脈で、多くの研究者によって問題視されてきた[63]。インターネットの台頭は、救済策になるどころか、人種化されたポルノ描写がこれまで以上に商品化され、断片化され、それらに容易にアクセスできるような状況を生み出した[64]。要するに、旧来のメディアの偏ったプロセスが、さらに積極的にというわけではないにしても、検索エンジンにおける問題含みの表象において複製されているのだ。ここで私は、「表象のポルノグラフィ（pornography of representation）」[65]にも同様に注意を払いたい。これは、女性のセクシュアリティに関する道徳的な議論というよりは、いかに女性がポルノ的客体として表象されているかについてのフェミニズム的批評である。

表象は、単に鏡や反射、〔何かをのぞき見るための〕鍵穴の問題ではない。さまざまに入り組んだ手段や慣習を通じて、誰かがそれをつくり出し、誰かがそれを見ている。また、表象は単にキャンバス、本、印画紙、スクリーンに存在しているわけではない。表象は交換の対象として現実に存続するものである。それは物質的生産に起源をもつのだ。[66]

ポルノは、その商業的な活力と持続性にもかかわらず十分に研究されてこなかったという見方もある。[67]たしかに、ポルノ産業の技術的ニーズは、クレジットカード決済のプロトコル、広告・宣伝、動画・音声・ストリーミング技術など、ウェブ上の発展の多くに貢献してきた。[68]

図書館学では、公共図書館や学校におけるポルノコンテンツのフィルタリングが、専門家たちの主流の論点になっている。[69]学校、公共図書館、および子どもの手の届く場所から排除されるべき（あるいは、排除されるべきではない）情報資源としてのポルノへのきわめて大きな関心が、インターネット規制の役割をめぐる議論の原動力となってきたのだ。

ブラック・フェミニズムの研究者たちも、ポルノを含むさまざまなステレオタイプを通じた、メディアにおける黒人女性の描写にますます目を向けるようになっている。ノースウェスタン大学のアフリカ系アメリカ人研究およびジェンダー・セクシュアリティ研究の准教授ジェニファー・C・ナッシュは、本書にも示唆をもたらすような形で、黒人女性とポルノを理論化することの複雑さを強調している。

どちらの学問的伝統も、「ポルノは人種主義的か」という長年の問題を提起するものであり、バートマンの一般公開と、現代のポルノにおける黒人女性の展示の関連性を捉えることで、その問いに肯定的な答えを出している。しかしながら、ポルノにおける人種主義の疑惑を単に確かめるだけでは、特定の社会的瞬間や技術的条件のもとで、ポルノが人種を動員し、歴史的に偶発的な一連の人種化された意味や利益を生み出す方法についての検討がなおざりになってしまう。[70]

ナッシュは、ブラック・フェミニストたちが、反ポルノのレトリックや学問とどのように協調してきたかに注目している。本書のプロジェクトはネットポルノにおける黒人女性の行為主体性のニュアンスを具体的に研究するものではないが、ブラック・フェミニストのメディア研究者ミレイユ・ミラー・ヤングは、ポルノの美徳と問題点を詳細に検討している。[71] この研究は、ポルノ的な検索結果としていかに女性が展示されているかを説明するうえで助けになる。そこで本書では、人種的図像学（イコノグラフィー）をめぐるナッシュの詳細な議論をブラック・フェミニズムの枠組みに組み込むことで、検索結果の解釈と評価に役立てたい。

インターネットやメディア研究の分野では、オンラインの画像やコンテンツがはらむ害をめぐる研究者たちの関心や懸念は、インターネット・ポルノへの対処の社会的・技術的側面を中心に構成されることがほとんどで、商業的ポルノの存在はそれほど扱われてこなかった。

この分野で商業的ポルノの存在感が比較的希薄であることは、文化的ヒエラルキーや好みの問題とより大きく関わっている。大衆的なジャンルとして、ポルノの文化的地位はかなり低い。というのも、アメリカでのさまざまな判決が述べるところでは、ポルノは社会的・文化的・芸術的価値を欠くものであるからだ。さらに言えば、ポルノへの関心が比較的薄い状況は、よく知られていて意外性に欠けるものよりも、目新しく思える表象ややり取りに関心が集まるということを物語っている。[72]

このような理由から、黒人の女性・女の子は研究者によって十分に研究されておらず、同時に「ローカルチャー」な表象の形態と関連づけられている。[73] ポルノグラフィをめぐっては堅固な政治経済があり、ファイル共有ネットワーク、動画ストリーミング、電子商取引と決済処理、データ圧縮、検索、送信など、商取引と技術革新の重要な場となっている。[74] 反ポルノ運動家で研究者のゲイル・ダインズは、この関係性の網の目を「裏通りからウォール・ストリートまで」広がっているものと評し、次のように論じている。

ポルノが組み込まれている価値連鎖（バリューチェーン）は、ますます複雑で広範なものになってきている。生産者と流通業者だけでなく、銀行家、ソフトウェア、ホテルチェーン、携帯電話、インターネット企業までもが連結されているのだ。ほかのビジネスと同様に、ポルノも資本市場と競争の原理にさらされており、市場細分化と産業集中の傾向がみられる。[75]

ダインズの研究では、ポルノにおいて黒人女性がさらに人種化・ステレオタイプ化されている点が特に強調される。ポルノ業界は、過去のメディアの誤表象を露骨に利用しており、このジャンルで最も生々しい類いのポルノを通じて、黒人女性を「売春婦」とみなす考え方を強化しているのだ。

ミラー・ヤングは、ポルノに新たな市場を生み出した黒人女性のフェティッシュ化について、このジャンルにおける黒人女性の人種化と明確に関連づけながら強調している。

境界侵犯的であると同時に統制されたものとして人種化された欲望を生産・管理するというこの文脈において、ポルノは、「人種化された政治劇」という形式の特殊なサブジャンルないしフェティッシュ〔偏愛、執着〕として差異のカテゴリーを生み出し、売り込み、広めることに長けてきた。動画、ビデオカメラ、ケーブル、衛星、デジタル・ブロードバンド、CD－ROM、DVD、インターネットといった技術革新を通じて力をつけてきたポルノビジネスは、新たなメディア技術を利用して、家庭で私的に消費される、幅広い特殊な性的商品を生み出してきた。[76]

フックスは、黒人女性の表象が、家父長制的な白人メディアによってしばしばポルノ化されること、またこのような黒人女性の暴力的な描写に抵抗し闘うことができる女性もいる一方で、こうした搾取的な手段を個人的利益を得る場として利用する女性もいることを指摘している。「黒人女性は、自分自身と向き合うなかで、自己実現のために闘わなければならないものをすべて理解する。彼女は、彼女自身、彼女の身体、彼女の存在を消耗品とみなすような表象に抗わなければならないのだ」[77]。ポルノの政治経済——ヒップホップ音楽業界によって強化されている——に関するミラーの研究は、「ヒップホップの「ポルノ化」や、ポルノの主流化と「多様化」」を通じて黒人女性がいかに商品化されているかを理解するうえで重要である[78]。

グーグルは2012年の夏の終わり頃にアルゴリズムを変更し、検索結果における黒人の女の子の主要な表象としてポルノが表示されないように抑え込み、2016年までには、黒人の女の子の画像検索結果により多様で性的でない画像が含まれるようにアルゴリズムを修正した（とはいえ、〔新たに検索結果に表示されるようになった〕画像の大半は女性で、子どもやティーンエイジャー（女の子）ではなかった）。しかし、グーグルの動画検索結果で表示される黒人の女の子のイメージには依然として問題がある。そのナラティブは、黒人／アフリカ系アメリカ人の女の子をめぐるさまざまなステレオタイプを滑稽に描写するようなユーザー生成コンテンツ（UGC）を主に反映したものなのだ。注目すべきは、白人至上主義者コリン・フラハティ——南部貧困法律センターは、彼の著作を「人種的暴力と白人の不安を煽るプロパガンダ」と評した——が作成した動画が、黒人の女の子を表象する動画の第3位に入っていることだ。

インターネット上のポルノは、新自由主義的資本主義の利害関心の延長線上にある。ウェブそのものが、新たな利益の拠点を開拓し、消費の境界を押し広げてきた。黒人女性の身体の表象を伝達し消費するための場はかつてないほど増加しており、そうした表象の大部分は、黒人の女性・女の子自身の管理や利益の及ばない領域で取引されている。

Google black girls

All Images Videos Shopping News More Search tools

About 32,900,000 results (0.25 seconds)

Black Girls vs White Girls! - YouTube
https://www.youtube.com/watch?v=ZzVUwQ1uOz4
Mar 11, 2016 - Uploaded by FierceComedy
Hey Chicas and Chicos♡ GUESS WHO'S BACK? ARMANAAA!! if you do not know who Armana is it is Rodas ...

Black Girls Fight GONE VERY WRONG - This is so Crazy !! - YouTube

https://www.youtube.com/watch?v=PtOVqrj6g8w
Mar 17, 2016 - Uploaded by BuzzAndFunTV
Black Girls Fight GONE VERY WRONG - This is so Crazy ! ... Funny Video Funny Fails Girls Fight Fails ...

Three black girls steal a car, run from cops, then drown Now? - YouTube

https://www.youtube.com/watch?v=EschrbihJFk
Apr 22, 2016 - Uploaded by Colin Flaherty
Allen West: "At least author Colin Flaherty is tackling this issue (of racial violence and **black** on white crime) in ...

Shit Black Girls Say - YouTube

https://www.youtube.com/watch?v=fXDpfhehb6I
Dec 17, 2011 - Uploaded by billysorrells
Shit **Black Girls** Say Parody Based on "Shit Girls Say" Originally by Kyle Humphrey & Graydon Sheppard ...

Charly Black - Energy Girls [Official Music Video] Dancehall 2015 ...

https://www.youtube.com/watch?v=9plxrwlzKM0
Aug 29, 2015 - Uploaded by Dancehall & Reggae TV
BUSS OUT DANCEHALL MIXTAPE out now!! Listen & Free Download: http:// dancehallandreggae.tv ...

'DARK GIRLS' FULL LENGTH DOCUMENTARY - YouTube

https://www.youtube.com/watch?v=1VWsM8JVaek
Jul 30, 2015 - Uploaded by Hood2Hood1000
I do not own the rights to this video...This Is A Documentary done by Bill Duke... BLACK IS BEAUTIFUL,HAS ...

DOES BTS LIKE BLACK GIRLS? (BANGTAN BOYS) - YouTube

https://www.youtube.com/watch?v=faQpSJGMnPg
Apr 20, 2016 - Uploaded by choigyritumblr4
http://kmusicandblackwomen.tumblr.com/tagged/and%20black%20women.

Types of Black Girls - YouTube

https://www.youtube.com/watch?v=1V2fM1Yeqyg
Mar 26, 2014 - Uploaded by Cherry Fever
Thanks for watching :) SUBSCRIBE THO! New videos every week. TWITTER: https://twitter.com/CherryFever_ ...

Shit White Girls Say...to Black Girls - YouTube

https://www.youtube.com/watch?v=ylPUzxplBe0
Jan 4, 2012 - Uploaded by chescaleigh
Click to tweet http://clicktotweet.com/WV12B This is a parody of this video "Shit **Girls** Say" http://www.youtube ...

Black Girl Magic - Huffington Post

www.huffingtonpost.com/.../what-is-**black-girl**-magic-video_us_56...
Jan 12, 2016
Don't bother trying to look up "**Black Girl** Magic" in the dictionary, because it isn't there — at least not yet. But we ...

Stay up to date on results for ***black girls***. Create alert

図2-21　グーグルでの「黒人の女の子」の動画検索結果（2016年6月22日）

◯黒人の女性・女の子についての正当な情報を提供する

インターネットを共通のメディアと捉えるまなざしには、そこで見つかる情報の正当性の高まりへの期待が暗に含まれている。[79] 商業的な利害関心は必ずしも明白なものではないため、オンラインの情報の信頼性を判断することは決して容易ではなく、[80] 代表的な信頼性の指標も、ウェブの複雑さゆえにほとんど実効性がない。[81] 政府、産業界、学校、病院、公的機関がサービスを提供する手段としてユーザーをインターネットに誘導する場合、そのことがこのメディア自体に一定の権威と信用を与える。このことは、サイバースペースにおいて誰がアイデンティティやアイデンティティ・マーカーを所有するのか、また人種化・ジェンダー化されたアイデンティティは、それをめぐって争うことのできる、所有可能な財産権なのか否かという問題を提起する。社会的アイデンティティは、アイデンティティの創出に関わる個々の行為者のプロセスであると同時に、個人的定義かつ外的定義の問題として社会構造レベルで起こる社会的分類をめぐる問題でもあるのだ。[82]

メアリー・ヘリング、トーマス・ジャンコウスキー、ロナルド・ブラウンによれば、黒人のアイデンティティは、個人が同じ集団の他者と共通の運命を経験することによって形作られる。[83] サイバースペースのコンテンツの命名と所有に関する特定の財産権の問題は、重要なトピックである。[84] 人種的標識は、集団によって押し付けられるとともに集団が取り入れる社会的カテゴリーである。[85] それゆえ、白人性がそれを所有する人々の財産権として構成されてきたのと同様に、人種的アイデンティティに関する言葉は、そうした集団の所有物であると主張することができる。[86] これは、マスメディアがいかにアイデンティティの外的定義を流用、[87] すなわち人種化してきたかを考えるための一つの方法であり、インターネットおよびそれを通じた一般市民への情報提供について考える際にも応用できる。「マスメディアとの関係性は、少なくとも部分的には、そこから得られる情報がどれくらい有用に思われるかに左右される。［……］メディアの表象は、私たちが社会的・文化的・民族的・人種的差異を理解する方法にかなりの影響を与えているのだ」。[88] メディアは、外在的なものとして、人種や人種化された他者についての私たちの理解に多大な影響を与えているが、これは内的定義を含む共生的プロセスであり、そのなかで人々が人種的アイデンティティを主張することもできる。[89] さらに、インターネットとその世界は、旧来のメディアの流通経路を提供しつつそれを凌駕している。テレビ、映画、ラジオといった旧来のあらゆるメディアに加えて、よりソーシャルで双方向的な新メディアも内包する新たなインフラとして機能しているのだ。このように新旧のメディアを統合しているインターネットは、人種やジェンダーをめぐる意見の形成に多大な影響を及ぼしていると考えられる。

◯何が見つかるかには大きな意味がある

グーグルの収益の大半は広告から生じているため、文化や社会を形づくる強大な力をもったメディア慣行として広告を捉えることは重要である。[90] 広告による女性のステレオタイプの伝達は、「限られ

郵便はがき

料金受取人払郵便

神田局
承認

2420

差出有効期間
2025年10月
31日まで

切手を貼らずに
お出し下さい。

101-8796

537

【受　取　人】

東京都千代田区外神田6-9-5

株式会社 **明石書店** 読者通信係 行

お買い上げ、ありがとうございました。
今後の出版物の参考といたしたく、ご記入、ご投函いただければ幸いに存じます。

ふりがな お名前	年齢	性別

ご住所　〒　　　-

TEL　　(　　　)　　　FAX　　(　　　)

メールアドレス	ご職業（または学校名）

*図書目録のご希望 □ある □ない	*ジャンル別などのご案内（不定期）のご希望 □ある：ジャンル（ □ない

書籍のタイトル

◆本書を何でお知りになりましたか？
□新聞・雑誌の広告…掲載紙誌名[ ]
□書評・紹介記事……掲載紙誌名[ ]
□店頭で □知人のすすめ □弊社からの案内 □弊社ホームページ
□ネット書店 [ ] □その他[ ]

◆本書についてのご意見・ご感想
■定 価 □安い（満足） □ほどほど □高い（不満）
■カバーデザイン □良い □ふつう □悪い・ふさわしくない
■内 容 □良い □ふつう □期待はずれ
■その他お気づきの点、ご質問、ご感想など、ご自由にお書き下さい。

◆本書をお買い上げの書店
[市・区・町・村 書店 店]

◆今後どのような書籍をお望みですか？
今関心をお持ちのテーマ・人・ジャンル、また翻訳希望の本など、何でもお書き下さい。

◆ご購読紙 (1)朝日 (2)読売 (3)毎日 (4)日経 (5)その他[新聞]
◆定期ご購読の雑誌 [ ]

ご協力ありがとうございました。

ご意見などを弊社ホームページなどでご紹介させていただくことがあります。 □諾 □否

◆ご 注 文 書◆ このハガキで弊社刊行物をご注文いただけます。
□ご指定の書店でお受取り……下欄に書店名と所在地域、わかれば電話番号をご記入下さい。
□代金引換郵便にてお受取り…送料+手数料として500円かかります(表記ご住所宛のみ)。

書名	冊
書名	冊

ご指定の書店・支店名	書店の所在地域 都・道 府・県 市・区 町・村
	書店の電話番号 ( )

た「意思の語彙（vocabulary of intention）」」を生み出す。女性について、主に男性や家族との関係、あるいはセクシュアリティの観点から考えて話すことを人々に促すのだ。[91] 広告における女性やマイノリティのステレオタイプ的な描写が、それを消費する人々の振る舞いに与える影響については研究によって明らかになっている。[92] それゆえ、広告の内容がもたらす影響についてより深く検討し、このような検索結果を〔上位に〕位置づけている支配的なナラティブを明らかにすることが必要なのだ。

フェミニスト・メディア研究者のジーン・キルボーンは、フェミニズムの観点から、広告が社会に与える影響を注意深く明らかにしてきた。彼女は、広告の中毒性、および広告が感情を喚起してものの見方を変える力――たとえ消費者が、自分は「耳を貸さない」、つまりメディアの説得力を無視していると考えていたとしても――について研究している。

広告は人間関係を破壊し、そのうえで商品を提示する。それは慰めとして、そして誰もが切望し必要としている親密な人間関係の代用品としてである。いまではほとんどの人が、広告がしばしば人をモノに変えてしまうということを知っている。女性の身体はもちろん、近年は男性の身体もばらばらにされ、パッケージ化され、チェーンソーからチューインガムにいたるまで、あらゆるものを売るために利用されている。しかし多くの人々は、人がモノになると深刻な事態が起きるということを十分には理解していない。自己イメージは深く影響を受ける。女の子たちの自尊心は、思春期を迎えるにつれ急激に落ち込む。その一因は、「自分の身体はモノであり、しかも不完全なモノだ」というメッセージから到底逃れられないことにある。男の子たちは、男らしさにはある種の冷酷さ、ひいては残忍さが欠かせないのだと学ぶ。暴力は避けられないものになる[93]。

グーグルの場合、その目的は製品・サービスに「目玉を引きつける」ことである。これは、アドワーズのような製品、またすでに証明されているように同社が競合他社よりも自社の資産を優遇していることから明らかである。このことが、検索エンジンについて考えることを困難にしており、一般市民が相当のデジタルリテラシーを身につける必要性を高めている。

批判的情報学でブラック・フェミニズムの観点を用いるためには、検索結果の上位に表示される「ウェブサイト」や「URL」という形をとった一見中立的で無害なデータとしてではなく、表象ないし文化的生産物の一形態として情報を文脈化する必要がある。ネット上の商用検索エンジンで表示される結果を説明するために用いられる言葉や専門用語は、ウェブでは商品化された形態の表象が取引されていること、そしてそのような商取引は単に人気のあるウェブサイト〔が表示されている〕というような偶発的で無作為のものではないという事実をしばしば覆い隠す。ロンドン大学クイーン・メアリー校の映画研究の名誉教授アネット・クーンは、著書『イメージの力――表象とセクシュアリティに関する試論（*The Power of the Image: Essays on Representation and Sexuality*）』において、ジェンダー・人種・表象について問うようにフェミニズムの思想家たちを駆り立てている。

支配的な表象に異議を唱えるためには、何よりもまず、それらがどのように機能し、したがってどこに生産的な変容の可能性を求めるべきかを理解することが必要である。そのような理解から、さまざまな対抗的な文化的生産の政治と実践が生じる。そのなかにはフェミニズム的介入も含まれるかもしれない。〔……〕主流の女性イメージのフェミニズム的分析には、もう一つ正当な根拠がある。このような分析は、支配的な表象の伝統のなかの矛盾や対立を認識すること、われわれ自身が介入するためのレバレッジ・ポイント〔複雑なシステムのなかで、小さな力を加えるだけで大きな変化をもたらしうる場所〕を見出すことを教えてくれるのではないだろうか。すなわち、環境が異なればありえたかもしれないこと、「普通は目に見えず、考えることもない、秩序の外側の世界」のビジョンを垣間見ることを可能にするような、ひびや裂け目に気づかせてくれるのではないだろうか。[94]

本章では、ネット上の検索結果において女性、特に黒人女性がいかに誤表象されてきたのか、またそれが白人の人種的家父長制というより長い歴史をもつ遺産といかに結びついているのかを示してきた。インターネットは闘争の場でもあり、サイバースペースにおいてフェミニズム的価値観のもとに女性たちが団結する可能性が長い間模索されてきた。[95] 情報通信技術は男性の領域として位置づけられており、それによってＩＣＴの発展に対する女性の貢献が周縁化されているだけでなく、家父長制をさらに具体化するためにそうしたナラティブが利用されている。[96] 男性は、意図的か否かに関わりなく、テクノロジーの領域に対する支配と独占を利用し、自らの社会的・政治的・経済的権力をさらに強固なものにしてきた。そしてかれらは、こうした遺産をめぐる構造的な変化を起こすために特権を手放すことはめったにない。男性がテクノロジーを形づくる場合、それは女性、特に黒人女性を排除しながらなされるのだ[97]。

フェミニズム研究者のジュディ・ワイズマンとアナ・エヴェレットの研究は、女性や有色人種、特にテクノロジー分野のアフリカ系アメリカ人をめぐるナラティブの歴史的発展を分析するうえで欠かせない。彼女たちのプロジェクトはそれぞれ、技術的慣行が男性や白人の利益を優先させる具体的な方法を明らかにしている。ワイズマンいわく、「人間と人工物は共進化しており、それは「物事は別様にもありえた」こと、すなわちテクノロジーは科学的・技術的知識の応用の必然的な結果ではないことに気づかせてくれる。[……]人工物の新しい有益な解釈を生み出す女性ユーザーの能力は、より広範な経済的・社会的状況に左右される[98]」。エヴェレットは、初期のサイバースペースへのアフリカ系アメリカ人の貢献を歴史的に跡付けるとともに、それらが主流メディアや学術メディアの「カラー・ブラインドネス」によって覆い隠されてきたと指摘している[99]。ジェンダーや人種を前提として制度化された関係性は、テクノロジーが生み出される権力システムの外側に女性や有色人種を位置づける。シリコンバレーでは、人種的秩序と非白人による貢献の両方の存在を否定することで、カラーブラインドのイデオロギーが機械化されているのだ。

このポスト人種主義という幻想については、テクノロジー業界のカラーブラインド人種主義の問題について執筆してきたジェシー・ダニエルズによって詳しく論じられている[100]。テクノロジー業界における白人およびアジア系男性の優位性を能力主義の問題として捉えるこの伝統は、モデル・マイノリティとしてのアジア系アメリカ人という神話によって支えられてきた。女性や非白人の周縁化は、そのような〔既存の権力関係の〕固定化、設計上の選択、そして技術力をめぐるナラティブの副産物である。[101] パデュー大学アメリカ研究学科長レイヴォン・フーシェは、技術的システムの形成における黒人文化の重要性を強調している。彼は、テクノロジーは、黒人コミュニティの感性を中心に構築されれば、「アメリカの黒人の生活のリアリティにより即した」ものになり得ると論じている。さらに、黒人「のための」テクノロジーという支配的なナラティブの問題も指摘している。

アメリカ人は、自己再生的できりがない、進歩的テクノロジーのナラティブに絶え間なくさらされている。資本主義に支えられたこの伝統のなかで、テクノロジーがアフリカ系アメリカ人の生活に及ぼすさまざまな影響が見過ごされている。高揚感のあるこのレトリックは、アフリカ系アメリカ人とテクノロジーの間の明白な敵対関係を曖昧にしてしまっている。[102]

本章では、検索エンジンの政治性とその女性・有色人種の表象をめぐり、ある種のキーワード検索が、グーグル検索のデフォルトの「中」設定を使用する情報探索者を大量のポルノに導いていることを示してきた。また、シリコンバレーが、エスニック・スタディーズやジェンダー研究といった重要な分野の専門知識をもつ人々の過少雇用を続けることでいかに保身を図っているかについてもさらに多くの例を挙げてきた。この研究の価値は、ジェンダーと人種が科学技術を通じていかに社会的に構築され、互いを構成しているのかを明らかにする点にある。テクノロジーは中立的であるという考え方そのものが、誤った認識として明確に批判されなければならないのだ。

有色人種の女性・女の子をめぐる特定の誤表象に関心があるか否かにかかわらず、あるいはティーンエイジャー、教授、看護師、医者の概念的な表象を問題視するか否かにかかわらず、デジタルメディアプラットフォームやアルゴリズムが人々に関するナラティブをコントロールしているという事態は、行き過ぎると悲惨な事態を招く可能性がある。このことを示す、確かな証拠があるのだ。

第3章

人々とコミュニティのための検索

２０１５年６月17日の夜、サウスカロライナ州チャールストンの「マザー」・エマニュエル・アフリカン・メソジスト監督教会で、21歳の白人至上主義者ディラン・「ストーム」・ルーフが、無防備なアフリカ系アメリカ人キリスト教徒の礼拝者たちに発砲した。この事件は、近年で最も凶悪な人種的・宗教的憎悪犯罪（ヘイトクライム）の一つとなった。[1] 彼の人種主義的なテロ攻撃によって、同教会の牧師でもあったサウスカロライナ州上院議員クレメンタ・ピンクニーをはじめ、図書館員シンシア・ハード、タイワンザ・サンダース、シャロンダ・シングルトン牧師、マイラ・トンプソン、エセル・ランス、スージー・ジャクソン、ダニエル・シモンズ・シニア牧師、デパイン・ミドルトン・ドクター牧師が亡くなった。フェリシア・サンダースと彼女の11歳の孫娘、ポリー・シェパードという3人の生存者がいた。この殺人事件の場所は、ルーフが無作為に選んだものではない。エマニュエル・アフリカン・メソジスト監督教会は、アメリカにおけるアフリカ系アメリカ人の自由の象徴としてきわめて長い歴史がある場所なのだ。同教会は、自由黒人／アフリカ人と、奴隷にされた黒人／アフリカ人によって１７９１年に組織され、数千人の教会員を擁するまでに拡大したが、１８２２年には「教会員のデンマーク・ヴェッシーが、奴隷にされた黒人たちを組織して奴隷主への反乱を起こそうとしている」という噂を耳にしたサウスカロライナ州の白人たちによって焼き払われるという事件もあった。２００年以上にわたって、エマニュエル・アフリカン・メソジスト監督教会は白人至上主義からの解放を求める闘いの象徴的な場であり続けてきた。そして、アフリカ系アメリカ人の公民権と〔社会への〕完全な参加を求めて、教会員や全米の支援者たちの団結が前景化される場となってきたのだ。

この虐殺は、大惨事であった。人種主義を動機とするこの殺人の報道は、警察官・警備員・自警団を自称する者によって殺された何百人ものアフリカ系アメリカ人についての長年のニュース報道に連なるものとなった。この大虐殺のニュースがソーシャルメディアで流れると、@HenryKrinkleというな名前のツイッターユーザーが、www.lastrhodesian.comで「人種主義マニフェスト」が見つかったとツイートした。このサイトには、アメリカの人種関係をめぐる犯人の価値観にどのような思想が影響を与えたのかが詳細に示されていた。このサイトにアクセスするために必要な49ドルを求めるツイートに最初に反応した@EMQuangelという人物は、このサイトが実際にディラン・ルーフの所有物であることを証明するために「逆引きWHOIS」データベース・レポートの代金を支払うと申し出た。数時間のうちに、複数の報道機関が、このサイトに掲載されていたルーフの文章の数々を報じ始めた。彼は次のような書き込みをしていたという。

本当の意味で私の目を覚ましたのは、トレイヴォン・マーティンの事件だった。あちこちで彼の名前を見聞きした末、私は彼について調べることにした。ウィキペディアの記事を読んだが、何がそれほど問題なのか理解できなかった。ジマーマンが正しいことは明白だったからだ。しかし、それよりも重要だったのは、これがきっかけで、私がグーグルに「黒人の白人に対する犯罪(black on White crime)」と入力したことだ。その日以来、私の世界は変わってしまった。最初にたどり着いたのは、保守派市民協議会（Council of Conservative Citizens）のサイトだった。そこでは何ページにもわたって、黒人が白人を殺害した残忍な事件について書かれていた。信じがたいことだった。この瞬間、何かがひどく間違っていることに気がついた。こうした何百件もの黒人による白人の殺人事件が無視されているというのに、どうしてトレイヴォン・マーティンの事件についてはニュースで大騒ぎしているのか?

そこからさらに調べを進めて、ヨーロッパで何が起きているのかを知った。イングランドやフランスなど、西ヨーロッパのすべての国で同じようなことが起きているとわかったのだ。またしても、信じられない思いだった。アメリカ人として、私たちは、〔人種の〕るつぼのなかで生きることを受け入れるように教えられてきた。われわれは皆移民なのだから、黒人をはじめとするマイノリティも私たちと同じようにここにいる権利があるのだ、と。しかし、ヨーロッパは白人の祖国であるというのに、多くの点で状況は一層ひどいものだった。さらに、ユダヤ人問題など、われわれの人種が直面しているほかの問題についても知識を得て、私はいまでは人種問題を完全に理解したと考えている。(2)

このマニフェストによれば、ルーフは、トレイヴォン・マーティンのニュース報道を理解しようとしてグーグル検索に「黒人の白人に対する犯罪」と入力した(マーティンは殺人事件の被害者となったアフリカ系アメリカ人のティーンエイジャーで、彼を殺害したジョージ・ジマーマンは無罪判決を受けた)。彼が見つけたのは、「白人アメリカ人に対する黒人の暴力は、アメリカの危機である」という明らかに誤った考え方を助長するような情報であった。

ルーフは、注目を集めていたマーティンの事件を理解するのに役立つような正しい情報を求めてグーグルで検索し、保守派市民協議会(Council of Conservative Citizens, CCC)にたどり着いたという。

ルーフにとって、ＣＣＣは保守系の報道機関を自称する正当な情報源であった。しかし、ヘイト団体に関する全米一の権威である南部貧困法律センターは、ＣＣＣの動向を追ったうえで次のように評している。

保守派市民協議会（ＣＣＣ）は、１９５０年代から１９６０年代にかけて、南部の学校の人種分離廃止に反対するために組織された、かつての「白人市民協議会（White Citizens Councils）」が現代によみがえったものである。同団体の原則声明では、「人類の種を混合させるあらゆる取り組みに反対する」と述べられている。前身団体のメーリングリストをもとに１９８５年に結成されたＣＣＣは、当初は「主流派」のイメージを打ち出そうとしていたが、露骨に白人至上主義的な団体へと姿を変えていった。そのウェブサイトでは、いまは亡きポップ歌手マイケル・ジャクソンを類人猿になぞらえる画像が掲載されたり、黒人が「人類の退化した種」と称されたりしてきた。同団体の新聞『シチズンズ・インフォーマー』は、「人種混合」を糾弾したり、不法移民がもたらす害を非難したり、白人・ヨーロッパ文明の衰退を嘆いたりする記事をたびたび掲載している。同団体の創設者ゴードン・バウムは、２０１５年３月に死去した。[3]

ディラン・ルーフによる９人のアフリカ系アメリカ人の殺害事件以後にどのような検索結果が得られるかを検証するために、私自身も「黒人の白人に対する犯罪」という言葉で検索を行なった。２０１５年８月３日と５日にカリフォルニア州ロサンゼルスとウィスコンシン州マディソンで実行したところ、検索結果の最上位はNewNation.orgで、その下にはアフリカ系アメリカ人やユダヤ人に対する憎悪を助長するような、数々の保守的な白人ナショナリストのウェブサイトが続いた。私は「黒人の女の子」など、有色人種の女の子について検索するときと同じ方法でこの検索を行なった。すなわち、すべてのプラットフォームからサインアウトし、さらに検索結果（図3－2）を別のコンピュータを使う他の研究者と交差検証した。NewNation.orgのウェブサイトは、反黒人の人種主義的憎悪をあまりにも激しく煽るものであったため、２０１3年にはその創設者がハッカー集団「アノニマス」の一員である@Anon_Dox_323による分散型サービス妨害（distributed denial of service, DDOS）攻撃の標的となった（図3－3）。アノニマスは、しばしば個人や組織を標的として、さまざまな「ハクティビスト」〔ハッキングを通じて政治的な意思表示を行なう活動家〕的なオンライン・テイクダウン〔コンテンツ削除〕を行なっているのだ。[4]

ルーフがアクセスしたとされる情報に関して注目せざるを得ないのは、彼が入力した検索語が、アメリカ国内の暴力に関する連邦捜査局（ＦＢＩ）の犯罪統計に結びつかなかったことだ。ＦＢＩの統計では、白人アメリカ人に対する犯罪のほとんどは、同一人種内で発生していることが指摘されている。白人アメリカ人に対する暴力のほとんどは白人アメリカ人によって引き起こされており、同様にアフリカ系アメリカ人に対する暴力も、そのほとんどはほかのアフリカ系アメリカ人によるものである。暴力犯罪のほとんどは、人口統計学的に被害者と類似の人々による犯行であり、白人アメリカ人が殺害される最たる原因は白人の白人に対する犯罪である。[5] 人種の境界を越えた殺人の発生状況は、白人至上主義団体が主張するものとはほど遠い。「黒人の白人に対する犯罪」という語句を検索して

black on white crimes 

Web News Videos Images Shopping More ▾ Search tools

About 145,000,000 results (0.31 seconds)

New Nation News - Black-on-White Crime
www.newnation.org/NNN-**Black-on-White**.html ▾
Jul 19, 2015 - The Color of **Crime** - "Blacks are statistically 50 times more likely to attack whites than vice versa"; "The rare **white**-on-**black** attack is always ...

Black Crime Facts That The White Liberal Media Daren't ...
www.infowars.com/**black-crime**-facts-that-the-**white**-liberal-m... ▾ Alex Jones ▾
May 5, 2015 - **Black Crime** Facts That The **White** Liberal Media Daren't Talk About. Police brutality targeting blacks will not subside until this becomes part of ...

Images for black on white crimes Report images

More images for black on white crimes

Minority-on-White Crime | American Renaissance
www.amren.com/tag/minority-on-**white-crime**/ ▾ American Renaissance ▾
Blacks shot a white man after an argument over the flag. July 20, 2015 ... Statistical squid ink obscures the reality of **black-on-white crime**. By Jared Taylor.

Hate Crimes You Don't Hear About | Violence Against Whites
https://violenceagainst**whites**.wordpress.com/the-hate-**crimes**-you-dont-h... ▾
The Hate **Crimes** You Don't Hear About by Russ Kick Cleveland, Ohio. A **white** man on a moped accidentally bumped into a truck being driven by a **black** man.

black on white crime Archives - Angry White Dude
angry**whitedude**.com/tag/**black-on-white-crime**/ ▾
As is my practice, I usually take a few days to digest the first emotions to write about any tragedy. I did it in the Trayvon Martin, Michael Brown and Baltimore ...

図3-1　「黒人の白人に対する犯罪」のグーグル検索結果（カリフォルニア州ロサンゼルスにて、2015年8月3日）

New Nation News - Black-on-White Crime
www.newnation.org/NNN-**Black-on-White**.html ▾
Jul 19, 2015 - The Color of **Crime** - "Blacks are statistically 50 times more likely to attack whites than vice versa"; "The rare **white**-on-**black** attack is always ...

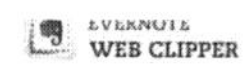
EVERNOTE
WEB CLIPPER
Sign in to Web Clipper to see Related Results

Black Crime Facts That The White Liberal Media Daren't ...
www.infowars.com/**black-crime**-facts-that-the-**white**-liberal-m... ▾ Alex Jones ▾
May 5, 2015 - **Black Crime** Facts That The **White** Liberal Media Daren't Talk About. Police brutality targeting blacks will not subside until this becomes part of ...

Images for black on white crimes Report images

More images for black on white crimes

Hate Crimes You Don't Hear About | Violence Against Whites
https://violenceagainst**whites**.wordpress.com/the-hate-**crimes**-you-dont-h... ▾
The Hate **Crimes** You Don't Hear About by Russ Kick Cleveland, Ohio. A **white** man on a moped accidentally bumped into a truck being driven by a **black** man.

black on white crime Archives - Angry White Dude
angry**white**dude.com/tag/**black-on-white-crime**/ ▾
As is my practice, I usually take a few days to digest the first emotions to write about any tragedy. I did it in the Trayvon Martin, Michael Brown and Baltimore ...

New DOJ Statistics on Race and Violent Crime | American ...
www.amren.com/.../new-doj-statistics-on-race-and... ▾ American Renaissance ▾
Jul 2, 2015 - Interestingly, we find that violent interracial **crime** involving blacks and Hispanics occurs in almost exactly the same proportions as **black/white** ...

FBI — Expanded Homicide Data Table 6
https://www.fbi.gov/.../**crime**.../**crime**.../e... ▾ Federal Bureau of Investigation ▾
Be **Crime** Smart Advice · Common Fraud Schemes ... **White**, **Black** or ... **Black** or African American, 2,491, 189, 2,245, 20, 37, 2,217, 237, 37, 76, 807, 1,608.

Race and crime in the United States - Wikipedia, the free ...
https://en.wikipedia.org/.../Race_and_**crime**_in_the_United_St... ▾ Wikipedia ▾
For treatment of related issues in other countries, see Race and **crime** and ... Robberies with **white** victims and **black** offenders were more than 12 times more ...

White-on-black crime: Cue the stats
www.wnd.com/2015/.../**white**-on-**black-crime**-cue-the-sta... ▾ WorldNetDaily ▾
Jun 24, 2015 - RACE IN AMERICA. **White**-on-**black crime**: Cue the stats. Ann Coulter zings media over coverage of violence hoaxes. Published: 06/24/2015 at ...

Todd Starnes: Do Democrats Care About Black-on-White ...
nation.foxnews.com/.../todd-starnes-do-democrats-care-about... ▾ Fox Nation ▾
Jun 3, 2015 - For whatever reason, the mainstream media and the Democrats seem to ignore **black-on-white crime**. Now, if Mr. Hambrick had been black and ...

Black hate crimes
www.niot.org/ ▾
Best resources from the field of Fighting & Defining Hate **Crimes**

Searches related to black on white crimes

black on white crimes **statistics** black crimes **against whites**

図3-2　「黒人の白人に対する犯罪」のグーグル検索結果（ウィスコンシン州マディソンにて、2015年8月5日）

- The following email was received on 1/24/2013 5:59 PM
Subject: NNN Reporters Newsroom Forum Contact Us Form - Site Feedback

```
The following message was sent to you via the NNN Reporters Newsroom Forum Contact Us form by
thepriest
 ( mailto:fugkhiff@sharklasers.com ).
 --------------------------------
Your hateful and racist forum has been targeted. Your venomous hatred will no longer be tolerated.
Tonight you have seen your site taken down by very basic attacks. Many more will follow.
Your days of spreading hate and offering an open forum for these vitriolic and disgusting beliefs are
over.

We are Anonymous. We are Legion. We do not forgive. We do not forget. Expect us.

#OpRacism
--------------------------------
Referring Page: http://www.nnnforum.com/forums/search.php?searchid=904315
IP Address: 108.60.131.13
User Name: thepriest
User ID: 7622
Email: fugkhiff@sharklasers.com       (an 'anonymous' throw-away email service)
```

図3-3　2014年5月14日、NewNation.orgはこの注意書きをウェブサイトに掲載し、ハッキングについて会員に警告した。

も、人種の専門家に行き着くことはなく、アメリカにおける人種の歴史や白人至上主義に資するような人種主義的神話（「黒人の白人に対する犯罪」など）の発明に関する大学や図書館〔のページ〕、書籍、記事が提示されることもない。白人至上主義団体が喧伝するステレオタイプを払拭するような情報が表示されることもない。人種や人種関係についてニュースメディアで伝えられる情報を詳しく調べようとする人々が、ファシズム、保守、反黒人、反ユダヤ人、あるいは白人至上主義的なウェブサイトに誘導されることの意味について考えることはきわめて重要である。人々を広大で底知れない情報の海へと導く検索エンジンの力を強烈に示すものとして、ディラン・ルーフ自身が、トレイヴォン・マーティン殺害事件についての情報を得るためにグーグルを使ったことが自らの人種的アイデンティティの構築につながったのだと語った、その言葉以上のものはない。

言うまでもなく、商用検索エンジンが検索結果ランキングの最上位（1ページ目）に表示するものは、検索される概念に応じて無害にも有害にもなりうる。人種的・ジェンダー的アイデンティティを検索したときに見つかるものは、人種主義的概念について検索したときに見つかるものと同様に、グーグルにとって有益なものである。検索結果の最初のページに表示されるものはたいてい、高度に最適化された広告関連のコンテンツであることを思い出してほしい。なぜそのようになっているのかといえば、グーグルは広告会社であり、その顧客は最初のページに表示してもらうために、グーグルのアドワーズプログラムとの直接契約、あるいはサイトが最初のページに表示されるように支援する検索エンジン最適化商品のグレーマーケットを通じて、グーグルに対価を支払っているからだ。ジェシー・ダニエルズの著書『サイバーレイシズム――オンラインの白人至上主義と公民権への新たな攻撃（*Cyber Racism: White Supremacy Online and the New Attack on Civil Rights*）』は、「偽装サイト（cloaked websites）」に関するこれまでで最も包括的で重要な研究である。「偽装サイト」とは、有力な情報源（ニュースソース）や正当な社会的・文化的組織を装いつつ、ＣＣＣやクー・クラックス・クランをはじめとする、何千もの憎悪（ヘイト）に根差したウェブサイトの隠れ蓑として機能しているサイトのことであり、こうしたサイトも、有利な位置取りのために対価を支払っている。ダニエルズは、オンラインの情報を理解する主流のプロセスを「白人の人種的枠組み[6]（white racial frame）」と名づけている。この枠組みがあることにより、多くの白人アメリカ人が、文化的多元主義や人種的平等の正当性・実現可能性に疑義を呈する空間としてオンラインを実質的に隔離することができているのだ。

ディラン・ルーフが行なったとされるグーグル検索に関しては、彼が「黒人の白人に対する犯罪」といった検索を通じてアメリカの人種関係の問題を捉えていたこと自体が、問いの枠組みそのものに介入する能力を検索結果がいかに妨げているかを明らかにしている。この場合、右翼的・反黒人的・反ユダヤ人的な観点からニュースを伝える保守団体や偽装サイトからの回答は、人種的憎悪を煽るプ

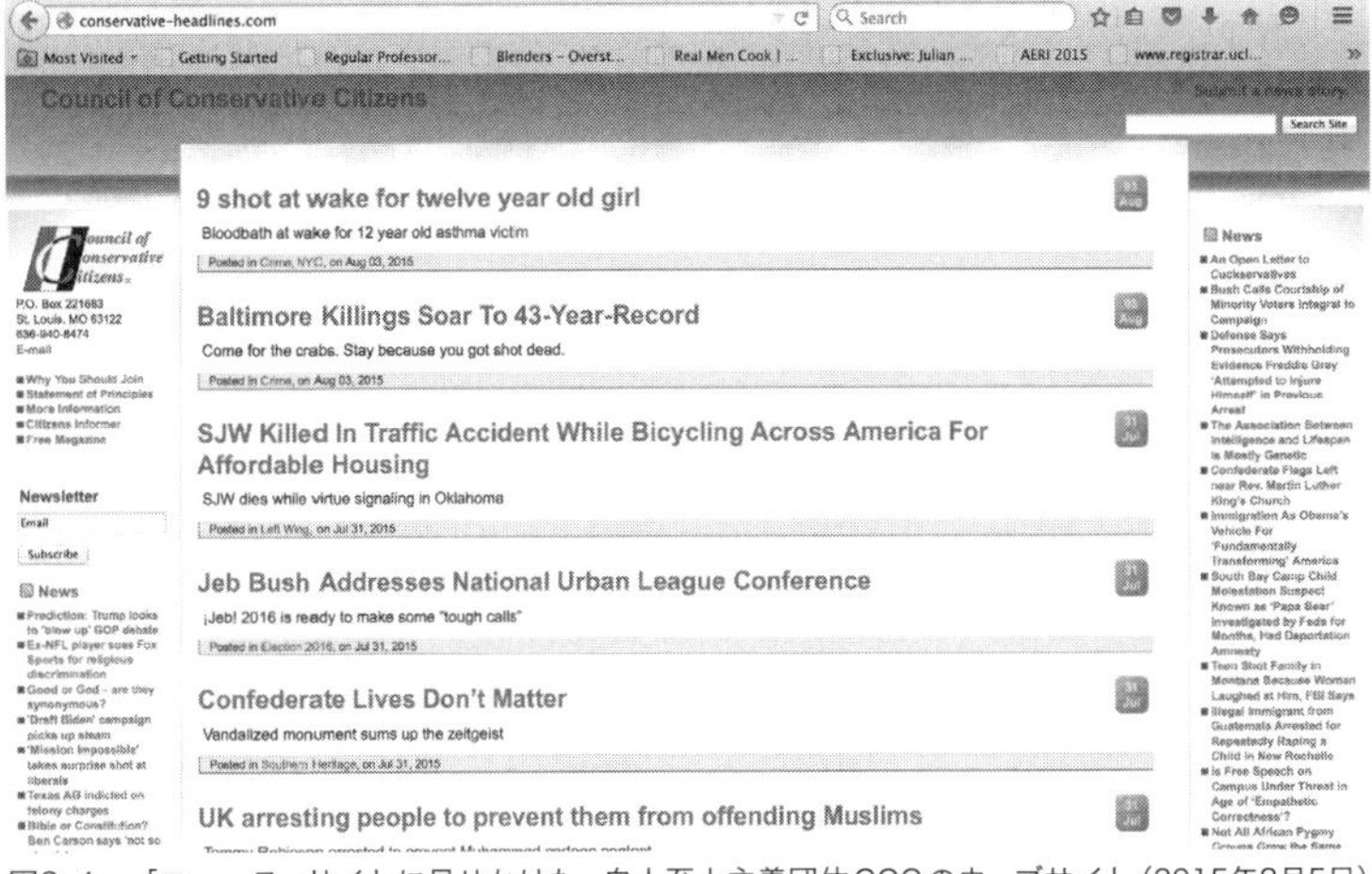

図3-4　「ニュース」サイトに見せかけた、白人至上主義団体CCCのウェブサイト（2015年8月5日）

ロパガンダ以外の何物でもない。

人々や文化について、検索エンジンで何が見つかるかは重要である。検索エンジンは、複雑な現象を単純化しすぎている。理解をめぐる闘いを見えにくくし、歴史を覆い隠してしまうこともある。検索結果は私たちの思考をつくり変え、私たちが必要とする重要な情報や知識、すなわち従来は教員・本・歴史・経験を通じて手に入れてきた知識に深く関わる能力を奪ってしまうこともある。本書を通じて論じてきたように、検索結果は、商業的な広告会社の文脈において、暗黙のバイアスの下地をつくっている。これは、広告の利益によって支えられたバイアスである。また、検索エンジンの結果は、不安定なものではありつつも、ある種の個人やコミュニティの記録としても機能している。商用検索の文脈では、検索結果は私たちが求めていると広告主が考えているものの表れであり、人気があって収益性の高いウェブ空間をつくり出すためにプログラムされた情報アルゴリズムの影響を受けている。現実の生活でどのような犠牲を払うことになるにせよ、検索結果は人々の注目を集めるものであり、第1章で詳述したように、結果を表示する過程では公平性と客観性が保たれているかのように装っている。CCCの場合には、世界中から579のウェブサイトが同団体のURL（www.conservative-headlines.com）にリンクしており、そのなかにはヤフー、MSN、レディット（reddit）、ニューヨーク・タイムズ、ハフィントン・ポスト〔2017年にハフポストへ改称〕などよく知られたサイトからのリンクもある。

検索結果と殺人事件を直接結びつけることはできない。しかし、ディラン・ルーフのような殺人犯が、自身の人種意識はオンラインで培われたと自ら語っており、そのきっかけとなったのが、ある概念や語句を検索した際にきわめて偏狭で敵対的で人種主義的な見解に誘導された経験であるという点を無視することはできない。彼は、対抗的な見方、すなわちCCCの歴史、あるいはその「原則声明」で掲げられている目的がアメリカにおける反黒人・反移民・反同性愛者・反ムスリムの狂騒の長い歴史を反映したものであることについて説明してくれるような反人種主義的なウェブサイトには誘導されなかったのだ。私たちが必要としているのは、人種的・社会的正義のための闘いを捉え直し、再考し、学び直し、想起する方法、そして順位づけされたオンラインの情報がオフラインの行動や思考にも影響を与えうることを理解する方法である。インターネットがもたらす心理的な影響に関して連邦・州・地域レベルの規制がない一方で、ビッグデータ分析やそこから生まれるアルゴリズムは意思決定に対して過剰なまでに影響を及ぼしている。利益のために優先順位をつけるアルゴリズムは、複雑な考えに向き合う私たちの能力を損なう。対抗的な意見もなければ、私たちが手に入れる情報を文脈化するための注意書きや枠組みもない。もしディラン・ルーフが、南部貧困法律センターのような、ＣＣＣをはじめとするアメリカのヘイト団体のレトリックに関する専門家から情報を得ていたならば、白人至上主義団体がいかに民主主義や公民権を弱体化させるために活動してきたかについて、詳細な歴史を深く知ることができただろう。そして私たちは、教育が彼の選択に影響を及ぼし得たであろうと願うしかない。しかし、検索結果は多様な観点とは無縁のものであり、１位から１００万位まで、あるいはさらに多くのサイトを「ランキング」するという認識論は、最上位に表示されるものがアクセスできるなかで最も確かで信頼できる情報である可能性が高いとほのめかしているのだ。

第4章

検索エンジンからの保護を求めて

２０１３年1月16日、カリフォルニア州の裁判所が、ある中学校の科学教師について教職に不適格であるという判断を下した。彼女がポルノ業界で９ヶ月間働いていたときの資料がインターネット上で発見されたことがその理由であった。『ＵＳＡトゥデイ』紙は２０１３年1月16日、ジュリー・カボス・オーウェン判事が意見書で次のように記したと報じている。「［この女性の］ポルノ業界でのキャリアはすでに終わっているものの、彼女のポルノ資料はインターネット上で引き続き閲覧可能である。このことは、彼女が有能な教師や尊敬される同僚であるための妨げとなり続けるはずだ」(1)。この教師は、ポルノの職に就いたのは恋人と別れて経済的困難に直面したときのことだと証言したものの、解雇されるにいたった。メディアで報じられた学区関係者らのインタビューでは、そのいずれにおいても、この教師には道徳的に問題があり、生徒たちの優れたロールモデルにはなり得ないという意見が示された。２０１１年３月９日には、セントルイスの高校教師が、１９９０年代にポルノ業界でストリッパーとして働いていたことを生徒に発見され解雇された、というニュースが報じられた。この業界で働いたことは人生最大の後悔の一つだと彼女は述べたものの、仕事を続けることはできなかった。学校関係者らは、20年近くも前の彼女の仕事が、彼女を雇い続けられないほど大きな障害であると判断したのだ。オハイオ州の楽団指導者は、風俗業界で働いていたことが明らかになったために辞任した。ある外科技師は、アダルト映画に出演していたことを同僚の麻酔技師が発見したために、勤務先の病院で軽蔑され侮辱にさらされるようになった。ある不動産販売員は、ネット上のアダルト映画に出ていることに同僚が気づき、解雇されるにいたった。あるデューク大学の1年生は、学費を支払うためにポルノに関わっていたことが明らかになり、同級生たちにこき下ろされた。彼女は、念願の学校に通うため、彼女の両親には用意することができなかった6万ドルの年間授業料を工面しようとしていたのだ。フラタニティ〔男子学生の社交クラブ〕の一員が、キャンパスの何百人もの男性に対して彼女のことを暴露した結果、彼女はオンラインでもキャンパスでも脅迫され、いじめられるようになった。受賞歴もある、ある高校の校長は、長年にわたって性的にきわどい写真を夫と撮影してきたが、離婚の際、彼はそれを何百枚も教育委員会に送りつけ、彼女の長年にわたる教師としての輝かしいキャリアを終わらせると脅した。それを受けて、彼女は即座に降格処分を受けた。結婚生活のなかで私的に共有されていたものが、リベンジポルノとなり、彼女がこれまで手にしてきたものすべてを破壊すると脅すために利用されたのだ。二人の親密な行為は、彼自身も当事者であったにもかかわらず、彼女を攻撃するためにだけ使われたということだ。２０１０年には、匿名の男女のあからさまに性的な裸の写真を、その人物の名前、住所、フェイスブックやツイッターなどのソーシャルメディアのプロフィールとともに投稿することができる「IsAnyoneUp.com」というサイトが開設された。このサイトの創設者ハンター・ムーアは、複数の訴訟を起こされ、最終的には２０１２年にサイトの閉鎖を余儀なくされた。しかし、彼に言わせれば、このサイトの月間ページビューは３０００万を超えていたという。[2] サイトの「成功」の絶頂期には、ムーアはいくつもの法的措置を回避することができていた。というのも、彼はサイトに投稿される画像の所有権を主張することはなかったからだ。リベンジポルノの被害者による著作権の申立ては、裁判所に削除要請を出してもらうための最も効果的な手段であり、〔画像の〕配布への同意がないことを根拠としてウェブから画像を取り下げるための主要な方法となっている。「TheAwl.com」に寄稿しているダニー・ゴールドは、自身の画像がこのサイトに投稿されたときの心境についてある女性がブログに記した内容を紹介している。

別れた彼氏が、isanyoneup.comに私〔の画像〕を投稿しました。友人や家族、知らない人たちから、ネットで私の裸を見た、と毎日のように突きつけられるのです。〔……〕変だと思われるかもしれませんが、家を出て家族と一緒にショッピングモールに行くのが嫌だと思うときもあります。母と一緒にいるときに、誰かが私のところに来てそのことについて何か言うのではないかと怖いからです。妹たちは〔……〕私が家族であることを恥ずかしいと思っていて、友達には姉妹であることについて嘘をつきたがります。私は一家の恥なのです。〔……〕自尊心はすっかり消えてしまい、もう二度と戻らないのではないかと思います。来る日も来る日も、このことが私を幸せから遠ざけるのです。もうどうしたらいいのかわかりません。[3]

露骨に性的な画像の流通を受けて、34の州で「リベンジポルノ」法、すなわち不同意ポルノ（nonconsensual pornography, NCP）に対処するための法律が制定された。NCPは、サイバー・シビルライツ・イニシアチブ（Cyber Civil Rights Initiative）〔リベンジポルノを含むサイバー犯罪の被害者救済に取り組むNPO〕によって、「同意なしに個人の露骨に性的な画像を流通させること」だと定義されている。[4]現在、〔NCPの〕法的な扱いには、軽犯罪から重罪まで、犯罪の性質に応じて幅がある。2015年12月4日には、カリフォルニア州の「リベンジポルノ」法に基づく初の有罪判決がノエ・イニゲスに下されたことを『ロサンゼルス・タイムズ』紙が報じた。イニゲスは、元恋人のトップレス画像を、彼女の雇い主に解雇を促す文言やさまざまな中傷とともにフェイスブックに投稿したのだ。[5]『ワシントン・ポスト』紙によると、２０１５年12月には、「IsAnyoneUp.com」のハンター・ムーアが「私的な金銭的利益のための情報取得を目的とした、保護されたコンピュータへの不正アクセスについて１件、悪質な個人情報窃盗について1件」の罪を認め、懲役2年６ヶ月の判決を言い渡された。[6]

インターネットは決して忘れないため、ある人の過去は常にその未来を規定することになる——これは一体どのようなことを意味するのだろうか？

◯「忘れられる権利」をめぐって

このアメリカの事例は典型的なものだが、オンラインでの保護拡大を求める動きを駆り立てる例は数多く存在する。２０１４年には、欧州司法裁判所が、グーグル・スペイン対スペインデータ保護庁（ＡＥＰＤ）およびマリオ・コステハ・ゴンザレスの訴訟において、[7]「人々には、とりわけウェブ上の情報が個人的な危害をもたらしかねない場合、自身についての情報へのリンクを検索結果から削除するよう要請する権利がある」という裁定を下した。この画期的な法的判断は、「削除する権利（the right to delete）」「忘れる・忘れられる権利（the right to forget or be forgotten）」「忘却の権利（the right to oblivion）」「削除権（the right to erasure）」などを獲得するための多大な努力の積み重ねがなければ実現しなかった。こうした権利は、自分自身に関するウェブ上の情報のコントロールについて、ヨーロッパ市民が有する権利をより明確にするために詳細に練られてきたものである。[8] ２０１０年には、フランス政府が「ソーシャルネットワーク及び検索エンジンにおける忘れられる権利に関する憲章」[9]に署名し、ウェブ上の情報に対する個人のコントロールの重要性に関する指標を打ち立てた。[10] それ以来、多大な議論とグーグルによる反発が巻き起こり、個人情報に対する企業の支配と、グーグルがどのような記録を保持しているかについての一般市民の関心の間の緊張関係が浮き彫りになっている。

どのような情報に対してインターネットからの削除が要請されているのかという点について透明性の向上を求める声が上がっており、その中心には、権力、権利、そして「自由、社会的善、プライバシーをめぐる人権、過去にとらわれない未来に対する権利とは何か」という考え方をめぐる闘いがある。グーグルを牽制し、「忘れられる権利」を支持する判決の実効力が及ぶのは、現在のところＥＵだけである。個人情報のプライバシーに対するさらなる侵害が顕在化しているアメリカでは、このような法的保護はまだ実現しておらず、脆弱なコミュニティや個人は、問題のある情報や有害な情報が存在し、商用検索エンジンにインデックス化された場合に対抗手段がないことが多い。しかし、グーグルはいまだにＥＵ圏内の個人・集団に関するリンクをgoogle.comのようなヨーロッパ圏外のドメインでインデックス化・アーカイブ化している。このことは、ウェブにおける国境という概念をめぐって、また国境を越えてデジタルに利用できる情報に対して国内法がどのように適用されるのかという点に関して、新たな課題を示している。しかし、ほとんどの場合、このような法律は、グーグルによる個人・組織についての記録管理のうち、一般公開されている検索結果以外の場所でアーカイブ化され第三者に共有されているものについては見逃している。

私は検索結果が集団に及ぼす悪影響についてだけ論じているわけではない。大企業がもたらす情報、すなわち私たちをしばしば予想も意図もしていない場所へ導く情報に依存することで生じる論理と弊害についても懸念している。これは、ウェブの検索結果の場合には、誤った、虚偽の、あるいは完全に私的な情報を伝達することを意味する。それは、グーグル上の自らの「公式記録」として受け取られることを本人は望まないような情報であり、破壊的な影響をもたらす可能性もある。個人の表象の場合に比べて、オンラインの集団の表象に異議を申し立てることの難しい点は、現行の法体制のもとでは保護もなければ法的措置の根拠もないということだ。ウェブの検索結果も含め、公的な記録は、国によってまとめられたものであれ、企業によってまとめられたものであれ、私有化されつつある公共の利益に資するものである。グーグルをはじめとする情報通信技術分野の独占的大企業は、個人に対する場合と同様に、コミュニティに対しても責任を負っている。現在、グーグルが個人に関して提供している情報を記録していることに対して異議を唱える重要な立法措置の動きがある。その多くは、EUの「忘れられる権利」政策のような法改正を通じて議論されており[11]、アメリカでは「リベンジポルノ」をめぐる新たな法律を制定する動きが広がりつつある。このような緊張関係についてはコミュニティや集団によって、またコミュニティや集団のために注意が向けられるべきである。とりわけ、集団の経験・権利・表象がオンラインで十分に保護されていない、アメリカ内外の周縁化された人種的マイノリティにとっては重要な問題である。検索結果は記録であり、人間活動の記録はきわめて大きな論点となるものだ。それはアイデンティティ、コントロール、正当な知識の境界をめぐる闘いの場なのだ。ウェブサイトという形式での記録、およびその可視性は権力である。結局のところ、個人もコミュニティも、グーグル製品においては十分に保護されておらず、アメリカの議員たちの注目を必要としているのだ。

アメリカで大学・学校・図書館・公文書館などの重要な記録施設をはじめとする公共財への国の支出が減少しているなか、それらに代わって民間企業が製品・サービスや資金を提供するようになっている。このようなトレードオフによって、情報に対する〔民間企業の〕支配が強まっている。本書で取り上げた多くの研究者が指摘しているように、このことはすでに組織的に抑圧されている人々に深刻な影響を及ぼしている。また、情報やアイデアを求めているものの、大学の学費の急騰、とてつもなく負担が大きい学生ローンといった構造的障壁のために、教師、教授、図書館員、さまざまな立場の専門家らと意見を交わすことができない若者たちにとっても、これは甚大な影響を及ぼす。もしグーグルのような広告会社が、人々・文化・思想・個人についての主要な情報源となるのであれば、こうした空間には、公共に資するような保護や注意が必要である。

グーグルの検索エンジンで人種化・ジェンダー化されたアイデンティティを検索するという文脈においては、どのような情報や記録が存在・存続しうるかをコントロールする権利が重要になる。記録はランク付けされて提示されること、そしてアメリカの一般市民が検索結果を信用や信頼に値するものだとみなしているという調査結果があることを踏まえると、この権利はなおさら重要である。[12] これまでの章ですでに述べてきたように、グーグルは集団的・文化的レベルで、アイデンティティに対して、かなりの程度、言説的かつ覇権的な支配を行なっている。またグーグルは、個人のアイデンティティも強力にコントロールしているうえ、悪質な情報の削除を通じて、ある情報が恒久的に流通しうるか、あるいは忘れ去られるかに関してもかなりの支配力を有している。マイノリティと位置づけられ、周縁化され、抑圧されている集団に関するキーワードを検索すると、信頼性や真偽にかかわらずあらゆる情報が手に入る。しかし、それらは、マイノリティ集団に対してすでに存在する、暗黙のバイアスというより広範な文化のなかから出てきたものなのだ。忘れられる権利は、誤表象を阻止・抑制できるかを突き詰めて考えるうえできわめて重要なメカニズムである。

人生の最悪の瞬間も売り物にされており、警察のデータベースの顔写真は、逮捕歴のある人々の写真を掲載するオンラインプラットフォームの餌食となっている。このような慣行は、有色人種、とりわけアフリカ系アメリカ人に、不釣り合いに大きな影響を及ぼしている。というのも、アメリカではかれらは、裁判では有罪にならないかもしれない罪によって過剰に逮捕されているからだ。Mugshots.comやUnpublishArrest.comといった新たなプラットフォームのサービスは、399ドル（1件の逮捕）から1799ドル（5件の逮捕）の料金と引き換えに、すべての主要な検索エンジンにおけるMugshots.comのデータベースから顔写真を削除すると謳っている。UnpublishArrest.comは次のように述べている。「恒久的な非公開が選択されると、Mugshots.comのデータベース上の情報が非公開になり、その逮捕とMugshots.comに関連づけられた非アクティブリンク（無効なリンク）や顔写真を、検索結果から削除するよう求めるリクエストがグーグルに送られます。グーグルの検索結果はグーグルによって管理されているため、削除は保証されているわけではなく、有料のオプションサービスにも含まれません。グーグルによる削除のリードタイムは平均7〜10日で、4〜6週間かかる場合もあります」[13]。この慣行を支持している者のなかには議員や公益団体も含まれるが、かれらは、これは公共の安全の問題であり、一般市民は自分が暮らす地域の潜在的な犯罪者について知る権利があるのだと主張している。反対派は、これはプライバシーの問題であり、人々の怒りを買うものだと論じている。こうした写真の公開が人々の好奇心を刺激するものであることを踏まえると、有罪判決を受けていないにもかかわらずそのように見えてしまう人々にとってはとりわけ重大な問題となる。

アイデンティティをコントロールできないことがどれほど有害なのかについては、研究から明らかになっている。ハーバード大学の統治・テクノロジーの教授で同大学計量社会科学研究所データ・プライバシー・ラボの所長であるラターニャ・スウィーニーは、2012年の研究において、グーグルでアフリカ系アメリカ人風の名前を検索すると、白人風の名前を検索したときに比べて犯罪歴調査の広告が表示される確率が高いことを示した[14]。人々が朝から晩まで頼りにしている商業的な情報ポータルに人種的偏見が存続しているということは、幾度となく研究によって明らかにされてきた。しかし、これまでの章で述べてきたように、ネーションというより大きな政体（ボディ・ポリティック）において抑圧され中傷されている人々――アフリカ系アメリカ人、ネイティブ・アメリカン、ラテン系アメリカ人をはじめとする有色人種の人々――についての誤った、軽蔑的でさえある情報を優先し流通させることは、グーグルのようなメディアプラットフォームにとってはかり知れないほどの利益の源泉となっている。私たちは、特定の表象的記録を削除すること、あるいは優先順位を下げることも検討する必要があるのだ。民族的（エスニック）・文化的コミュニティが自らの望まない形でインデックス化されることをほとんど、あるいはまったくコントロールできないという事実に、どのように向き合えばいいのか？　グーグルがあたかも真実の裁定者であるかのように人々が同社と接していることに対して、一集団がどのような解決策をもちうるというのか？

人間活動の記録は、いまに始まったことではない。人々が気がついているか否かにかかわらず、デジタル時代においては、人間のデジタルな活動の記録は恒久的なものである。デジタルな痕跡を通じた記憶の形成と忘却には、選択の余地はない。というのも、情報およびデジタルソフトウェア、ハードウェア、インフラを通じた人間活動の記録は、そのような行為の設計と利益スキームに欠かせないきわめて重要な要素だからだ。情報学研究者のジャン・フランソワ・ブランシェットとデボラ・ジョンソンは、データ廃棄の計画なしに膨大な量のデータを取得・保存することは、「社会的忘却（social forgetfulness）」、すなわち私的な記録の管理に関して人々に与えられるべき新たな始まりや「再出発」を損なうと指摘している。ブランシェットとジョンソンによれば、政策やメディアの関心のほとんどが企業による個人情報へのアクセスとコントロールに向けられてきた一方で、デジタル上の私たちのあらゆる動向が保持されていることについてはそれほど注意が払われてこなかったという。[15]

２０１４年のエドワード・スノーデンによる暴露は、政府がベライゾンやグーグルといった多国籍企業を通じて、世界中の何百万もの人々のデジタル活動の個人的記録を収集のみならず保管してもいるということを一部の人々に知らしめた。個人情報の記録が民主主義と個人のプライバシーの権利にもたらす脅威については、慢性的な人種的抑圧という文脈において特に注意を向ける必要がある。

ここで、デジタル世界におけるデータ保持について懸念するべき理由、また諸機関による従来の紙ベースの情報保存プロセスが直面していた空間・アーカイブ能力の限界についての先行研究に触れておきたい。組織化と保存におけるこのような空間および人的労力の限界は、ある種のチェック、すなわち「制度的忘却（institutional forgetfulness）」[16]を前提としていた。これは、情報の長期保存をめぐる政策的な制約に関連するというよりは、記憶媒体そのものに付随する性質であった。オスカー・ガンディー・ジュニアは、なぜ忘却が保護されるべき重要な権利であるのか、その本質を巧みに述べている。

忘れられる権利、匿名になる権利、ほぼすべての個人情報を破棄して再出発する権利は、過激であると同時に魅力的である。身分証を求められることがなく、記録も残されないような関係性を望み、それを構築することが可能であるべきだ。さまざまな理由から、人々は家を出て、身分を変え、人生をやり直してきた。その目的が不正なものでなく、正当な負債や責任から逃れようとしているのでなければ、新たなアイデンティティを形成することは、私が論じてきた自律性の概念と完全に合致する。[17]

このような匿名になる権利には、未来に意識を向けて、なりたい自分になる権利も含まれている。すなわち、自分は何者であり、どのような人になりうるかについて、記録を通じて真実を規定するような個人史の痕跡やその全体化効果にとらわれない権利である。このとき、記録は、アーカイブ化された情報のなかに存在することによって、あるいは存在しないことによって、自己認識における重要な存在論的役割を担う。[18]グーグルに関して言えば、それは特定の関心のために組織された特定の意図をもつアーカイブではないものの、デジタルな活動に関して最も遍在的かつ強力な記録保持者の一つとして機能している。グーグルは、私たちの検索、質問、好奇心、思考を記録しているのだ。したがって、グーグルの文脈では、記録には終わりがない。最近グーグルがユーチューブに掲載した動画[19]によれば、同社のデータセンターは、個人情報のコピーを少なくとも二つのサーバーで保存しており、「より重要なデータ」をデジタルテープに残しているという。この動画では、どのようなデータが最重要とみなされているのかは説明されず、どれくらいの期間にわたってグーグルのサーバーにデータが保持されるのかも述べられていない。データストレージの管理方法についてのグーグルの説明は、多くの点で、ウェブ2・0のトランザクションにまつわる問題――クレジットカードの保護、あるいはインターネットを介して送信され、オンラインでの金融取引や機密性の高いやり取りに使われる可能性もある重要な情報〔社会保障番号やパスワード〕など――の繊細な部分について取り上げ、それ〔に対する不安〕を鎮めようとするものである。

グーグルのサイトには次のように記されている。

あなたのデータを保護します

各ユーザーのデータを一台の、あるいは一揃いの機械で保存するのではなく、すべてのデータ――私たち自身のデータも含め――を、さまざまな場所の数多くのコンピュータに分散させています。それから、データを塊（チャンク）に分け、複数のシステムに複製することで、単一障害点〔システムの構成要素のうち、その箇所が停止するとシステム全体が停止するような箇所〕を回避します。さらに安全性を高めるために、これらのデータの塊には無作為に名前をつけ、人間の目では判読できないようにしています。

あなたが作業している間、サーバーは自動で重要なデータをバックアップしています。そのため、コンピュータの故障や盗難といったアクシデントが起きたとしても、数秒で復旧することが可能です。

さらに、私たちは、データセンター内の各ハードドライブの位置と状態を徹底的に監視しています。ハードドライブが寿命を迎えたときには、複数の段階からなる徹底的なプロセスを通じてそれらを廃棄し、データへのアクセスを防止しています。

24時間体制のセキュリティチーム

専任の情報セキュリティチームが、境界防御システムのメンテナンス、セキュリティ審査プロセスの策定、専用のセキュリティ・インフラの構築を行なっています。また、グーグルのセキュリティポリシーやセキュリティ基準の策定・実施においても重要な役割を担っています。

データセンター自体に関しても、物理的に常時保護するため、出入管理を行ない、警備員や監視カメラ、外周フェンスを設置しています。[20]

データ保護についてのグーグルの声明では、プライバシーとセキュリティに関して、データの削除や忘却を望む場合にどうなるのかについて言及されていない。実のところ、グーグルは次のように、アプリからデータを削除するとグーグルのサーバーからも消去されることを示唆している。

削除されたデータ

Google Appsのユーザーや管理者が、メッセージ、アカウント、ユーザー、ドメインを削除し、そのアイテムの消去を承認（「ゴミ箱」を空にするなど）した場合には、当該データは削除され、そのユーザーのGoogle Appsのインターフェースからはアクセスできなくなります。

その後、そのデータはグーグルのアクティブ・サーバーと複製サーバーから消去されます。グーグルのアクティブ・サーバーと複製サーバー上のそのデータへのポインタが削除されます。デリファレンスされたデータは、やがてほかのお客様のデータで上書きされます。[21]

しかし、これらの説明は、グーグルの製品を通じて記録が作成され流通する無数の方法や、私たちが自分自身の情報をコントロールできなくなっている状況には触れていない。最近、ダーリーン・ストームが『コンピュータワールド』誌に寄稿した記事では、クレイグスリスト（Craigslist）とイーベイから20台の携帯電話を購入した研究者たちについて紹介されていた。この研究者たちによれば、工場出荷時設定へとデータをリセットした後の携帯電話から、何千もの写真やメール、テキスト——フェイスブックで削除されたメッセージを含め——が見つかったという。[22] 個人情報の最も深刻な漏洩がみられたのはAndroidのスマートフォンで、それは個人情報の完全な消去を謳うグーグルのソフトウェアを使用した後のことであった。端末やインフラのレベルの個人情報は、忘れ去られることなく、容易に流通しうるのだ。

人間活動が記録され保存される方法は無数にあり、社会的忘却は、個人にとってだけでなく社会にとっても価値あるものである。〔ブランシェットとジョンソンが次のように論じているとおり、〕私たちはそれを公共的・社会的な財産と捉えるべきなのだ。

忘却がない世界、すなわちあらゆる行動が記録され、忘れられることがない世界は、民主的な市民の涵養に資するような世界ではない。換言すれば、あらゆる行為が永続的なものであり、後から想起されたり、悩みの種になったりするかもしれないため、何をするにも躊躇しなければならない世界だ。もちろん、その逆もまたしかりである。個人が、自分の行為の結果について長期にわたって責任を負わない世界では、〔忘却と〕同じくらい民主主義社会に欠かせない責任感が生まれないのだ。このように、適度な社会的忘却を実現することは、複雑なバランスを要する行為であり、責任を果たさせる必要性と「再出発」を認める必要性の間の緊張関係を常に伴う。[23]

忘却に対するグーグルの姿勢は、記憶と忘却に関するこれまでの考え方とはまるで対照的である。このことは、キングス・カレッジ・ロンドンのディクソン・プーン法律学校のナポレオン・クサンスリスが、個人が自身のデータプライバシーをコントロールする権利、すなわち「サイバー忘却の権利（right to cyber-oblivion）」を基本的人権の問題として理論化した重要な論文で指摘している。クサンスリスによれば、グーグルのプライバシー最高責任者ピーター・フライシャーは、サイバー忘却（つまり記録の完全削除（ワイピング））を「デジタルな泥を洗い流す、すなわち都合の悪いものを削除する権利を人々に与えようとする試み」[24]とみなし、反対している。実際、グーグルは、人々のあらゆる行為を記録することは、「たとえ痛みを伴うとしても」、人類の文化的記録に関わる問題なのだという立場をとってきた。[25]クサンスリスも、ブランシェットとジョンソンも、悪人、人々の信頼を裏切る者、悪意のある役人などがデジタル記録から自身の行ないを削除しようとしても、それが必ずしも認められないことが重要だと論じている。これが、記録からの情報の削除に対してグーグルがとってきた基本的な姿勢である。とはいえ、グーグルはアルゴリズムの変更を求めるプレッシャーに応じるようになってきている。2012年8月10日、グーグルは自社のブログで、著作権侵害に関する正当な申立てがなされたウェブサイトについてはランキングをさらに引き下げると発表した。[26]グーグルは、この変更により、ユーザーはウェブ上のより信頼性が高い、正当なコンテンツを見つけやすくなるはずだと示唆した。この決定は、有力なメディア企業――その多くはグーグルの広告顧客である――から多大な称賛をもって迎えられた。これらの企業は、自社の著作物が優先的に表示されること、そして海賊版がグーグルのウェブ検索結果で目立たなくなることを望んでいるのだ。

＊＊＊

デジタル記録に残る私たちのあらゆる行動が、永続的あるいは個人の生涯にわたって影響を与え続けるほど長期間保持されることによって、多くの厄介な問題に対処しなければならなくなっている。プライバシーやアイデンティティの所有権はグーグルのような商業的なウェブ空間のなかで構築され、グーグルは記録を支配している。個人や集団はグーグルのアルゴリズムを通じて記録され、検索結果の表示は明らかに機会主義的で収益性を優先させたものとなっている。「忘れられる権利」法では、ウェブ上で公になっている記録（ウェブサイト、画像、音声ファイルなど）の管理に多大な関心が向けられているものの、グーグルが収集しアーカイブ化している情報のうち公に見ることができないものにもより注意を払う必要があるのだ。このような記録は、グーグルの製品開発と消費者体験の向上に欠かせないものとされている（グーグルのプライバシーポリシーを参照）。しかし、グーグルの記録保持は、同社がネットワーク化されたサービス全体で共有される情報を顧客に提供してきたことに端を発しており、その顧客には、アメリカに拠点を置く国家安全保障機関やグーグルの商業的パートナーが含まれている。アメリカの情報サービス産業におけるグーグルの独占状態を背景に身元情報や活動記録がインターネット・インフラを通じてアーカイブ化されている方法について、公には見えないものも含めて一層の注意を向ける必要がある。記録保持者（この場合、グーグルのような民間企業）と記録される人々の間の権力格差は、必然的に乗り越えがたいものとなっている。グーグルの権力は、同社がデータ収集や違憲のプライバシー侵害にあたる業務をアメリカ政府から委託され代行していることによって強化される一方である。[27]

このような議論を深めていくことの目的は、グーグルの新自由主義的なコミュニケーション戦略を理解し、それに名称を付すことにある。この戦略は、監視を通じた一般市民の記録保持についての言及を避けたりそれを隠したりするためにグーグルが用いているもので、とりわけ同社のプライバシーポリシーや、「忘れられる権利」をめぐる公共政策への対応に見てとることができる。プライバシーや忘れられる権利をめぐる状況をグーグルが支配し、かつ同社がその問題から逃れていることによって、脆弱な立場の人々への危害は増大している。すでに論じてきたように、グーグルは、ある局面では、女性や女の子の性的な情報をアルゴリズム上で優遇し、人々を食い物にするような誤表象を優先させることに加担している。それが利益を生むからだ。また別の局面では、私たちの記録を第三者に提供している。「忘却の権利」法は、人々が知る権利をもつ、現実世界の人間活動の記録を不当に変質させるものだ、とグーグルは一貫して主張してきた。ところが最近のイギリスのメディアによるリークで明らかになったのは、削除リクエストは、何らかの公益に対する責任を回避しようとする公人たちによるものというよりはむしろ、より個人的で一般の人々に関係するものであるということだ。

2015年7月14日、『ガーディアン』紙は、「オンラインの情報へのリンクの選択的な削除をグーグルに求める個人のリクエストおよそ22万件のうち、犯罪者、政治家、著名な公人に関するものは5％に満たない［……］95％超は、一般市民からの依頼である」と報じた[28]。新たに明らかになったこの事実がなぜ重要かといえば、「忘れられる権利」に基づくリクエストの性質についてのこれまでのグーグルの報告書は、同社の記録からの情報削除のプロセスが不透明であるために、誇張されていたり不明点があったりしたからだ。ラトガーズ大学の法学の教授エレン・P・グッドマンとケンブリッジ大学法学部の研究者ジュリア・パウルスが執筆したレターにおいて、80人以上の研究者がリクエストの性質に関する情報を要求していたにもかかわらず、こうした状況が続いていた[29]。グーグルへのオープンレターにおいて、この研究者たちは、グーグルをはじめデータ保護に関する判決の影響下にあるすべての検索エンジンから情報を取り除く権利が一般市民にはあると主張したうえで、さらに次のように述べている。

グーグルをはじめとする検索エンジンには、個人のプライバシーと情報へのアクセスの間の適切なバランスについて判断することが求められてきた。このような決定の大多数は、世間の目にさらされることはないが、世論を左右している。さらに、このプロセスで作用している価値観は、世界中の情報政策に反映されるであろうし、反映されるべきである。RTBF〔忘れられる権利〕についての事実に基づかない議論は、誰のためにもならないのだ。[30]

忘れられる権利を背景にした、ウェブ上のコンテンツへの異議申立ては、個人情報や過去の行為の記憶をウェブから消去することだけにとどまるべきではない。忘れられる権利には、一般に閲覧できるものか否かにかかわらず、グーグルがアーカイブ化して第三者と共有している、あらゆる記録について確認することが含まれなければならない。

忘れられる権利についての議論は、公共圏という不安定な概念に基づいて組織された社会的・公的生活に対する新自由主義的な支配・侵犯に対抗するという枠組みのなかで主になされてきた。研究者たちのレターにおける削除リクエストの透明性を求める声に表れているのは、透明性という信条のもと、事実に基づいた情報志向の証拠収集を重んじる姿勢である。これは、グーグルの記録においてプライバシーはどのように機能するべきかという問題に関して明確で思慮深い判断をするために必要なものだ。社会生活の記録を誰が管理するのか、そうした記録はどうすれば忘れ去られるのかという

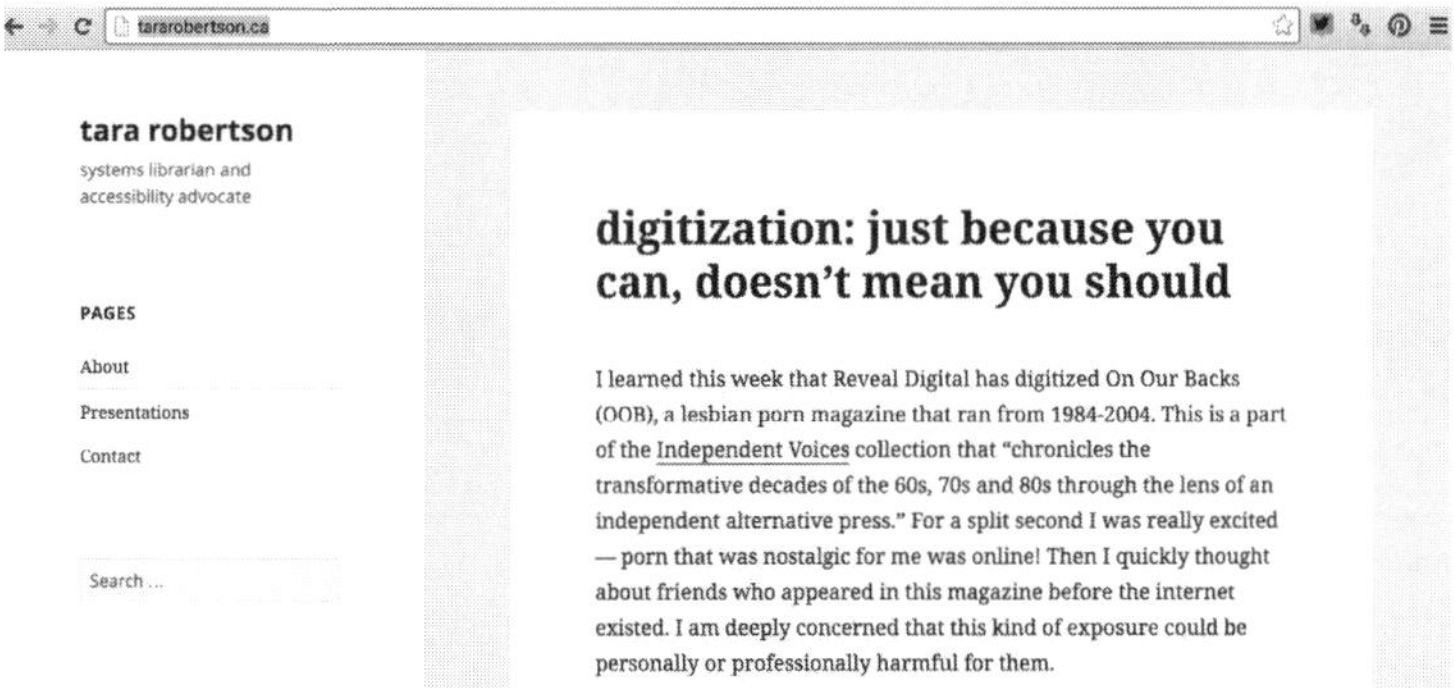

tararobertson.ca

tara robertson

systems librarian and accessibility advocate

PAGES

About

Presentations

Contact

Search ...

digitization: just because you can, doesn't mean you should

I learned this week that Reveal Digital has digitized On Our Backs (OOB), a lesbian porn magazine that ran from 1984-2004. This is a part of the Independent Voices collection that "chronicles the transformative decades of the 60s, 70s and 80s through the lens of an independent alternative press." For a split second I was really excited — porn that was nostalgic for me was online! Then I quickly thought about friends who appeared in this magazine before the internet existed. I am deeply concerned that this kind of exposure could be personally or professionally harmful for them.

図4-1　公開されることを意図していない、慎重な取り扱いを要する情報をデジタル化しないように図書館員に求める、タラ・ロバートソンによる呼びかけ〔「デジタル化――可能であるからといって、すべきとは限らない」〕

問いは、アメリカにおいてより積極的に論じられるべきである。こうした問いは、誰がアイデンティティ・マーカーを所有できるのか、そして個人とコミュニティの両方のレベルでいかにしてアイデンティティ・マーカーを取り戻すことができるのか、という問題とも明確に結びついている。

図書館員や情報学の専門家たちは、こうしたプロジェクトに特に深く関与している。2016年、図書館員タラ・ロバートソンは、すべての情報がデジタル化されてオープンウェブで公開されるべきではない理由について、同業者たちに向けて重要なブログ記事を執筆した。ロバートソンが指摘したのは、人々は閉ざされたコミュニティのなかで資料、考え、コミュニケーションを共有しているということだ。その一例が、今日のようにウェブ上のコンテンツが主流化・商業化される以前、1984年から2004年にかけて限られた部数だけが流通していたレズビアンのポルノ雑誌『オン・アワー・バックス（*On Our Backs*）』のデジタル化のケースである。人々がこの雑誌に参加していたのは、インターネットがまだ存在せずデジタル化によって資料が公開される可能性がない時代のことであった。[31] ほかの多くの研究者と同様、ロバートソンも、何がデジタル化されウェブで公開されるべきか、何が共通の価値観をもったコミュニティに属し、コミュニティ内でのみ共有されるべきかという重要な倫理的問題を提起している。

クィア・ポルノの製作者たちと話をしてわかったのは、元モデルのなかには、現在は小学校教師、聖職者、教授、保育士、弁護士、整備士、医療従事者、バスの運転手、図書館員として働いている者もいるということだ。私たちは、同性愛嫌悪的でセックス・ポジティブではない社会で暮らし、働いている。図書館員には、このコンテンツを〔もともとの〕狙いと制作に携わった人々の両方に配慮しながら管理する倫理的義務があるのだ。[32]

『オン・アワー・バックス』には重要な歴史がある。同誌は女性によって運営された初のレズビアン・エロティカ雑誌とされており、その雑誌名は、しばしば反ポルノを掲げていた第二波フェミニズム期の新聞『オフ・アワー・バックス』の気の利いたもじりである。『オン・アワー・バックス』は、1970年代から90年代にかけての主流のフェミニストやゲイの解放運動からは締め出されることも多かったレズビアンたちのためのセックス・ポジティブな空間となっていた。ロバートソンが訴えているのは、周縁化されたコミュニティの参加者たちが、自らが制作したコンテンツをはるかに広い範囲、かつコミュニティの外側の読者たちに流通させるための意思決定に参加できない場合に生じる、倫理的な懸念である。これは情報従事者(インフォメーション・ワーカー)が直面している問題の一つであり、一般大衆への公開を意図していない地球上のあらゆる地域の先住民族の知識のデジタル化や、本人のコントロールを超えて流通する個人の表象をめぐる問題とも通底している。あらゆるものが文脈から引き離され、制御できない形で世間の目にさらされることの長期的な影響は看過できない。

　最終的に求められているのは、深層学習アルゴリズムないし人工知能が社会にもたらす有害な影響を示す研究に裏打ちされた、規制の強化である。公平を期して言えば、これはグーグルだけの問題ではない。数多くの機関や企業に及ぶ、複雑な問題なのだ。ディラン・ルーフによって示された凶悪な影響――アフリカ系アメリカ人についての誤った概念の検索が、人種間戦争を引き起こすという彼の試みに影響を及ぼしたと考えられること――にはじまり、訂正がほとんど不可能な形で個人やコミュニティに関する情報がオンラインに存在している状況、最も高い値をつける者によってアイデンティティが所有されることにいたるまで、規制されていない商用検索エンジンが引き起こす数々の深刻化する問題に公共政策は対処しなければならない。公共政策以外のアプローチで言えば、ウェブインデックスのデザインを図書館員・情報機関・情報従事者が主導して新たに構想し、情報を文脈化する私たちの能力を根本から変えていくこともできるだろう。これは、商用検索という新自由主義的資本主義のプロジェクトを不明瞭なままに放置せず、その透明性を著しく向上させることにつながるはずだ。

第5章

社会における知識の未来

大学キャンパスにおける学生の抗議活動は有色人種の学生への支援拡大の機運を高めてきたが、ある一つの要求は国の政策の争点となり、２０１６年の夏にはアメリカ議会図書館の予算が脅かされる事態にまで発展した。２０１４年2月、ダートマス大学の学生連合が「ダートマス自由予算計画――ダートマスにおける変革的正義のための条項（The Plan for Dartmouth's Freedom Budget: Items for Transformative Justice at Dartmouth）」（「自由計画」）[1] を提出した。この計画には、「ダートマス大学が認可する資料〔たとえば、学生や職員向けのハンドブックが挙げられている〕や場所において、「不法滞在外国人（illegal aliens）」「不法移民（illegal immigrants）」「不法入国者（wetback）」など、人種的な問題をはらむあらゆる用語の使用を禁止する」という条項が含まれていた。また、この計画は「図書館の目録検索システムにおいて、移民に言及する際に「不法」ではなく書類不所持（undocumented）という言葉を用いる」ことも求めていた。『ライブラリー・ジャーナル』誌でこの件について報告したリサ・ピートは、次のように述べている。

> 件名標目の差し替えは、2年間にわたる草の根のプロセスが結実したものであった。この運動は、２０１６年の卒業生メリッサ・パディーリャが、２０１３年にダートマス大学のベーカー・ベリー図書館でレポートのために書類不所持の学生について調べ物をしていた際、不適切に思われる検索語にはじめて気がついたことに端を発する。パディーリャがＬＪ〔ライブラリー・ジャーナル誌〕に語ったところによれば、研究・指導サービス図書館員ジル・バロンの協力を得ながら作業を進めるなかで、目を通したほとんどすべての論文や書籍が「不法滞在外国人（Illegal

aliens)」という件名標目で分類されていることがわかったという。[2]

ダートマス大学の図書館員たちは、アメリカ議会図書館への請願に深く関わるようになった。ピートによれば、「バロン、デサンティス、そして研究・指導サービス図書館員エイミー・ウィッツェルは、資料を集めて、「不法滞在外国人」が適切な用語ではないことを証明し、より好ましい用語——当初の差し替え案であった「書類不所持移民」など——が一般的に使用されている証拠を見つけることを学生たちに提案した。その時点で、ＡＰ通信、ＵＳＡトゥデイ、ＡＢＣ、シカゴ・トリビューン、ＬＡタイムズなどの報道機関は、個人を形容する際に「不法」という言葉を使わないことをすでに表明していた」。[3] ２０１５年には失敗に終わったものの、この図書館員たちによるアメリカ議会図書館への訴えは支持を集め、セントクラウド州立大学の図書館員で教授のティナ・グロスは、アメリカ図書館協会の協議会や委員会に働きかけ始めた。彼女がアプローチしたのは、主題分析委員会や社会的責任会議、さらにラテン系アメリカ人やスペイン語話者のための図書館サービスを提唱するREFORMAなどである。「#DropTheWord〔その言葉を外せ〕」や「#NoHumanBeingIsIllegal〔不法な人間はいない〕」といったツイッター・ハッシュタグのもと、ソーシャルメディア上のキャンペーンも続いて起こった。[4] ２０１６年３月29日には、ダートマス大学の学生主導の組織「移民改革・平等・ドリーマーズ〔「ドリーマー」とは、幼少期に親に連れられてアメリカに入国し、正規の書類をもたずに滞在している移民の若者たち。強制送還を免除し、合法的な滞在許可を与えるなど、ドリーマーたちの救済を目指す「ドリーム法案（Development, Relief, and Education for Alien Minors Act）」が幾度も提出されてきたが、成立にはいたっていない〕連合（Coalition for Immigration

Reform, Equality, and DREAMers, CoFIRED)」がプレスリリースで、大学の図書館員やアメリカ図書館協会と連携しての2年間の闘いの末、「アメリカ議会図書館は件名標目の「不法滞在外国人」を「非市民（noncitizens）」や「無許可移民（unauthorized immigrants）」に差し替えることになった」と発表した。[5]

「不法滞在外国人（イリーガル・エイリアン）」再考

書類不所持の移民たちの再分類をめぐる闘いは、社会の成員を問題のある人々として名づけようとする長い歴史の一部であった。「不法滞在外国人」という言葉を取り除こうとするこの取り組みは、かつてアメリカ議会図書館によって「ユダヤ人問題（Jewish question）」に分類されていたユダヤ人がその後1984年に「ユダヤ人（Jews）」に再分類されたこと、またアジア系アメリカ人がかつて「黄禍（Yellow Peril）」として分類されていたことと多くの点で類似している。[6] アイデンティティをめぐるコントロールは政治的であり、ときには公共政策の問題となる。2016年4月13日、〔件名標目の〕変更が認められるとほぼ同時に、下院の共和党議員らはダイアン・ブラック下院議員（共和党・テネシー州選出）発案のHR4926、通称「アメリカ議会図書館における党派的政策の阻止に関する法案」を提出した。端的に言えば、この法案は議会図書館の予算を脅かすものであった。ブラック議員は、アメリカ議会図書館件名標目表（LCSH）を変更する取り組みは「左翼の特殊利益団体の気まぐれに屈し、不法移民がわが国の経済・国家安全保障・主権にもたらす重大な脅威を覆い隠そうとする」[7]ものだと主張したのである。

人々が概念化され表象される方法をめぐる闘いはいまも進行中であり、アメリカ議会図書館のような機関や、グーグル検索を所有・管理するアルファベットのような企業の枠を超えて広がっている。カリフォルニア大学ロサンゼルス校の情報学の教授ジョナサン・ファーナーによれば、アメリカ議会図書館のような国が支援する組織からインターネットにいたるまで、情報機関やシステムは「支配集団のイデオロギーの正当化」に加担し、有色人種に不利益をもたらしている。[8] たとえば、デューイ十進分類法（DDC）システムについての彼の事例研究は、人種や文化に関する問題含みの概念化や、図書館と分類体系を「脱人種化（deracialize）」させようとする取り組みを明るみに出した。[9] ファーナーは、批判的人種理論を理論的・方法論的な指針として用いながら、〔次に抜粋するように〕これらの問題にどのように取り組むかを考えるための戦略をいくつか提示している。これらの戦略は、本書で扱う情報学の問題について考えるうえできわめて有用なものである。

・分類体系には偏見が存在すること、それは現在の分類体系の構成方法に必然的に付随するものであることを設計者の側が認める
・中立性という方針に固執することは、偏見の根絶にはほとんど寄与せず、むしろ延命させるだけだということを認識する
・人種的に定義づけられた特定の集団に属する図書館利用者の感情・思考・信条を表現するナラティブを構築・収集・分析する[10]

ウェブインデックス化のプロセスはDDCのような分類システムと同じではないものの、この理論的モデルの応用はなお有効である。それは、情報資源において人種主義・性差別がデフォルトの規範となっている状態に積極的に介入しうるようなアルゴリズムやインデックス化モデルを編み出すために役立つはずだ。

人々の分類がはらむ問題

社会的構築物としての分類という考え方は、目新しいものではない。A・C・フォスケットは、分類法作成者（classificationist）は時代の産物だと述べている[11]。ブリティッシュコロンビア大学のニコラス・ハドソンは、18世紀の人種分類の起源についての研究で、ベネディクト・アンダーソンの用語を引用しつつ[12]、ヨーロッパ人は啓蒙時代に「想像の共同体」を構築し始めたと指摘している。ハドソンいわく、「「一般意志」や国民的「精神（ソウル）」を共有する、同じような考えをもつ個人の共同体という心的イメージは、印刷文化の普及によって国語が安定し、共通の文学的伝統に広くアクセスできるようになったことで可能になった」[13]。分類システムは、人間と社会を理解するための科学的アプローチの一部であり、そのようなシステムを普及させる力をもつ人々に有利に働く権力のバイアスをはらんでいる。印刷文化の発明によって情報分類体系の必要性が加速し、それらはしばしば大衆的・学術的・科学的な著作物の広がりとともに発展してきた。(14) 民族や国に関するかつての考えに基づき、先住民族を「野蛮人」とする科学的分類を打ち出し、ヨーロッパ人は「優れた人種」であると主張する過去の著作の痕跡が、18世紀に表面化し、体系化され始めた。18世紀から19世紀にかけて北米で人種分類が差別化のパラダイムとして出現し、ネイティブ・アメリカンやアフリカ人の社会的・政治的生活からの排除を助長してきた歴史的経緯については、これまで詳細に論じられてきた。

19世紀には、人種分類の形成に関わるプロセスは、文化的差異ではなく生物学的差異に主眼を置くものとなり、財産所有権や市民権を法的に否定するために体系化された。このような歴史的実践が人種分類の形成を支えており、それは分類システムの前提になっていると同時に正当化されている。このようなシステムの発展において作用している歴史的な力を検証しなければ、アフリカ系の人々が繰り返し周縁に位置づけられてきたことについては批判的に検討されないままである。このプロセスは、目録や分類体系をはじめとする情報ヒエラルキーによって〔情報や知識を〕優遇したり下位に位置づけたりする、知識の組織化においてみられるものである。図書館学の分野は、人間の組織化に加担してきたのであり、社会の一部の集団に特権を与え、ほかの集団を犠牲にすることで権力を存続させてきたことに対して批判を受けてきた。

主題目録法や分類といった伝統的な図書館情報学（ＬＩＳ）の組織化システムは、情報科学が現在のシステム設計、とりわけウェブにおいて偏見をはらんだ実践を継承・継続させている状況について理解するうえで重要な役割を担っている。

ＬＩＳには、カルチュラル・スタディーズやフェミニズム研究とより深く関わり、学際性を高めていく余地が豊富にある。というのも、こうした社会科学の分野は、人々に関する情報の強力かつ重要な社会的文脈を提供しており、それは当該の情報がどのように組織化され、利用できるようになるのかを理解するために役立つからだ。今日にいたるまで、情報の組織化・保存や検索プロセスに対する関心の多くは、第二次世界大戦と冷戦に由来する科学的研究の必要性から影響を受けてきた。そして、さらに重要なことに、そこから資金を得てきたのだ。[15] この分野において批判的人種理論の立場をとることは、ＬＩＳの分野全体の中立性と客観性についての信念を検証し、人種主義的な分類と知識管理の慣行の廃止を目指すことを意味する。このような立場は、周縁化された集団についての知識を組織化し、それにアクセスするための新たなアプローチを構築していくうえで重要な貢献となるはずだ。

記録されている情報に効率よく適切にアクセスできるようにするという情報検索の優先事項が、データベースからウェブ検索エンジンにいたるまでの技術的システムの開発の指針になっているのならば、アメリカの人種化された人々や女性に関する情報を特徴づける、際立ったデータマーカーとは何なのか？　主に情報科学の分野で、そしてそれほどではないものの図書館学の分野でも欠けているのは表象の問題である。これが最もよく探究されているのはアフリカ系アメリカ人研究、ジェンダー研究、コミュニケーション研究の分野であり、デジタルメディア研究の分野においても取り上げられることが多くなってきている。情報の組織化は、特定の利益に資するような社会政治的・歴史的プロセスの問題なのだ。

人々の分類における誤表象の小史

グーグル検索の人種・ジェンダー表象において、ほかの組織化システムに存在するものと同様の伝統的な偏見がどのように表れているのかを理解するためには、情報の分類に際して女性や非白人が歴史的にどのように表象されてきたのかを概観する必要がある。分類システムにおける女性や有色人種の誤表象の問題は、かなりの批判を集めてきた。[16] ウィスコンシン大学ミルウォーキー校情報学部の副学部長で教授のホープ・A・オルソンは、分類の社会的構築に関する最も重要な理論の一つを編み出した。この分野の教員の多くが、図書館・博物館や情報の専門家たちが握っている権力についての意識を醸成するために、彼女の研究について学生たちに教えている。分類システムや技術的システムを設計する権力をもつ人々は、特定の情報をほかよりも優遇するような階層構造を優先させることができる。このようなバイアスの例として、アメリカ議会図書館件名標目表（ＬＣＳＨ）の人々に関する主題目録が挙げられる。ＬＣＳＨは、アメリカの図書館で情報を分類するための基礎的かつ権威的な枠組みとして機能している。ＬＣＳＨが偏見をはらんでいることはこれまでも指摘されており、急進的（ラディカル）な図書館員サンフォード・バーマンは、このバイアスが西洋の視点を反映したものであることを詳細に論じている。

60年前にアメリカ議会図書館件名標目表の第１版が公表されて以来、アメリカをはじめとする各国の図書館は、主題目録法の最大の権威として――ときには唯一の根拠として――このリストへの依存を強めてきた。労力を節約し、悩みの種を減らすこのようなリストの実用的な必要性について、また抽象的ではあるがグローバルな標準化をもたらす、すなわちこれがなければ混沌としてしまう領域にある程度の統一性をもたらす手段としてのLCSHの価値について異論の余地はない。[……]しかし、人間や文化――要するに、人間性(ヒューマニティ)――を扱う標目の領域においては、アメリカ議会図書館のリストが「満足」させられるのは、偏狭で自国優位主義的なヨーロッパ人と北米人、つまり肌の色が白く、少なくとも名目上はキリスト教徒(できればプロテスタント)で、中流階級以上に安住し、主に郊外に居を構え、基本的に既成の秩序に忠実で、西洋文明の卓越した比類のない栄光に大いに染まっている人々だけである。[17]

LCSHは最終的には、「黄禍」や「ユダヤ人問題」といった呼称を廃したり、「人種問題」「ネグロ」を「人種関係」「アフリカ系アメリカ人」に変更するといった形で目録の用語を差し替えたりした。[18]しかし、このような標目の制定と、それらを取り消すためのその後の10年に及ぶ闘いは、西洋的な人種的偏見についてのバーマンの指摘を裏づけるものであった(実のところ、1970年代に図書目録への反人種主義的介入を求め、この分野を率いたのはバーマンであった)。人種主義と同様に、家父長制も、LCSHにおける組織化の基本的な観点となってきた。女性が分類される方法も決して適切なものではなく、たとえば、現在望ましいものとされる「女性会計士(Women Accountants)」の代わりに「会計士の女性(Women as Accountants)」といった標目が用いられていた。女性は、主題の領域で前提とされている男性性に対して常に異常な存在だったのだ。[19]

さらに、周縁化・抑圧されている集団の視点から自己アイデンティティを確立しようとする取り組みについてみると、たとえばロマないしロマニの場合、ＬＣＳＨにおけるかれらの項の「をも見よ（see also）」の参照先からようやく「浮浪者（rogues and vagabonds）」が削除されたとはいえ、[20]「ジプシー」というスティグマ的な分類から逃れることはできていない。「アジア人」ではなく「東洋人（Oriental）」が用いられる、宗教的ヒエラルキーの頂点にキリスト教が位置づけられ、そこから外れるものは、程度の差はあれ、いずれも「原始的」なものとして分類されるなど、問題のある命名規則はほかにも数多く存在しており、アイデンティティをめぐって人間集団を適切に呼称・分類するためになすべきことはまだあるのだとわかる。[21] オルソンは、「分類における偏見の問題は社会的構築物としての分類の性質と結びつけることができる。それは、分類をつくり出す文化と同じ偏見を反映しているのだ」[22]と述べている。このような偏見はオフラインの情報実践でもしばしば見られ、たとえば征服は、ある王朝や文化の歴史を後続の政権が抹消する機会となってきた。[23] オルソンの研究は、分類が、従属的な文化や集団のものよりも、支配的な文化の哲学的・思想的前提を色濃く反映していることをすでに示している。たとえば、伝統あるデューイ十進分類法（ＤＤＣ）では、ほかの宗教のテキストや文献のほうが数で上回っているにもかかわらず、宗教セクションの８割以上がキリスト教のみにあてられている。[24] オルソンは、アメリカ議会図書館分類法（ＬＣＣ）の法律に関する巻において北米とヨーロッパ諸国への偏りがみられ、アジア、ユーラシア、アフリカ、太平洋地域、南極に割かれる紙面がはるかに少ないのは、権力者の言説を反映し、ほかのあらゆる事物を周縁的なものとみなしているからだと指摘している。[25]

オルソンはこの点に関して、分類体系で提示される情報の秩序は「（概念間の）関係性のうち最も主流のバージョンを反映する傾向がある」と論じている。というのも、「分類構造は社会における最も強力な言説によって形成される」からであり、「その結果、主流から外れる概念は周縁化されることになる」[26]。つまり、社会における最も主流の支配集団（白人、異性愛者、キリスト教徒、中流階級など）は、正当な知識の構成要素を組織化するにあたって、自らを特権化し、ほかのすべてを矮小化したり抑え込んだりするのだ。特権の継承は、過去の構造的不平等を前景化させる巨大な知識体制（レジーム）に依拠しており、公文書館・博物館・図書館に保存された膨大な量のテキスト・画像・音声がそれを支えている。分類体系は、何が含まれ、何が除外されるかによってしばしば全体が規定されるため、一定程度の境界や限界を抱えていることはたしかである。[27] アメリカの図書館データベースの場合には、たいてい、ヨーロッパ中心主義が知識の規範に強い影響を与えている。情報監修（キュレーション）の中核を担うのは人間であるため、知識管理には既存の社会的偏見が反映されている。このような過去の慣行は現在の一部をなしており、すべてのコミュニティを反映し中心に位置づけ直すように知識の蓄積を修繕することへの徹底的かつ長期的な投資だけが、将来の平等と包摂（インクルージョン）に向けた変化をもたらすことができる。このプロセスには、凄惨な過去について隠蔽・矮小化するのではなく、それを受け入れることも含まれる。このように、私たちは、歴史に向き合い、和解と償いに向けて図書館・博物館を再編成することがまだ十分にできていないのだ。

ほかの情報データベースと同様に、検索エンジンも、ネットワーク内でインデックス化されたものに基づいた情報だけを提供するという境界・制約を抱えている。誰がネットワーク内で情報を提供できるのかによって、情報が見つかるのか、探している人のもとに表示されるのか否かが左右されることは明らかである。オルソンは、一部の言説は、たとえそれと紐づく集団が比較的小さいものであったとしても、より大きな力を伴って表象されると指摘している。

北米社会で、女性、アフリカ系アメリカ人、ヒスパニック系アメリカ人、フランス系カナダ人、先住民族、アジア系アメリカ人、レズビアンやゲイ、障害者、非キリスト教徒、労働者階級や貧困層などを取り除くと、残るのはきわめて小さな「核（コア）」である。このように重なり合うカテゴリーの複雑さは、論理積（Boolean AND）で限定された多くの集合をもつ巨大なベン図のイメージで表すことができる。白人かつ男性かつ異性愛者かつヨーロッパ系かつキリスト教徒かつ中流階級かつ健常者かつアングロサクソン系という主流派は、きわめて少数になり［……］各集合は、そうでないものを暗示している。このイメージが示唆するのは、あらゆる人間、あらゆる言説、あらゆる概念が同等の重みをもつわけではないということだ。一部の言説は、単純にほかよりも大きな力をもっている。[28]

教育が科学的根拠に基づく（エビデンス・ベースド）研究を基盤とし、知識が社会における解放の手段であるというのならば、どのような知識が広く普及しているのかを調査することはきわめて重要である。抑圧された人々がどのように表象あるいは誤表象されているかは、社会的・政治的・経済的公正を実現するための取り組

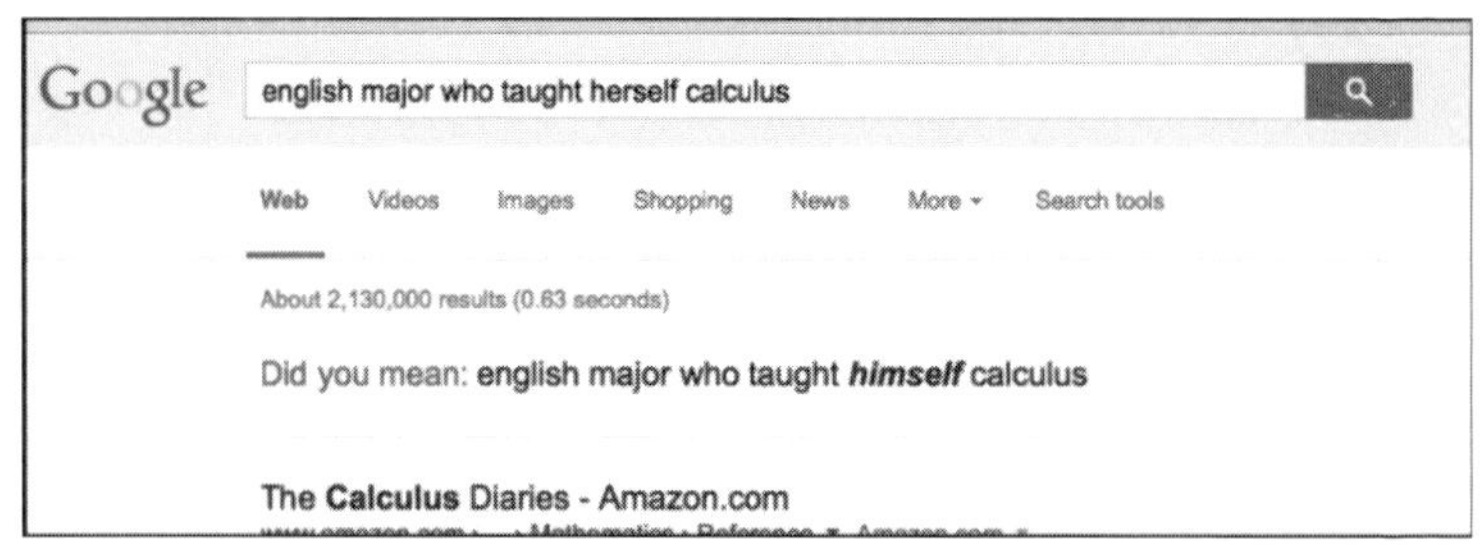

図5-1　グーグル検索で、「彼女自身（herself）」から「彼自身（himself）」への訂正が提案される。同僚から送られてきた検索画面（2016年6月16日）。

みに関わるうえで重要な要素である。

図書館のデータベースにおいてであれ、オープンウェブにおいてであれ、ジェンダー・人種・エスニシティに関わる概念を検索しても欠落した情報や誤表象しか得られないという状況が実際のところ何を意味するのか、私たちは自問しなければならない。文化的メタファーが分類体系の構築の基礎になっているというオルソンの見解は、このような文化的メタファーが「ユダヤ人問題」や「人種問題」といった概念に深く表れていることを意味する。こうした件名標目には、ユダヤ人や人種をめぐる問題についてのあらかじめ決まった答えと視点が見てとれる。敷衍すれば、「ユダヤ人」や「人種」を答えが出されるべき問題や論点として言い表すことは、目録作成者の側の視点を反映した行為であり、それらは、ユダヤ人や人種化された人の自身の捉え方とはかけ離れているのだ。この点において、人々やコミュニティを「問題」や「論点」として枠づける行為の責任を負っている、図書館情報学の専門家の文脈や視点が重要になる。アフリカ系アメリカ人研究の教授で哲学者のコーネル・ウェストは、知識体系のなかで黒人が具体的にどのように構築されてきたかを検証することで、黒人コミュニティが西洋でどのように描写されてきたかという位置性を巧みに言い表している。

問題を抱えた人々（people with problems）ではなく、問題の人々（problem-people）としての黒人。個人や人格ではなく、抽象概念や客体としての黒人。厚い壁（ないし「ベール」）で分断された黒人の世界と白人の世界［……］。白人の恐怖と不安を和らげるために隠蔽された黒人の激情・怒り・憤慨。そして、根なし草で帰る場所のない黒人は、「黒人は永遠の負け犬である」という考えに甘んじる社会のなかで、自分が何者であるかを発見するための終わりのない旅を続けるのだ。[29]

図書館学者ジョーン・K・マーシャルは、「N*ggers」が正当な主題カテゴリーであった頃、アメリカ議会図書館においてこの思想がどのように表れていたかを論じている。それはユーザーの「社会的背景と知的レベル」を反映し、抑圧的な人種関係を具体化するものであった。[30] このアメリカ議会図書館のケースにおいて、差異は、規範としての白人性と直接関係している。このことを誰よりも明確にしたのがバーマンであり、アメリカ議会図書館件名標目表についての彼の画期的な研究は、この分野のあり方を一変させた。ユダヤ人の事例においても人種表象の事例においても、それらの描写が社会的文脈と切り離せないものであることを彼は指摘している。

ユダヤ人のイメージは、好意的か否定的かを問わず、感情をかき立てるものであるため、彼［原文ママ」は一般化され、抽象化され、非人格化されなければならなかった。私的で個人的な事例が生き生きとした具体的な反証を示すことで、一般的な主張が否定される可能性は常にある。ユダヤ人は、大衆運動の引き立て役となるために、客体化されたシンボルに変換されて人間以外のものになる必要があったのだ。[31]

グーグルは営利企業であるため、同社の情報実践は、図書館のように公共の領域で機能する情報リソースとしてではなく、言論の自由および企業の言論に対する保護のもとに位置づけられている。これに代わる可能性としては、インターネット上の性差別的・人種主義的言論が人々に与えうる危害に鑑みて、広告主に配慮した企業の言論の自由の優先順位を見直すということが考えられる。批判的人種理論を採用する価値はここにある——言論の自由は、実際には中立的な概念ではなく、むしろ特定の形で用いられる場合には、少数の人々の利益のために多くの人々を沈黙させる概念になりうるのだ。

「ユダヤ人（Jew）」という言葉を検索すると白人至上主義的でホロコーストを否認するウェブサイトが表示されるという問題に対するグーグルの免責条項は、LCSHにおけるユダヤ人のアイデンティティ構築〔をめぐる問題〕と驚くほど似通っている。どちらのシステムも、ユダヤ人と非ユダヤ系のヨーロッパ人・北米人の関係がどのようなものであるかを反映しているのだ。ハイパーリンクやインデックスが図書館学の引用分析の慣行に直接的に由来していることを考えれば、これは驚くには値しない。ワールド・ワイド・ウェブのインデックス化の実践と、アメリカ議会図書館をはじめとする知識構造の伝統的な分類システムの間のこの結びつきは重要である。目録作成を人工知能やアルゴリズムに一任しているか、人間に委ねているかという違いはあるものの、どちらのシステムも人間の意思決定に依存している。情報システムにおける人々や文化の表象は、その対象が存在する社会的文脈を明確に反映する。検索エンジンの場合も、目録システムと同様、搾取や客体化の社会的文脈と歴史が明示的に考慮されることはなく、むしろそれらは否認されている。情報探索者が何を見つけることができるかは、目録であれウェブページのインデックスであれ、技術的システム、すなわち他者化を行なうシステム設計に媒介されている。ウェブの場合、旧来の目録作成および計量書誌学的な慣行が、現代のシステム設計に組み込まれているのだ。

図書館学の研究者らは、知識を発見可能なものにするために重要なのは、書誌と命名のコントロールであることを知っている。[32] そこで課題となるのは、知識の受け手は誰なのかを理解しようとすること、そして人々に発見されるように情報を命名・組織化することである。バーマンは、アメリカ議会図書館の主題目録作成の根底にある理念と、そうした慣行が組織的な偏見を反映しつつ受け手を形づくっていることに対するジョーン・マーシャルの批判を引用している。[33]「主流の読者」が規範として確立されており、アメリカ議会図書館の場合には、それは「白人、キリスト教徒（たいていプロテスタント）、男性」であることが多いのだ。実際、〔バーマンをはじめ〕こうした研究者たちは、分類体系が知識の組織化とアクセスに及ぼす影響に注意を向けている。このような周縁化作用をもつ情報管理システムについて考察するうえで特に重要なのは、アルジェリアの心理学者フランツ・ファノンをバーマンが参照していることだ。[34] ファノンは、人種主義的な目録作成の慣行を通じて起こる、文化的「洗

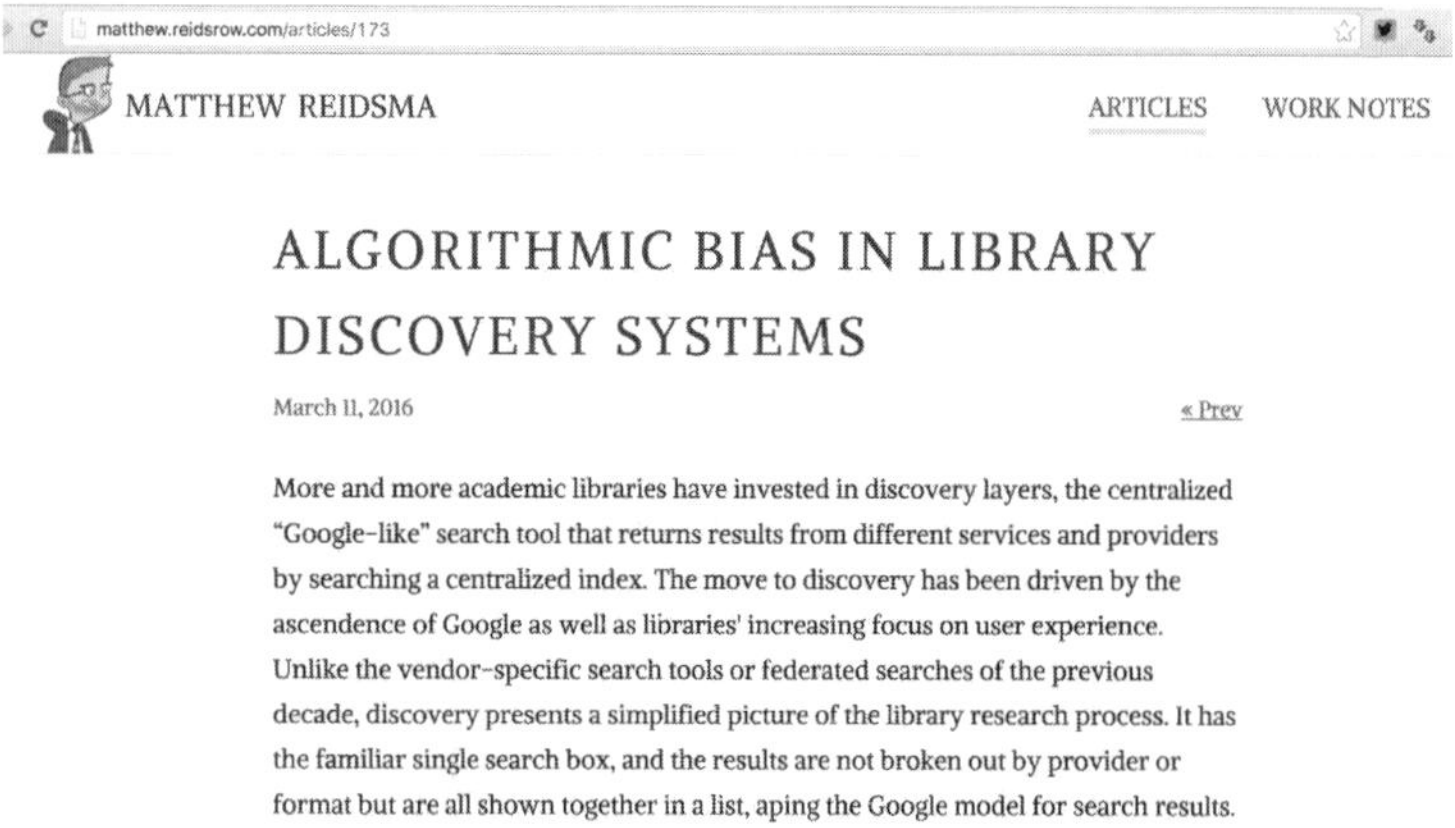

matthew.reidsrow.com/articles/173

MATTHEW REIDSMA　ARTICLES　WORK NOTES

ALGORITHMIC BIAS IN LIBRARY DISCOVERY SYSTEMS

March 11, 2016　« Prev

More and more academic libraries have invested in discovery layers, the centralized "Google-like" search tool that returns results from different services and providers by searching a centralized index. The move to discovery has been driven by the ascendence of Google as well as libraries' increasing focus on user experience. Unlike the vendor-specific search tools or federated searches of the previous decade, discovery presents a simplified picture of the library research process. It has the familiar single search box, and the results are not broken out by provider or format but are all shown together in a list, aping the Google model for search results.

図5-2　マシュー・レイズマは、図書館のディスカバリーシステムがはらむアルゴリズム的バイアスへの対処を同業者たちに呼びかけ、情報学の分野に変化をもたらそうとしている。
出典：Reidsma（2016）

脳」のメカニズムを明らかにした。バーマンが強調しているのは、人種的表象と人種主義の問題が言葉やイメージと深く結びついていること、そして目録作成の慣行には人種主義的な世界観が埋め込まれており、それが西洋の価値観および西洋人のイメージと優位性を強化している（すなわち、アフリカ系の人々よりも白人・ヨーロッパ人・北米人を優遇している）ということだ。最近、図書館実践者（ライブラリー・プラクティショナー）のマシュー・レイズマは、図書館のディスカバリーシステム（すなわち検索インターフェース）が商用のインターフェースと同様に問題を抱えていることについてブログを執筆し、この分野にとって重要な論点を提起した。このブログ記事で彼は、データベースはどのような限界を抱えているのか、ディスカバリーツールにはどのようなジェンダーバイアスが存在するのか、そして私たちが目にするような矛盾を解決するためにもたらされたイノベーションがいかに少ないかについて詳述している。[35]

図5-3　ArtStorで「黒人の歴史（black history）」を検索すると、ヨーロッパ人や白人アメリカ人の画家の作品がいくつも表示される（2016年3月2日）。最上位の検索結果は、トーマス・ウォーターマン・ウッドの作品である。

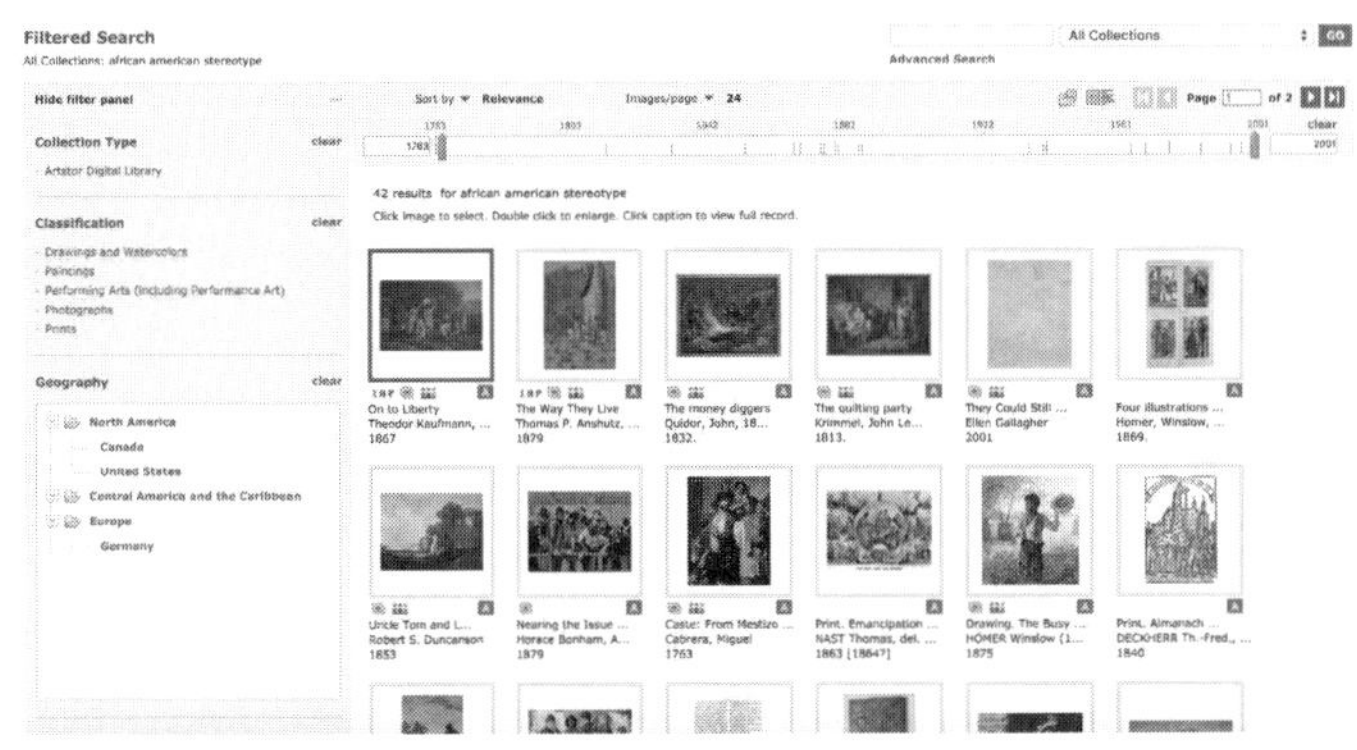

図5-4　「アフリカ系アメリカ人のステレオタイプ（African American stereotype）」の検索結果の一件目は、ドイツ人画家セオドア・カウフマンの『自由へ（*On to Liberty*）』（油彩・キャンバス）である。

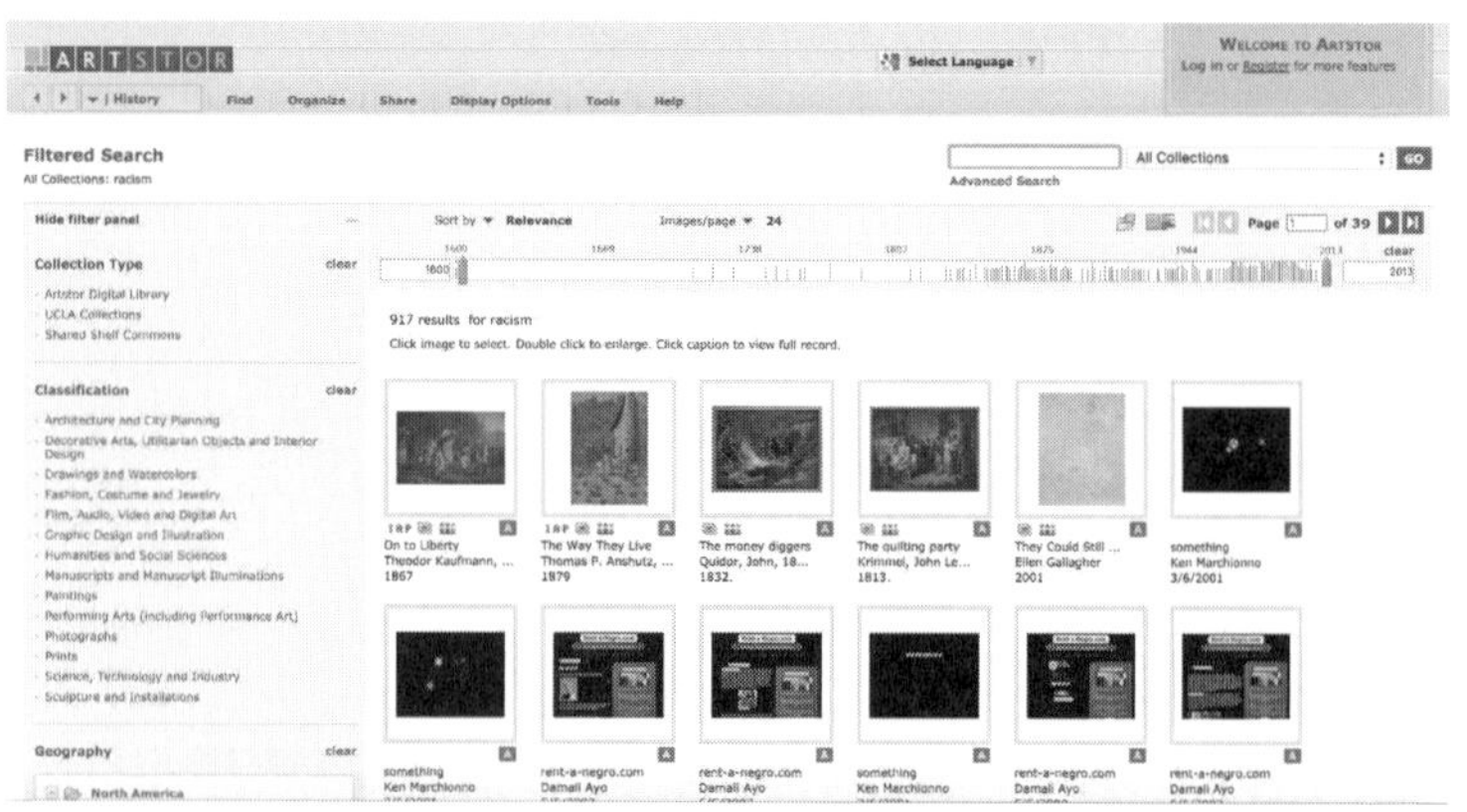

図5-5　アーティストのダマリ・アヨの風刺的なオンライン作品『レント・ア・ネグロ（*Rent-A-Negro*）』には、アフリカ系アメリカ人をお飾りにするリベラルな人種的イデオロギーへの批判が込められている。この作品は「人種主義（racism）」に分類されている。

図書館の情報管理ツールを検証するべきだというレイズマから同業者への呼びかけを受けて、私自身も主要な図書館データベースで検索を行なうことにした。大学図書館で利用可能な最大の画像データベースである「ArtStor」を調べたところ、そこでも問題含みのメタデータ管理の慣行が見つかった。明らかに、このような目録作成のスタンスは、人種について、あるいは情報に対する白人の人種的まなざしについて教えたり話したりすることを多分に嫌う、図書館学の分野の文脈においてこそ理解できるものだ。図書館情報学の授業で人種について教えることの難しさや、この分野における社会正義の問題をめぐる理論を取り入れ、情報従事者に教育することの重要性について、私は同僚とともにいくつかの論文を発表してきた。こうした目録作成における災難は、この分野におけるカラーブラインド・イデオロギーへの傾倒が招いたものだと考えられる。この分野は、人種化のシステムの複雑さについて熟慮する能力と準備に欠けているがゆえに、人々や、この場合は芸術作品のコンセプトに関する誤認の長期的な影響について批判的に考えるための枠組みを見つけることに明らかに苦戦しているのだ。

リアリティの源としての検索

実際のところ、ArtStorにおける不適切な検索結果は、図書館の主題目録や分類システムにおける誤表象の長きにわたる問題含みの歴史をのぞき見るための小さな窓にすぎない。こうしたシステムには、主流のアメリカ文化における問題のある表象が忠実に反映されているのだ。このような課題は、技術的実践に価値観がどのように埋め込まれているかを問うことでよりよく認識できる。技術的実践は、表象が形成される場である社会的現実をしばしば覆い隠してしまう。インターネットへのアクセス機構としての検索エンジンのインターフェースは、組み込まれた価値体系の関心事から影響を受けないわけではなく、公平でもない。また検索は、コンピュータ科学者やソフトウェアエンジニアが開発した、1兆ページ以上の情報をインデックス化してその一部をデータの山(パイル)からコンピュータ画面上の検索結果の最初のページに移動させるための特定の数学的アルゴリズムや深層学習以上のものである。画面上のインターフェースは情報のリアリティを提示するが、その演算処理(オペレーション)はますます不可視になりつつある。[36] メディア・コミュニケーション研究者アレックス・ギャロウェイは、デジタル技術は意見や道筋を提示するための透明で無害な窓や扉であり、それ自体は重要ではないという見方に疑問を呈している。実際には、デジタルインターフェースは言説を構築する物質的現実であり、歴史的関係性が埋め込まれており、多くの場合、遊戯的資本主義（ludic capitalism）の庇護のもとで機能しているという。そこでは、グーグルのようなきわめて重要なデジタルメディアプラットフォームのなかに、ある種の遊び半分の労働への従事が隠されている。[37]検索は単にページを表示するだけでなく知識を構築しており、商用検索エンジンから得られる結果は独自の物質的現実をつくり出している。ランキングもそれ自体が情報であり、検索エンジン企業が活動する社会の政治的・社会的・文化的価値観を反映しているが、こうした見方は従来の情報科学研究ではしばしば曖昧にされてきた。

さらに、新たなデジタルテクノロジーは旧メディアの言説の容れ物となることもあり、ウェブのインターフェース（平凡なグーグルの検索ボックスなど）は過去のメディア形態からの過渡的なフォーマットである。[38]商用検索エンジンのようなデジタルテクノロジーの場合、明らかにインターフェースはメディアそのものと一体となっている。グーグルに関して言えば、商用検索は単に無害なポータルやゲートウェイではない。実際には、それは社会的・歴史的な生産と組織化のプロセスに深く根差した商業的プロセスの産物ないし表れなのだ。ジョン・バッテルは、グーグルの歴史を丹念にたどったうえで、検索は企業によって集約された人々のニーズや欲望の産物だと評している。

1リンクごと、1クリックごとに、検索はひょっとすると人類史上最も永続的で、重々しく、重要な文化の産物（アーティファクト）、すなわち「意図のデータベース（Database of Intentions）」を構築している。意図のデータベースとは、端的に言えば、これまでに入力されたすべての検索、提示されたすべての検索結果リスト、その結果たどられたすべての道のり(パス)の集積である。[……]この情報は、ウェブ以降の文化の歴史をリアルタイムで表している。それはすなわち、欲望・ニーズ・欲求・好みを表す膨大なクリックストリーム・データベース〔ウェブサイトを訪れた閲覧者が、どのページをどのような順序で移動したかを記録したデータ〕であり、発見され、召喚され、アーカイブ化され、追跡され、さまざまな目的のために利用されうる。[39]

人工知能の発展にとっても、検索がきわめて重要であることは間違いない。多くの点で、グーグル検索は、情報の関連性・質をめぐる分類と意思決定の基礎として、人間による分類やウェブインデックス化の代わりにコンピュータ科学を用いようとする試みである。ヤフーや過去の検索エンジン企業は、人力による手法に大々的に投資したものの、それらは実装コストが高く、限界があり、リアルタイムでの反応に乏しかった。[40]

人々をめぐる情報に文脈をもたらす

狭義には、情報とは、数学・アルゴリズム・統計的確率によって表現される一連の信号とメッセージである。しかし、ラトガーズ大学の情報科学の名誉教授テフコ・サラセヴィックによると、情報は、より広い意味では「認知的処理と理解」を通じて構成される。[41]情報とユーザーの間には、人間の理解に依存する、きわめて重要な関係性がある。情報検索の文脈で注目すべきは、まさにこの点である。つまり、ユーザーに提供される情報は、深く文脈化されており、参照枠の内側に存在しているのだ。そのため、情報を組織化する人々の社会的文脈や情報組織化プロセスに内在する判断の潜在的な影響について研究することが重要になる。情報は文脈のなかで扱われなければならない。なぜなら、「情報は動機や意図を内包しており、それゆえ文化、仕事、喫緊の課題といった広範な社会的文脈や視野と結びついている」[42]からだ。これは、情報科学の起源、そして情報検索にとって本質的な事柄である。情報検索という実践は、高度に商業化された産業になったが、その土台となったのは連邦政府資金による実験と研究戦略であり、それがヤフーやグーグルのような収益性の高いベンチャーの形成につながった。情報の関連性に焦点を当てることは、この分野において重要であり続けている。情報科学は、本質的に図書館学の歴史と密接に関連しており、主に情報の収集・保存・検索・アクセス・利用に関心を向けてきた。サラセヴィックは「情報科学の領分は、記録された人間の知識の世界を伝達することであり、情報を知ることよりもむしろ情報の操作（表象、組織化、検索）に重きを置いている」[43]と指摘している。この指摘によって前景化されるのは、特定の種類の情報検索プロセスでは、検索エンジンで提示される表象が脱文脈化されているということだ。とりわけ、さまざまな制度的支配を通じてイメージ、アイデンティティ、社会的歴史が枠づけられる集団にとってはそれが顕著である。分類の取り組みには長きにわたる幅広い歴史的文脈があるものの、そのような伝統から学ぶことの重要性はいまだ十分に理解されていない[44]。

「人間の知識の世界」への着目は、情報検索の実践をこのように文脈化するうえで示唆に富んでおり、商用検索エンジンを利用する現行のウェブでの情報検索実践が、一部の情報を利用可能にしつつほかの情報を抑制している状況について探究することにつながる。現在、アイデンティティに関わる検索でどのような情報が表示されるかという点への注目から、それらが歴史的表象ないし人々を無力化するような表象をめぐる闘争という社会的文脈から切り離されていることが明らかになってきている。こうした批判は、テレビや印刷文化といったほかのメディア実践にも向けられてきた。検索で提示される情報について関連性が高いと人間が考えるか否かが、これまで一貫して情報の質に関する判断基準となってきたが、[45] ウェブベースの検索エンジンのような商業的プラットフォームにおける情報検索が個々の検索者に固有のものではないということについては十分に議論されていない。ウェブベースの商用検索エンジンは、ユーザーがどのような人物かを完全に「把握している」わけではない。また、商用検索エンジンは、ユーザーのデジタルな痕跡を通じて判別できることに基づいて類似していると考えられる人々〔の集団〕にユーザーを集約するものの、個人的・政治的な嗜好に合わせてすべてをカスタマイズするわけではないのだ。

文化的に状況づけられた情報をウェブで探す

図書館情報学の分野は、情報の分類・組織化の作業に深く関わっており、検索エンジンをはじめ優先順位をつけた結果を表示することに特化した情報通信技術の開発について考えるための枠組みを提供しうる。情報組織化ツールの開発というこのプロセスにおいて、批判的人種理論には大きな価値がある。特に、関連性が低い、あるいは文脈から切り離されたウェブ文書が検索結果に過剰に表示されるという現象について考えるうえで有用である。大規模な商用検索エンジンにおける問題のあるバイアスへの応答として、文化的に状況づけられた検索エンジンが次々と誕生している。特に、Mozilla Firefoxのブラウザ「ブラックバード（www.blackbirdhome.com）」は、アフリカ系アメリカ人にとって関連性が高いコンテンツが表示されやすいように設計されている。ブラックバードに対する評価は、支援や関心から完全な拒絶まで、さまざまである。[46] いずれにせよ、組織や個人は、このような検索エンジンの開発を通じて、従来の商用検索エンジンの限界に応えているのだ。ウェブベースのブラウザとウェブディレクトリを組み合わせた、アイデンティティに重点を置いたウェブサイトが、特定のコミュニティの利害関心を優先させるために現れつつあり、それらは人力による監修という過去の慣行を基礎にしている。その例としては、BlackWebPortal（www.blackwebportal.com）、ユダヤ系の検索エンジンであるJGrabのような国際的モデルをもとにしたGatewayBlackPortal（www.gatewayblack.com）、BlackFind.com（www.blackfind.com）、そしてブラックバードなどの検索エンジンが挙げられる。ユダヤ人の業績についてのオンライン百科事典として機能しているJewogle（www.jewogle.com）、「ユダヤ系ウェブを検索する」ために利用されるJewish.net（http://jewish.net/）、JewGotIt（www.jewgotit.com）、そして1万5000以上のユダヤ系ウェブサイトの目録を作成しているMaven Search（www.maven.co.il）といったサイトは、宗教・文化・国籍を問わず何百も誕生しており、なかには皮肉めいたものもある。その多くは、関連性の高いコンテンツ・表象に対するコントロール、また人種的・集団的アイデンティティに基づいた良質な情報へのアクセスを求めるコミュニティによる応答として現れたものだ。

このような文化的に状況づけられた検索エンジンにとっての根本的な課題の一つは、検索エンジンがはらむ矛盾や偏見をどのように可視化するか、ということである。アンドレ・ブロックはこれをブラックバードを引き合いに出しつつ論じている。彼いわく、「アフリカ系アメリカ人のコンテンツを前面に押し出すブラックバードの取り組みは、インターネットの普遍的な魅力に対する不当な要求とみなされた。こうした反応は、ブラックバードが、黒人の表象という制約を抱えた社会的構築物として受け止められていることを浮き彫りにした」[47]。ブロックの研究から示唆されるのは、黒人の関心に沿ったコンテンツの表示に役立つ文化的に関連性の高いインターネット・ブラウジングへの需要はあるものの、その価値がウェブの規範に逆らうものであることによって、そうしたブラウザの魅力が薄れてしまっているということだ。

情報テクノロジーによる社会関係の再生産

オンラインの人種間格差を看過することができないのは、それが情報通信技術の普及の背景の一部となっているからであり、またインターネットが社会関係を再生産するとともに、私たちのインターネットとの関わりに基づいて新たな関係性をつくり出すからだ。テクノロジーとそのデザインは、人種的イデオロギーを規定するものではなく、むしろ現在の風潮を反映している。検索エンジンのようなテクノロジーを利用するとき、ユーザーはコンテンツとテクノロジーそのものを動的に共同構築している。[48] 同時に、検索で見つかるオンラインの情報やコンテンツは、広告収益の注入やユーザー検索の監視によって組織的に構造化されており、そのような慣行の対象になっている人々は、それらをつくり変えたり再構築したりする力をほとんどもっていない。放送・印刷・ラジオといった商業メディアの登場以来、メディアにおける有色人種の女性の問題含みのアイデンティティ〔の表象〕には異議が唱えられてきたが、現在のオンラインキーワード検索の搾取的な性質に対する注意の欠如は、それらを一層定着させるばかりである。図書館から検索エンジンにいたるまで、情報へのパブリックアクセスがテクノロジーにますます媒介されるようになるなかで、そこに動態的に存在しているより広範な社会的・技術的相互作用〔への注目〕が、検索をめぐる議論には明らかに欠けている。

現在、歴史的・経済的・社会的関係性に根差した情報のアクセス・質をめぐる新たな考え方が、検索エンジンの役割と影響に転機をもたらす可能性がかつてないほど高まっている。本書が目指すのは、従来は十分に表象されてこなかった思想や視点が、この分野に取り入れられ、そのあり方を変えていくことである。それはすなわち、こうした慣行の常態化に疑問を投げかける余地を生むような、対抗的な言説を表面化させることを意味する。インターネットの検索プラットフォームないしテクノロジー企業は、支配的なナラティブを優先させる代わりに、より多様な表現を認め、一般市民のための民主化ツールとしての役割を果たすことができるはずだ。現在の商業慣行は、これを不可能にしている。

私たちが必要としているのは、公益ジャーナリズムやライブラリアンシップ〔図書館員の専門知識・技術および職業倫理）と結びついた、検索エンジンに対する公共のオルタナティブである。それは、可能な限り最高の質の情報へのアクセスを一般市民に保障するためだ。

第6章

情報文化の未来

2010年3月、アメリカ連邦通信委員会（FCC）は10年間のブロードバンド計画を発表し、高速インターネットをアメリカの一般的な通信手段として普及させることを提唱した。[1] この計画は、情報環境をいまなお規定している。FCCは、インターネットには、現在、公共圏における主要な通信手段となっている電気通信（テレコミュニケーション）やテレビ放送システムに取って代わる可能性があると見込んだのだ。報告書によれば、「ユーザーがオンラインで費やす時間の約3分の2は、コミュニケーション、情報検索、エンターテインメント、ソーシャル・ネットワーキングに集中している」[2] という。この計画は、アメリカ人が重要情報にアクセスする能力を高めるためにブロードバンド接続性へのさらなる支援を求めるものであり、インフラ、デバイス、アクセシビリティ、接続性に重点を置いている。しかし、この計画は、計画そのものがインターネットアーカイブに記録され、恒久的に閲覧できるようになると述べる以外には、一般市民への情報提供における検索エンジンの役割にまったく言及していない。減少しつつある図書館や学校の公設アクセスポイントから接続する場合であれ、自宅から接続する場合であれ、インターネットへの主要なポータルは情報の玄関口として機能しており、無視することはできない。質の高い情報へのアクセスは、ジャーナリズムから研究にいたるまで、健全で存続可能な民主主義に欠かせないものである。情報が公共圏から企業による私的支配のもとへと移行しつつあるなか、手に入る情報の質と、それを精査・利用する一般市民の能力をめぐる重大局面が訪れている。これは、著名な政治経済学者ハーバート・シラーが予見していたことだ。

アメリカ経済はいまや、国家的課題（ナショナル・アジェンダ）を設定する、相互に結びついた比較的少数の巨大民間企業の人質になっている。この権力が特に顕著にみられるのは通信・情報セクターであり、そこでは国家の文化・メディア的課題が、ごく少数の（ますます減少しつつある）統合された民間企業の合同体によって設定されている。その発展は、民主主義社会に欠かせない要素である個人の表現の自由を深く侵食しているのだ。[3]

規制緩和が進み、ますます規制から自由になりつつある商業主義的なインターネットは、情報へのアクセスや提供方法に関して重大な問題を引き起こしている。これを悪化させているのが、ニュースと見出しのゲーミフィケーション〔ゲームの要素をゲーム以外の分野に応用すること〕であり、トロント大学ミシサガ校通信・文化・情報・技術研究所のニコール・コーヘンは、オンラインのニュースサイトに寄稿するジャーナリストの民族誌においてこうした状況について記している。著書『ライターの権利——デジタル時代のフリーランス・ジャーナリズム（*Writers' Rights: Freelance Journalism in a Digital Age*）』において彼女は、ジャーナリストと商業的な報道機関の間の緊張の高まりを描いている。[4] ジャーナリストたちは、自らの記事のバイラリティ〔特にインターネットを通じて急速に人気が出たり拡散したりする状態や傾向〕のリアルタイム分析を映し出すスクリーンと向かい合うこともある。このような環境で、ジャーナリストは、読者からより大きな支持を得たり共有してもらったりするためにニュース記事の見出しやキーワードを修正するように仕向けられる。コーヘンが詳述しているのはまさしく、広告へのアクセスを増やすという明確な目的のためにコンテンツを修正するようジャーナリストたちに圧力をかけるアルゴリズム駆動型の分析実践である。この場合、ビッグデータ分析が一般市民に向けた報道の質を大いに損なう可能性があることは疑いようがない。

良質な情報は一般的には公共セクターから提供されるものであるが、それらがより企業的・商業的な空間に移行するにつれて、民主主義に必要な保護を保障する社会の能力が徐々に失われてきている。アクセスにかかるコストがその原因だ。FreePress.org などの組織は、民主主義社会の根幹をなす必要不可欠な要素だとこれまで考えられてきたジャーナリズムの質・内容が、広告や商業的利益の台頭によっていかに貧弱なものになってきたかを示している。メディア研究者のロバート・マクチェズニーとジョン・ニコルズは、歴史的にきわめて詳細に、また豊富かつ具体的な証拠とともに、民主主義社会における情報、とりわけ商業的利益と切り離された情報の重要性を論じている。[5] １９９０年代以前の公益ジャーナリズムの環境が過去10年間で急速に変化したことにより、企業によるアメリカの報道機関の買収と相まって、一般市民がアクセスできる情報の質は低下してきた。同様に、インターネットが公的資金による軍学共同プロジェクトから全面的な商業活動へと変質したことも、ウェブ上の情報提供のあり方に影響を及ぼしてきた。

検索エンジンの結果をはじめ、メディアのステレオタイプは、アメリカにおいて人種、ジェンダー、セクシュアリティごとに社会的・政治的・経済的生活へのアクセスが不平等なものになっている状況を覆い隠し、さらにそれを維持している。[6] 商用検索エンジンは、そのような伝統的な人種主義的表象を排除するために少なくとも「免責条項」のようなものを設けるべきであり、理想としては人種主義的・性差別的なコンテンツの拡散に対する恒久的な「技術的修正」を行なうことが望ましい。

ベロニカ・アレオラは、２０１０年に『ミズ（*Ms.*）』誌のブログで、新たな検索機能向上ツール「インスタント検索（Google Instant）〔キーワードの入力中、すなわちキーワードを最後まで入力する前に結果を表示する機能〕」に関する疑念を記している。当初、このツールは、検索結果の最初のページにX指定（成人向け）のコンテンツが表示されるという理由で「ラテン系女性（Latinas）」「レズビアン（lesbian）」「バイセクシャル（bisexual）」といった言葉に対応していなかったのだ。「グーグルなのだから〔……〕ポルノや暴力関連の結果を、せめて2ページ目に表示する方法くらい、わからないはずはないだろう[7]」。

このような慣行がみられるようになったのは、公益に資する情報〔環境〕から企業によるアメリカの報道機関の買収へという過去10年の急速な変化の結果である。この変化によって、あらゆる代替的な情報を見つけることが一層難しくなり、一般市民はウェブに追いやられた。同様に、メディアの統合は、事実確認を行なう、人々や状況について誤った情報を伝えない、集団に文化的価値観を押し付けない、商業的・広告的利益と編集上の判断を区別するといった職業的専門家としての規範（プロフェッショナル・スタンダード）——いずれもウェブでの情報提供に応用できる——の衰退を招いた[8]。検索の領域が一握りの企業の支配下で統合されるようになった今日、検索エンジンで優先される情報がどのようなプロセスを通じて決められているのかに細心の注意を払うことが一層重要になっている。実際、ウェブページが上位に位置づけられるほど、そのページはより信頼される。職業上の倫理綱領に沿った事実確認や一般市民のための情報監修を任されているジャーナリストや図書館員が精査する場合とは異なり、ウェブサイトのランキングや信頼性は、当たり前のものとして正当化されている。オンラインの商用検索エンジンを利用する場合には、単にウェブ上でニュースや知識を共有するだけではもはや不十分である。つまり、共有したいと思う情報がどのように見つかったのか、それらはどのように現れたのかを自問しなければならないのだ。

情報の独占

ネットワーク制御に関する直近の議論では、グーグルによる情報の独占に十分な注意が向けられていない。アメリカにおけるネットワーク中立性への関心は、その大部分が、AT&T、ベライゾン、DirecTV、コムキャストといった通信・ケーブル大手が所有する商業ネットワーク上のデータ・パケットの移動に関する懸念に向けられている。議論の大半は、トラフィック・ルーティング（経路選択）における差別がない、開かれたインターネットを維持することに焦点を当てている。この文脈において、差別とはデータの移動をめぐるものであり、また規模や内容に関わらずネットワーク上でトラフィックの遅延や管理を受けないというコンテンツプロバイダーの権利をめぐるものでもある。検索エンジン、特にグーグルに媒介される場合には、コンテンツの優先順位づけのプロセスも、ネットワーク中立性やウェブの開放性をめぐる議論で扱われるべきである。ここ数年、消費者監視団体は、グーグルの商業的慣行についてのデータを一般市民に提供する取り組みを強化してきた。また、連邦取引委員会は、Ｗｉ－Ｆｉを通じた消費者データの収集からウェブベースのサービス（ユーチューブ、AdSense、Google Maps、Blogger、Picasa、Android、Feedburner など）の水平的所有と支配にいたるまで、同社のさまざまな側面について調査を行なっている。連邦控訴裁判所は最近、ネットワーク中立性の保護という連邦通信委員会の姿勢を堅持することで消費者の権利を保護するという判決を下し、インターネット・サービス事業者を牽制した。この判決により、コムキャストはそのネットワーク上のトラフィック管理において優先順位をつけたり差別したりすることができなくなった。競合他社による自社ネットワークへのアクセスをブロックしつつ、特定の合法的なインターネットトラフィックを優先的に扱う多国籍通信企業の動きを防止するようアメリカ議会に求めるロビー活動が、オープンインターネット連盟などの団体を中心に展開されている。グーグル、フェイスブック、ツイッターなど、大量のトラフィックを扱う企業は、密かにオープンインターネット連盟を支援している。その狙いは、膨大な量のトラフィックとともに一日に何百万人ものユーザーをサイトに呼び寄せるウェブベースの資産を支えるために必要な帯域幅を確保することにある。

アメリカ以外では、グーグルは物質文化やアイデンティティの表象をめぐって数多くの抗議に直面している。情報公開の領域では、ハーバード大学の元図書館員ロバート・ダーントンが、グーグルの書籍デジタル化プロジェクトがもたらした問題を概説している。このプロジェクトではグーグルによって何百万もの書籍（２００９年末の時点で１０００万冊超）がデジタル化され、読者がこれらのテキストにアクセスするための条件をめぐってさまざまな憶測を呼んだ。法廷闘争の最も激しかった時期には、反トラスト法違反の可能性があるか否か、また一企業がこれだけ大量のデジタルコンテンツを管理・所有することで生じる独占的傾向に対して公益が優先されるか否かが法的な争点となった[9]。グーグルのプロジェクトの支持者は、世界最大の図書館によって、これまで絶版で手に入らなかったテキストを新世代の読者／消費者が利用できるようになるはずだと主張した。反対派は、グーグルは公共図書館とは異なり、株主の利害関心に基づいてアクセス条件をコントロールするのではないかという懸念を抱いていた。このプロジェクトに対してさらなる異議申立てを行なったのが、フランスとドイツである。この2ヶ国は、アメリカに拠点を置く企業による自国の物質文化の所有は国の文化的作品に対する侵害だとして拒絶した。[10] グーグルの情報独占によって公共の利益が脅かされており、自国民の過去の作品のデジタル化もそれを侵害するものだと主張したのだ。2013年、アメリカ連邦巡回裁判所のデニー・チン判事が、グーグルの書籍プロジェクトは「フェアユース（公正利用）」であるという判決を下し、反対派に衝撃を与えた。そして2015年には、連邦最高裁判所でこの訴訟の審理が却下された。[11] ニューヨーク州の第二巡回区控訴裁判所への控訴は、グーグルがフェアユースを主張する権利を認めた。バージニア大学のメディア研究・法学の教授シヴァ・ヴァイディアナサンも、この判決が「フェアユース」の法的概念に与える脅威について詳細に論じ、ダーントンの批判を裏づけたが、それにもかかわらず、この判決によってグーグルの資本とその影響力の大きさが強調され、世界最大のデジタル・リポジトリを生み出そうとする動きに抵抗できない国々は不利益を被ることになった。こうしたデジタル・リポジトリは、コンテンツを所有し、分類し、アクセス条件を規定する力をもつ。欧州委員会で、フランスはこのプロジェクトに反対する立場から「デジタル形式の書籍という世界の遺産の大部分が、一企業体の支配下に置かれることになる」と懸念を示した。[12]

より身近な場所（アメリカ）では、先述した名誉毀損防止同盟の書簡を除き、グーグルの情報やウェブサイトの表象に対する抗議の多くは、文化的アイデンティティの表象方法ではなく、むしろ特許や知的財産、さらにはページランキングにおける商業的利益を焦点としている。たとえば、2003

年のグーグルに対する初期の訴訟では、同社が、高額の費用を支払う広告主をペイパークリック〔クリック課金型〕の広告モデル——アメリカにおけるインターネット経験にきわめて大きな影響を及ぼすようになっていた——を利用していない小規模な企業や団体よりも優遇していることが争点になった。サーチキング社およびＰＲアドネットワーク〔サーチキング社によるＳＥＯサービス〕がグーグルに対して起こした訴訟では、「グーグルは競合他社を全滅させるための直接的な手段として顧客のページランクを引き下げた」という主張がなされた[13]。サーチキングとＰＲアドネットワークの社長ボブ・マッサが、グーグルの偏ったランキング手法を批判する声明を発表して以来、グーグルのビジネス慣行は、アメリカ国内だけでなく世界的にもより厳しく監視されるようになった。

なぜ公共政策が重要なのか

しかし、ページランクにおける情報の商業的・文化的・民族的表象をめぐる論争を踏まえると、今日、連邦取引委員会が問うべきは次の点である。すなわち、グーグルのような検索エンジンは人種、ジェンダー、セクシュアリティに関わるアイデンティティに価値を付与しているが、それについて規制されるべきか否かという問題だ。連邦通信委員会はかつて、特にテレビ・ラジオ・印刷物などのメディアコンテンツに対して品位基準を課していた。１９９０年代半ば以降、ウェブ上のわいせつ行為やポルノをめぐって多くの政治的介入がなされてきた。なかでも最も注目を集め、広く物議を醸した例が1996年の通信品位法（Communications Decency Act, CDA）であり、特に「第三者が投稿したコンテンツに関して責任を問われることはない」というオンライン企業の免責に関する第230条がよく知られている。第230条は表現の自由を最大限に認めつつ子どもをオンラインポルノから保護するために策定されたものであり、インターネット・サービス事業者や検索エンジン、あるいはほかの個人・組織・企業のコンテンツを売買しているあらゆるインターネットサイト――グーグル、フェイスブック、ベライゾン、AT&T、ワードプレス、ウィキペディアなど――を免責することでそれを実現しているのだ。[14]これは第4章で取り上げた、ハンター・ムーアおよび彼のリベンジポルノサイトに与えられた保護と同様のものである。

弁護士グレゴリー・M・ディキンソンは、インターネット・サービス事業者プロディジー（Prodigy）に対する判決で示された重要な先例について論じている。彼によれば、裁判所によるプロディジーの市場における地位の解釈は、「ファミリー向けの慎重に管理・編集されたインターネット事業者」で、掲示板における侮蔑的なコンテンツのフィルタリングやスクリーニングに従事している、というものであった。したがって、プロディジーは「単なる配布者（ディストリビューター）というよりは新聞のような発行者（パブリッシャー）の役割を担っており、それゆえ責任を問われうる」[15]とされた。彼は、ストラットン・オークモント社対プロディジー・サービス社裁判（1995年）において、「プロディジーは不快なコンテンツのフィルタリングに一定程度関与していることから、倫理的にも法的にも責任があると考えられる」という判決が出されたことの重要性を強調している。ディキンソンが論じるところによれば、これはアメリカ議会の意図――社会における品位の基準に照らしてわいせつ、ポルノ的、あるいは不快なコンテンツを提供するいかなるプラットフォームについても、その責任を問わないこと――とは異なるものであった。

商用検索エンジンは、目下のところ、自社の検索エンジン技術を通じて起きる問題に責任を負わないとする免責条項を盾にすることができている。しかし、ディキンソンは、プロディジーの事例を踏まえた同法の研究で、検索エンジン、特にいまではフィルタリングへの関与を認めているグーグルに関連して探究しうる興味深い法的問題を提起している。1996年の通信品位法の成立以来、きわめて明白なのは、ウェブや旧来のメディアにおける品位基準が「文化戦争」の格好の餌食になってきたということだ。そして、どのような基準に照らしてみても、アメリカ議会、連邦通信委員会、メディア企業自身がわいせつ行為を容認しているといえる。こうした免責という保護はもっぱら、連邦第四巡回区控訴裁判所におけるゼラン対アメリカ・オンライン社裁判（1997年）の判決に支えられている。第230条においては企業によるわいせつな資料の自己検閲が意図されていたにもかかわらず、この判決では、企業は、自社のハードウェア、ソフトウェア、インフラを通じて流通する問題含みの資料に関してその責任を負う当事者や作者ではないとされた。それどころか、裁判所は、自己検閲やコンテンツの削除を行なわない企業に対してその責任を問うことはできないと裁定したのだ。1996年の通信品位法の問題を複雑にしているのは、「コンピュータ・サービス・プロバイダー」（媒介されていないコンテンツ（の提供者））と「情報コンテンツプロバイダー」（媒介されたコンテンツ）の区別である。[16]

連邦取引委員会によるグーグルの調査の発端となった議会での公聴会が行なわれた際、記者のマシュー・イングラムは、「同社の無料サービスが消費者に損害を与えたと証明することは誰にとっても難しいだろう」と2011年9月の記事で述べた。[17] しかし、イングラムによる「損害」の定義はやや狭すぎるように思われる。「ラテン系女性」や「アジア系女性」と検索すると、ポルノや出会い系、フェティシズムに偏った結果が表示されるのだ。「ユダヤ人」を検索する場合と「黒人の女の子」を検索する場合できわめて似通っているのは、グーグルのページランキングアルゴリズムにおいて不快な結果が表れるという点だ。それらは、各集団の生活の社会的・歴史的文脈や、かれら自身が望む表象のあり方を反映していない結果かもしれない。一方で、著しく異なるのは、黒人のティーンエイジャーや有色人種の女の子は、名誉毀損防止同盟に比べて、社会的・政治的・経済的行為主体性(エージェンシー)にきわめて乏しいという点だ。公共政策は、一般市民の目に触れる集団的アイデンティティの情報の質を検討・評価するための新たな道を切りひらかなければならない。そのプロジェクトは間違いなく激しい論争にさらされることになるだろうが、それでも断行するべきなのだ。

機会の源としてのウェブ

ウェブは抑圧され周縁化されている人々のための機会の源とみなされており、さまざまなコミュニティにおいて、ハードウェアやソフトウェア、インターネットアクセスの格差解消にきわめて大きな関心が寄せられている。技術的な権利剥奪(technology disenfranchisement)と機会の政治的側面をめぐる思想のなかで最も人口に膾炙しているものの一つが、「デジタル・ディバイド」という概念を中心とする理論である。この用語は、クリントン＝ゴア政権と商務省国家電気通信情報庁による一連の演説や調査のなかで生み出された。デジタル・ディバイドのナラティブは、白人と黒人の間に技術的な格差を生んでいる無力化（ディスエンパワーメント）の三つの重要な側面に焦点を当てている。それはすなわち、コンピュータやソフトウェアへのアクセス、コンピュータ技術に関する技能開発と訓練、インターネット接続性（コネクティビティ）（最近では、ブロードバンドへのアクセス）である[18]。

デジタル・ディバイドをめぐって従来論じられてきた白人と非白人、あるいは男性と女性の間の格差がいかに真実であったとしても、この言説にしばしば欠けているのは、そのような社会的・経済的・教育的資源への不平等なアクセスを生み出している権力関係の枠組みである[19]。つまり、アメリカにおけるデジタル・ディバイドの議論の文脈は、有色人種や女性のスキル・能力に焦点を絞った、あまりにも狭い枠組みなのだ。注力すべきはむしろ、科学技術の歴史的・文化的発展、デジタル技術を通じて優先される表象、そしてグローバルな情報・通信の生態系（エコシステム）における資源と労働の不公平かつ搾取的な配分を問うことである。デジタル・ディバイドが貧困層や有色人種の機会を拡大するための重要な概念的枠組みであったことはたしかだが、それは同時に、多国籍企業にとって新たな利益の場を生み出すものでもあった[20]。遍在的（ユビキタス）なアクセス環境、訓練、ハードウェアとソフトウェアの提供を通じたデジタル・ディバイドの解消は、アメリカのデジタル技術をめぐる「持てる者と持たざる者」の文化に対する核心的な批判にたしかに応えている。しかし、電話のようなほかの技術製品を提供した場合と同様、それは人種・ジェンダー間の権力関係を変えるには至っていない。

検索はオンラインの経験を媒介する非常に重要な役割を担っているため、デジタル・ディバイドの解消というきわめて重大な必要性ともうまく折り合いをつける必要がある。デジタル・ディバイドの研究者たちは、テクノロジー、ウェブでの存在感（プレゼンス）、技能開発をめぐる文化的に適切な関与を増やすことが、社会的包摂の促進、および歴史的に十分に表象されずに周縁化・抑圧されてきた集団の社会的・政治的・経済的行為主体性（エージェンシー）の向上に寄与すると論じてきた。[21] これは新自由主義的な「引き上げ（アップリフト）」と「能力開発／開花」のプロジェクトを推し進めようとする動きであり、具体的にはコンピュータ・プログラミングの技能格差の解消などが目指されることになる。〔しかし、〕このようなアプローチは、どのような政治経済や企業のメカニズムが作用しているかを考慮していない。私たちが問うべきは、ウェブ上の行動のほとんどを媒介している市場支配的で確立されたテクノロジープラットフォームの慣行に直接的に影響を与えるために、いかにしてコミュニティが介入できるかという点なのだ。[22] また、こうしたアプローチではしばしば、コンピュータや携帯電話のハードウェア製造のための原鉱採掘プロセスに従事する黒人女性たちがディアスポラ的な労働環境に置かれていることも見過ごされている。ここでこの問題を提起するのは、グローバルなデジタル・ディバイドおよびそのなかでのグーグルの役割[23]に関する研究は、アメリカ内外の黒人がどのように情報通信技術産業に参加しているのか、そしてアメリカの場合にはかなりの程度、参加していないのかという論点も含めるように、その視野を広げていく必要があるからだ。[24] こうした論点は、「プロシューマー」的参加[25]——黒人がデジタル技術の単なる消費者としての立場を超えて、技術的アウトプットの生産者へと移行することを指す概念——を求める議論をはるかに複雑なものにする。

メリーランド大学のジョージ・リッツァーとネイサン・ユルゲンソンは、このようなデジタルな活動（エンゲージメント）の消費的側面と生産的側面の融合への注目について、「有償労働よりも無償労働、そして無償での製品提供を志向する風潮であり、かつては欠乏が顕著であったシステムにおいて新たな豊かさが台頭しつつある」と評している。[26] 批判的コミュニケーション研究者ダラス・スマイスは、こうしたプロシューマー主義を「商品としての視聴者（オーディエンス）」と表現している。ユーザーは商品として広告主に売られ、「無料」サービスと引き換えに、露骨に広告にさらされることになるのだ。[27] コミュニケーション・メディア研究所およびウェストミンスター大学高等研究所の所長クリスチャン・フックスは、このような集積戦略は、グーグルのユーザーに支えられたものであり、ウェブの分散的な性質に基づいた、プロシューマー商品とオーディエンス商品の両方からなるプロセスであると論じている。[28] アップロード、ダウンロード、共有、タグ付け、ブラウジング、コミュニティ構築、コンテンツ生成に人々が活発に参加することによって、中央集権的な従来のメディアにはできなかった、大量流通と一対多または多対多の関わりが可能になっているのだ。[29] グーグルの政治経済に関する研究においてフックスは、ユーザーから提供される無償のユーザー生成コンテンツが、キーワード検索を実施するグーグルの能力の基盤になっていると指摘している。というのも、グーグルはすべてのユーザー生成コンテンツをインデックス化し、「それによってすべてのユーザー生成コンテンツ生産者らのメタ搾取者（meta-exploiter）として機能している」[30] からだ。ユーザーがグーグル製品を利用することで、グーグルにとっては剰余労働が生み出されている。[31] Gmail や Google Scholar、Blogger/Blogspot でのブログの閲覧、Google Maps や Google Earth の利用、ユーチューブでの動画視聴など、同社のさまざまなサービスの利用がこれに該当する。グーグルの垂直的なサービス提供はあまりにも強力であるため[32]、キーワード検索における自社の資産(プロパティ)〔提供サービス〕の優遇と相まって、これらの「無料」ツールを利用するだけで10億ドル規模の利益がグーグルにもたらされるようになっている。この利益は、ユーザーの無償労働と、広告主への視聴者の提供の両方から生じるものだ。フックスの研究は、グーグルの商品はGmailやユーチューブといったサービスではないということを詳細に示している。グーグルの商品は、同社がインデックス化するウェブ上のすべてのコンテンツ・クリエイター（プロシューマー商品）と、サービスを利用し広告にさらされるユーザー（オーディエンス商品）なのである。

私たちは、グーグルが広告主に売る商品なのだ。

ソフトウェアやハードウェア開発のこのような側面は重要であり、ハイテク設計部門における女性と有色人種の関与の減少は、情報通信技術労働市場の最も危険で不安定な領域への周縁化された参加が増えていることと相まって、検索結果をはじめ人工物(アーティファクト)そのものに影響を及ぼしている。『マーキュリー・ニュース』紙が情報公開請求によって入手したアメリカ労働省の労働力データによれば、2005年、大手ハイテク企業10社のシリコンバレーオフィスの経営幹部5907人のうち、黒人またはヒスパニック系は296人で、2000年から20%の減少がみられた[33]。アメリカ国外のICT製造の外部委託先への黒人労働力の移動に関する本格的な調査は、本書の範疇外である。しかし、この現象が、ハードウェアからソフトウェアにいたるまであらゆるものの製造・設計に関わる、グーグルを中心とした諸産業への参加に影響を与えているという点は注目に値する。2016年7月1日時点で、グーグルのダイバーシティ・スコアカード〔評価指標〕によれば、同社の従業員のうちアフリカ系アメリカ人はわずか2%のみで、ラテン系も3%にとどまる。〔本書で示してきた検索結果のような〕さまざまな異常やデータ差別の告発を受けてテクノロジー企業が直面している困難を踏まえると、黒人研究、エスニック・スタディーズ、アメリカンインディアン研究、ジェンダー研究、女性学、アジア系アメリカ人研究などを学び歴史や批判理論についての深い知識をもつ新卒者や上級学位保持者を雇用することは、社会が直面している複雑な課題を乗り越えるためのきわめて大きな助けとなりうる――もしもそれが本当に技術主義社会(テクノクラシー)の目指すところであるならば。人種主義的な荒らし行為によってツイッターから人々が追い出されているという訴え[34]から、Airbnbのオーナーが自分の家を借りるアフリカ系アメリカ人を公然と差別しているという告発[35]、オーストラリアのアップルストアにおけるレイシャル・プロファイリング[36]、スナップチャットの人種主義的なフィルター[37]にいたるまで、訓練を受けていないコンピュータ・エンジニアよりもはるかに適任の人々がその知識を活かして対応すべきプロジェクトは枚挙にいとまがない。コンピュータ・エンジニアたちは、自身の落ち度ではないものの、社会科学や人文科学における歴史・文化についての批判的思考や学習に十分に接してきていない。このことは全国のほとんどの工学部に当てはまる。シリコンバレーでは、人種やジェンダーの問題に関して批判的な見方ができる多様な人材が不足しており、そのことが知的なアウトプットに影響を及ぼしているのだ。

　グーグルは、情報を組織化して社会的な協働や接触を促進するための強力かつ重要なリソースであると同時に、覇権的なナラティブを強化し、ユーザーを搾取してもいる。批判的メディア研究者たちは、この弁証法的な対立について、グーグルの技術やサービスよりも、労働をめぐる組織化や資本主義的な生産関係に関連するものだと広く論じてきた。[38] グーグル／アルファベットは民主化の推進力になる可能性を秘めているという考え方はたしかに立派なものだが、そのプロジェクトに内在する矛盾は、同社を生み出すとともに同社が生み出してきた歴史的条件において文脈化されなければならない。雇用や検索結果から監視技術にいたるまで、このような慣行の恩恵を受けるのは誰なのかを具体的に考えてみると、こうした問題やプロジェクトは等しく経験されているわけではないということがわかる。たとえば私は、同僚のサラ・T・ロバーツとともに、グーグルグラス〔グーグルが開発しているメガネ型ウェアラブルデバイス。撮影機能が搭載されていることからプライバシー問題が懸念されている〕のようなプロジェクトが抱える無数の問題、このプロジェクトの失敗と直に結びついている階級的特権、そしてサンフランシスコやシアトルといったテック・コリドーにおけるシリコンバレーからのジェントリファイヤー〔都市再開発に伴って新たに流入してきた中流階級〕への不信感の高まりについて論じてきた。[39] 問題の一端は、グーグルグラスによって徹底的に監視されることを一般市民が望むか否かについての内省の欠如にある。そこに誰が住んでいようと、あらゆる景色を征服し探検するという何世紀も前からある観念は、人々を解放するものだとされ、そのまなざしにさらされる人々にとって植民地主義的で全体主義的であるとはみなされなかったのだ。街行く人々は、グーグルグラスを新植民地主義的プロジェクトだとは考えないかもしれないが、それが自身に向けられることを望まないのはたしかである。グーグルグラスの着用者への直感的反応として「グラスホール（Glasshole）〔Glass（メガネ）+asshole（クソ野郎）〕」という呼称が生み出されたことは、このような類いのプライバシー侵害に対する人々の不信感の一つの表れにすぎない。

新植民地主義の足跡は、検索やグーグルグラスのような製品だけでなく、ネットワーク化された経済の至るところに存在している。子どもや強制労働者を含め[40]、最も搾取される立場に置かれている労働者たちは、コンゴ民主共和国のような国々でコロンバイト・タンタライト（略称は「コルタン」）という鉱石を採掘し、ノキア、インテル、ソニー、エリクソン（そして現在はグーグルも含む）といった企業に原材料を提供している[41]。これらの企業は、電話やコンピュータといったコンピュータハードウェア用のマイクロプロセッサチップを製造するために使われる、タンタルコンデンサなどの部品の製造にこうした鉱物を必要としているのだ[42]。このデジタル・ディバイド・ネットワークのなかにはほかに、アップル[43]やデル[44]といったハードウェア企業のサプライチェーンにおいて生産者の役割を担う企業もあり、アメリカから外注されたこのような労働は、グローバル化を推し進める新自由主義的な経済政策のもと最も安い労働力を提供する低価格入札者が引き受けるのだ。

まとめると、この生態系（エコシステム）において、黒人は血塗られた鉱物のために最も過酷な労働に従事しており、さらにガーナのような国々では電子廃棄物の解体という危険で有害な仕事をしている。そうした場所には、捨てられた電子機器から出る有毒廃棄物の巨大なゴミの山が、世界中から運ばれてくるのだ。アメリカでは、従来は安定性が高く労働組合の組織化が進んでいた製造業において黒人労働力はたいてい敬遠されている。電子機器やＩＴがアジアに外注されているためだ。アフリカ系アメリカ人のアイデンティティはしばしば商品にされ、人種主義・性差別・同性愛嫌悪を売買して利益を生むネットワークのなかで刺激的な餌として搾取されている。一方、変革の責任は黒人、特にアメリカでは黒人女性に課されており、コーディングを学ぶことで黒人についての新たなイメージやアイデアの生産により大きな役割を果たすよう求められている——あたかもそれだけで、シリコンバレーの製品・雇用にはびこる排他的慣行の潮流を変えることができるかのように。

ニューヨーク市立大学（ＣＵＮＹ）シティカレッジおよび大学院センターの英語学の教授ミシェル・ウォレスは、商業文化の生産に対する黒人の管理、デザイン、コントロールが危機的といえるほど欠如していると指摘している。このような状況では、黒人は「永遠に、観察、軽蔑、あざけり、盗用、周縁化の対象」[45]にされるだろうと彼女は述べている。ニューヨーク州立大学オルバニー校のジャネル・ホブソンが、情報化時代における創造的な生産者としての黒人女性のあり方をめぐるウォレスの論評に注意を促していることは重要である。ホブソンによれば、さまざまな形で生産されたメディアが集積するウェブは、情報産業のさまざまな側面で十分に表象されていない黒人女性にとって排他的な領域の一部をなしている。[46]彼女の議論について付言すれば、社会的な力をつけた（empowered）黒人という概念を構想し共有するためのオルタナティブな空間としてウェブが機能しうることは事実だが、それが起きるのは高度に商業的に媒介される環境においてである。ウェブ上に「存在する」だけでは不十分であり、考えなければならないのは、ウェブ上の「ロングテール」に存在する、すなわち発見や有意義な参加から切り離されることの意味である。この問題に向き合うことで、アフリカ系アメリカ人、特に黒人女性の永続的かつ残酷な経済的・社会的権利剝奪に変革をもたらすことができるかもしれないのだ。

◯社会的不平等はアプリでは解決しない

アプリは私たちを救ってくれない。ベッドに寝転がってスマートフォンを眺めていても社会的不平等を解決することはできない。権力者一人ひとりにメールを送るだけで済む話ではないのだ。（特にテクノロジー利用の領域における）個人の自由をめぐる新自由主義的な新たな観念は、集団的権利を保障するための大規模な組織化を通じて実現される保護と真っ向から対立し、過剰に支持されている。このことは、過去30年にわたって複数の政権が積極的に進めてきた反労働組合的な政策[47]、あるいは労働組合やブラック・ライブズ・マターのような21世紀の公民権団体に対する敵意の高まりにはっきりと見てとれる。このような個人主義的・反コミュニティ的なイデオロギーが、反民主主義、反アファーマティブ・アクション、反福祉、中絶反対、人種否定（antirace）の言説の中核をなしており、こうした言説は、個人の失敗の責任を政策決定や社会システムではなく本人の道徳的な落ち度に帰する[48]。社会のあらゆる階級や領野に及ぶ制度的な差別・周縁化の改善に向けた議論は、公共の議論から排除されてきた。そのことが、女性に対して性差別的な暴力を振るった過去をもち反移民的構想を掲げるドナルド・トランプのような人物が有力な大統領候補になる事態を招いたのだ。この種の暴言に対しては全米規模の抵抗がみられたにもかかわらず、一見すると無害で脱文脈化された技術的プロセスについては、あたかもそうしたプロジェクトが完全に非政治的で何の影響も及ぼさないかのように、より一層許容する方向に社会は向かっている。公的な、あるいは政府の介入を通じて規制や社会的なセーフティネットの整備を目指す集合的な取り組みは拒絶される。このような社会観のもとでは、個人は自由市場において自発的に選択を行なう存在とみなされ、そうした選択が社会変化をもたらす唯一の正当な方法として規範化されるのだ。[49]

児童インターネット保護法（Children's Internet Protection Act）[50]および2007年の児童安全閲覧法（Child Safe Viewing Act）[51]という例外はあるものの、連邦通信委員会と連邦取引委員会は、このような広範な社会的・政治的環境を背景に、インターネット環境の規制に消極的な姿勢をみせてきた。連邦通信委員会は、人種主義的・性差別的・同性愛嫌悪的な危害に対処して品位を保つことにほとんど取り組まず、被害を立証する責任を個人に負わせてきたのだ。私は、規制されていないデジタルプラットフォームが深刻な被害をもたらしていることを、山積する証拠でもって論証したいと考えている。荒らし行為は、オフラインでの嫌がらせ、いじめや自殺、脅迫や攻撃と直接結びついている。いまやインターネットという実験全体が身近なものになっているにもかかわらず、それが一般市民に与える心理学的・社会的影響については公共政策のレベルで十分に吟味されていないのだ。

オンラインで公開されている情報の信頼性は、情報化時代に起きている変化にますますとらわれつつあるアメリカ人のリアルな経験を背景に考える必要がある。アメリカ人の経験の恒久的な特徴となっているのは深刻な制度的貧困であり、失業や不完全雇用に苦しみ、貧困線以下の生活をしている人々のうち最大の割合を占めているのは有色人種の女性と子どもである。経済危機は、有色人種の貧困層、特に黒人／アフリカ系アメリカ人の女性・男性・子どもに対して不釣り合いに大きな影響を及ぼし続けている。[52]さらに、黒人と白人の間の貧富の格差はきわめて深刻なものとなっている。ブランダイス大学の最近の報告書によれば、1984年から2007年にかけてこの格差は4倍にまで拡大し、アメリカにおいて白人は黒人の5倍も裕福になっているという。[53] これは道徳的優位性が招いた結果ではなく、アルゴリズム的意思決定を通じた金融市場のゲーミフィケーションと直接関連している。またテクノロジー分野の高収入の仕事から、黒人、ラテン系アメリカ人、ネイティブ・アメリカンが排除されていることとも結びついている。これはデジタル・レッドライニングおよび住宅・教育市場における人種再隔離(リセグリゲーション)が招いた結果であるが、それを助長しているのは、住宅や学校の検索に際して厳しい条件の設定を可能にする、一見すると無害なビッグデータ・アプリケーションである。Zillow.comのようなデジタル不動産アプリでは、学校のレーティングを設定し、「低評価」の学校に通う可能性を排除することがかつてないほど容易になっている。こうしたアプリで使用されるデータは、アフリカ系アメリカ人や低所得者が住む地域の学校に十分な財源が与えられないという、分離すれども平等〔人種隔離政策を正当化するためにかつて用いられていた法理〕の長い歴史を反映したものである。このような膨大な数のデータセットを扱うデータ集約型アプリは、学校での人種的・経済的統合を実現して教育の公平性を促進するために行なわれているミクロレベルの取り組みを示すことはない。それらは単に、「良い学校」はほぼ例外なく裕福な白人居住区にのみ存在するというデータを無批判に受け入れやすくしてしまっているのだ。このような人工知能が、個人の選択の自由を後ろ盾にして、私たちが行なう選択の意味、またこのような選択が集合的に社会的・政治的・経済的平等を求める何十年にも及ぶ闘いを覆す効果をもつということを理解する力をいかに妨げているのか、より厳しく注視する必要がある。デジタル技術はこうした闘いに関与しているのだ。

このような劇的な変化は、アメリカの経済政策がグローバル化を加速させ、実際の雇用を海外に移し、労働者の利益を縮小してきた時代に起きている。社会はさらなる平等に向かっているという主張は、特に黒人のアメリカ人に関して住宅所有・教育・雇用へのアクセスが著しく減少していることを示すデータによって根本から揺らいでいる。[54] 社会的・法的環境の変化のさなか、「カラー・ブラインドネス」[55]という言葉やイデオロギーが発明され、より人道的で非人種主義的な世界観を不誠実に装っている。こうした状況を悪化させているのが多文化主義や多様性への賛美であり、それは教育や情報科学といった分野において、技術的実践に影響を及ぼす構造的・社会的抑圧を覆い隠している。[56] ネバダ大学ラスベガス校の教育学の教授シャロン・テトゥガの研究によると、カラー・ブラインドネスを標榜している人々は、他者に対する共感性が低いという。[57] 人種的に客体化されている人々の問題として人種を捉えることは、特に差別的慣行の改善策を模索するうえでは、制度的問題の解決における政府や一般市民の役割を曖昧にしてしまうのだ。[58]

こうした「カラーブラインド」イデオロギーにおいては、「人種を見ること（seeing race）」の不適切さが強調される。社会学的には、カラー・ブラインドネスは人種情報の利用を排除することを意味し、いかなる分類も区別も許容しない。[59] しかし、調査によれば、〔人種問題をめぐる質問に対する〕回答のなかで人種的カラーブラインドの姿勢を強く示した人は、白人であることが多く、その主張とは裏腹にオンラインのソーシャル・ネットワーキングサイトで目に入る人種主義的で侮蔑的な画像を容認したり気にかけなかったりする傾向が強いという。[60] すでに述べたように、シリコンバレーの経営者たちは、カラー・ブラインドネスはあたかも資産であって明らかな負債ではないかのように、それを満足げに取り入れている。すべてのアメリカ人を接続させ、インターネットとグローバルな通信インフラがもたらす新たな経済市場とイノベーションを刺激しようとする取り組みが再び活発になるなかで、周縁にいる人々のリアルな生活は、新たな言葉とイデオロギーによって再構築されつつある。そうした言葉やイデオロギーは、このような状況についての議論を不可能とはいわないまでも問題視するものであり、差別的な行為の責任は個人に負わせ、人種化された集団に影響を及ぼしている問題を社会構造のなかに位置づけることはないのだ。[61]

ポスト人種主義の論理は人種間格差がもはや存在しないことを前提にしており、それを背景にカラーブラインドのイデオロギーが勢いを増している。[62] 批判的白人性の研究者でカリフォルニア大学サンタバーバラ校の教授であるジョージ・リプシッツは、人種間格差とそれを生み出している社会的〔および技術的〕構造を認識するための障壁となっているのは、白人性への執拗な投資に対する反省〔の欠如〕だと指摘している。すなわち、人種や特権をめぐる白人の覇権的な考え方が現実の社会問題を見る能力をいかに覆い隠してしまっているかを認識できないことが足かせになっているのだ。[63] 私はしばしば、講演を聞きにきた人々に、１９６０年代、雇用に対する構造的障壁に法的な対処がなされたまさにその歴史的瞬間に、現代的なテクノロジーへの依存が強まり、コンピュータのほうが人間よりも優れた判断ができるとみなされるようになったことについて考えるよう促している。社会における意思決定領域に限定的ながら参加する機会が女性や有色人種にようやく与えられると同時に、コンピュータが社会の意思決定のための最適な選択肢としてもてはやされるというのは偶然には思えない。ビッグデータ楽観主義が台頭しつつある現代はまさしく、政治家、業界リーダー、研究者たちが、意味づけのためのより優れたアプローチとして人工知能に熱狂している時代なのだ。このことは、周縁で生きる人々およびかれらと連携する人々に対して、どのような介入策が必要なのかを徹底的に考えなければならないと訴える警鐘となるべきである。

結　論

抑圧のアルゴリズム

私たちの日常生活にはかつてないほど多くのデータやテクノロジーがあふれ、それに伴う社会的・政治的・経済的な不平等や不公正も拡大している。本書では、ウェブ上の人種的・ジェンダー的アイデンティティをとりまく政治経済的な枠組みや表象に関わる言説の批判を試みてきたが、より重要なのは、アルゴリズムは特定の価値観に基づいたものであり、精査すべき対象だということを明るみに出した点である。特に注視すべきは、グローバルな人種間の権力関係にデジタル技術がどのように関与しているかという文脈を考慮せずに黒人／アフリカ系アメリカ人のデジタル技術の利用を推し進める動きである。本書では、従来のメディアにおける誤表象が検索エンジンのようなデジタルプラットフォームでもみられること、そして検索そのものがアメリカ文化のなかに織り込まれていることを示してきた。情報化時代のレトリックは概ね、ユーザーから具体性を取り去る、あるいは少なくとも技術革命の覇権主義的な背景を矮小化しようとしているが、アフリカ系アメリカ人は、社会的アルゴリズムに発現する権力関係をよそに、テクノロジーを受容し、修正し、まったく異なる枠組みのなかに文脈化してきた。本書は、すでに周縁にいる人々をさらに疎外することがないような、社会技術システムに対するラディカルな介入についてのより思慮深い対話を始めるきっかけとなりうる。アルゴリズムは、文脈から切り離せない、権力に満ちたものであり、それは今後も変わらないだろう。

倫理的なアルゴリズムの未来に向けて

本書は、インターネット研究に対してブラック・フェミニズム的テクノロジー研究（black feminist technology studies, BFTS）とでも呼ぶべき手法を採用することで、一連の新たな問いを切りひらいた。ＢＦＴＳは、デジタルおよびアナログのメディア研究において、ジェンダー化・人種化されたアイデンティティを研究するための認識論的アプローチとして理論化することができる。これは、交差的アイデンティティによって媒介されるものとしての権力を考察するための新たな視点をもたらす。検索に埋め込まれた政治・文化・価値観についての研究が進めば、アフリカ系アメリカ人のデジタル技術の利用や早期導入をめぐるより広範な文脈を捉えることにもつながるはずだ。この点は、特に女性・女の子の観点からは、これまでほとんど研究されてこなかった。ＢＦＴＳは、黒人のテクノロジー消費――およびその欠落――をめぐる従来の言説を超えて、さらなる学びをもたらす一つの方法である。この枠組みを踏まえた今後の研究では、黒人とテクノロジーに関する対抗的なナラティブに光を当て、アフリカ系アメリカ人の大衆文化的実践が非アフリカ系アメリカ人の若者たちに与えている影響についても扱うことができるだろう。(1) アフリカ系アメリカ人や女性は技術に疎いという言説は、決して目新しいものではない。しかし、デジタル技術の幅広いユーザー層のなかで黒人／アフリカ系アメリカ人は周縁的な存在であるという神話を払拭することは、技術の革新や設計、そしてうまくいけば抵抗の新たな波がどのように生まれるかについて考えるうえで役立つはずだ。

アルゴリズムと不可視性——カンディスへのインタビュー

オンライン情報の保護に注目が集まるなか、そのほとんどは「権利（rights）」の問題として法的に論じられてきた。権利とは一種の財産（プロパティ）あるいは資格（エンタイトルメント）であり、ウェブ上では「言論の自由」や「表現の自由」といったさまざまなナラティブを通じて機能するもので、それらはいずれもアメリカでは憲法で保護されている。ウェブコンテンツ、またウェブＵＲＬの所有権が、私有の「財産」として枠づけられて保護を受けるということは個人にとって重要である。この点は、ストームフロント〔白人至上主義者やネオナチ向けのインターネット掲示板〕のネオナチや白人至上主義者が管理する偽装ウェブサイト「martinlutherking.org」におけるマーティン・ルーサー・キング・ジュニア牧師の誤表象について論じる、ジェシー・ダニエルズの前述の研究でも指摘されている。[2] ウェブ上のアイデンティティの私的所有について言えば、いち早く対価を支払うことができる者がアイデンティティ・マーカーを購入することができ、それが個人や集団に関する一種の公的記録をつくり上げているのが現状である。実際、現在のデジタル環境では、誰でも他人のアイデンティティを所有することができる。集団や個人のアイデンティティと記憶を管理する権利は、アーキビスト〔文書管理の専門家〕、図書館員、情報従事者の関心事、そしてインターネット規制や公共政策の論題になるべきである。

本書を締めくくるにあたって、ここではグーグルとは別のプラットフォーム、すなわちイェルプ（Yelp）の事例を取り上げ、アイデンティティ・コントロールの欠如がどのような影響をもたらしているのかを詳しく検討していきたい。

カンディスは店を始めて30年になる。主な顧客はアフリカ系アメリカ人だ。これから紹介する彼女の物語は、アルゴリズム的抑圧がどのように作用し、彼女の生活の質そのものに影響を及ぼしているかをきわめて個人的な視点から明らかにするものである。カンディスは小企業の経営者であり、アメリカの名門大学のある街の近郊の、圧倒的に白人が多い地域において唯一のアフリカ系アメリカ人向けの美容室を営んでいる。

私がはじめてここに来て店を開いたときには、アフリカ系アメリカ人の強力なコミュニティがありました。黒人のソロリティ〔女子学生クラブ〕とフラタニティ〔男子学生クラブ〕、それにいまはもうないけれど、ステップショー〔黒人のソロリティやフラタニティの学生によるステップダンスの実演〕もありました！　黒人学生同盟（Black Student Union）の組織はとても強力でした。80年代のことです。誰もが家族のようで、みんな知り合いでした。この街で働いていただけの私も、ほとんどここの学校に通っているような感覚でした。私たちはみんな顔見知りで、互いの成功を祝っていたのです。

結婚式・親の葬式など、大きな行事やお祝い事に招かれることもよくあります。たとえば80年代から通ってくれていて、いまも来てくれるお客さんも何人かいます。20年たって、いまではその子どもたちが店に来てくれるのです。同じ大学に通っていても、そうでなくてもね。この関係性は昔から変わっていないし、とても強いものです。ここ数年頻繁に連絡をとっていなかったとしても、国の反対側に住んでいるお客さんが新しいお客さんを紹介してくれることもめずらしくありません！　私はこのコミュニティで30年働いてきました。たくさんの人を知っています。誰しも、髪を手入れしてもらう必要があるのです。

私はカンディスに、それがどのように変わったのかを尋ねた。

インターネットで事情が変わる以前は、私の名前は大学や大学院まで届いていたので、あまり宣伝をする必要はありませんでした。だから、法科大学院進学準備（プリロー）中や医学部進学課程（プリメッド）の〔有望な〕黒人学生のことは、たいてい学校に入るタイミングで知っていました。というのも、みんなが教えてくれるし、それから私に予約を入れてくれるからです。

でもいまでは、大学にはアフリカ系アメリカ人は少ないし、その数少ない人たちのつながりも弱くなっています。だから、会話術や口コミで情報を伝える術が失われてきているのです。私の名前も、存在感が薄れ始めました。これ〔アフリカ系アメリカ人の会話や口コミをめぐる文化〕はどこか、小学校で子どもたちが歌う歌が、世代を超えて受け継がれていくということを連想させます。子どもなら誰でも知っている童謡や子守歌があって、親が子どもの頃に歌っていたものですら知っているのです。まるでその歌が時間のなかに閉じ込められているかのように。

私たちアフリカ系アメリカ人は、ストーリーテラーなのです。〔でも〕若い人たちはいまではお互いに話さないから、私の名前が語られることはもうありません。以前は、そこそこの暮らしを送ることができていました。でも株式市場の破綻から最近ではテクノロジーを活用したビジネスまで、さまざまな変化があって、生活は苦しくなり、溺れるような思いもしました。実際に店を閉めることも考えましたが、どこに行けばいいというのでしょうか？　一体どこへ？

私は多様性にはかなり慣れていますが、大学が黒人をあまり受け入れなくなってからは、それまでなかったような形でマイノリティだと感じるようになりました。大学はコミュニティの一部だと思われているし、コミュニティは大学から恩恵を受けてきました。でも、大学は、学生たちを支えているあらゆるビジネスがどうなるかを考えていたとは思えません。学生や教職員は、髪の手入れのようなニーズを満たすためにどこに行けばいいのでしょうか？　つまり、ほかの学生は通りに出てどこへでも行けるけれど、黒人の学生は町の向こう側まで車で30分かけて行かなくてはいけません。ほかの人は髪の手入れのためにそんなことをしなくてもいいのに、どうして黒人学生は車や交通手段をもたなければならないのでしょうか？

過去20年間、アファーマティブ・アクションの縮小でアフリカ系アメリカ人の大学入学者数が激減してきたことから、カンディスは直接的な影響を受けてきた。

競争が激しい環境にいると、ときには人から偏見をもたれないような場所に行くことが必要になります。つまり、自分らしくいられて、自分の話し方や文化について後ろめたさを感じたり、「白人の美容師のところに行ったとして、その美容師は自分の髪を扱えるのだろうか」と心配したりする必要がないような空間を求めるのです。

黒人女性であること、そして髪の手入れを必要とするということは、人を孤立させるような経験になる場合もある。

私が提供するサービスは、人の外面的な部分だけに触れるものではありません。髪だけの問題ではないのです。多くの人は家族と離れて暮らしているから、自分を支えてくれる、信頼できる誰かを必要としています。信頼できる人を紹介してもらいたいと思っているのです。

私はカンディスに、インターネットが彼女と店にどのような変化をもたらしたかを尋ねた。

以前、もっとたくさんのお客さんがいた頃は、インターネットなどありませんでした。パソコンはほとんど概念のようなもので、たいていの人にとっては現実のものではなかったのです。当初は、コンピュータの最先端をいく若者や、コンピュータ通で最新のトレンドに詳しい若者が大勢いました。私の世代は、理解して参加するまでにすこし時間がかかりました。そしてインターネットは、インフォマーシャル（通常のＣＭよりも長い時間を使って詳しい情報を提供する番組形式のテレビＣＭ）やハウツー的な知恵袋（how-to-do-it-yourself university）の新しい時代を築き上げたのです！

いまではインターネットは、どうやって自分でやるか、どうやって仲買人を迂回するか、ということをみんなに教えています。新しい消費者を生み出したのです。新しい消費者にとっては、小さな企業はあまり価値がありません。というのも、かれらは新たなインフォマーシャルを見ただけで、自分でできる、自分で買える、自分でつくれると思っているからです。また、新しい消費者は何でも自分で買うことができるので、傲慢になってきています。店に入ってきて恥じらいもなく写真を撮るのです。私の商品の写真を撮って、私の努力や情報を2秒で収集し、私からではなくオンラインで購入するのです。

テクノロジーによって世の中が急速に変化し始めたとき、コンピュータを使い始めることは私にとって苦ではありませんでした。大学でいくつかコンピュータ［Mac］の授業を受けていたので、その変化に対応できたのです。このおかげで、慣れていたし、未知の世界を探索することにも抵抗がありませんでした。

すぐに気がついたのは、インターネット／イェルプにいわせれば、私は存在しないことになっているということでした。

アルゴリズムは、ウェブを信頼して個人情報を渡すという行為に関して、有色人種のコミュニティの文化を考慮に入れていないと思います。私たちが対峙しているのは、私たちが誰かにレビューを書くことすら許さないようなシステムなのです。私たちは、自分の個人情報をあんなふうに公表したいとは思いません。また、ただレビューがついていないからといって、私に価値がないわけではありません。コンピュータ、というよりおそらくインターネット／イェルプが、誰に価値があるのか、どこに価値があるのかを再定義しているだけなのであって、私はそれは間違っていると思います。正しくないのです。

アルゴリズムが、私が存在するか否かを決めるべきではありません。だから私は、経済的制約のなかで、この問題を自分で解決しなければなりませんでした。というのも、ウェブの価値観に沿って重要性の高い人間であり続けることが、いまでは新しい経済的な責務になっているからです。私は頭を働かせて、多くの時間をコンピュータに費やし、最も効果的に人々の目に留まり、かつお金がかからない方法を考えなければいけませんでした。

だから、イェルプとその利益と言われるもの——それが実際に私の利益になったとは思えないのです——を知ったとき、私はそれに参加するしかなかったのです。

私は、イェルプへの参加がどのようなものだったかを聞いた。

かれらはコミュニティサービスでもやっているかのように「すべて無料」だと言いますが、後からわかったのは、基本的にはペイ・トゥ・プレイ（サービスの利用や特定の活動への参加のために金銭を要求される仕組み）だということです。定期的に電話がかかってきて、月に数百ドルを支払ってイェルプで広告を出すように勧められます。それを断ると、検索結果のさらに下方に追いやられるのです。自分の店を検索しても、見つからなかったり、10ページ先で出てきたりします。「アフリカ系アメリカ人」「黒人」「リラクサー（縮毛矯正に用いる薬品）」「ナチュラル」などさまざまなキーワードを入力してみても、白人の店、白人の美容師、白人のサロンが明らかに私の店よりも上位に出てくるのです——私ほど長くこの仕事をしていない者も含めて。イェルプのアルゴリズムは、その人がどれくらい長くその仕事をしているかも考慮するべきだと思います。インターネットを利用しているかどうかは別として、経験豊富で定評のある人たちよりも仕事を始めたばかりの人たちが先に出てくるというのは公平ではないからです。

もう一つには、黒人は、私の店にいるときに「チェックイン」して、自分がどこにいるかを他人に知らせるようなことはしません。黒人たちはすでに自分が追跡されているように感じているので、かれ〔The Man〕〔政府、警察、大企業など権力者をさすスラング〕に居場所を教えようとはしないのです。実際のお客さんからのレビューもありますが、適切なレビューの要件を満たしていないという理由でフィルターにかけられて〔表示されなくなって〕います。

私はそのことについて詳しく聞かせてもらった。

イェルプは人々を、私の顧客ではなく、かれらの顧客として見ているのです。私の店や私自身をひいきにしている顧客には、かれらは興味がありません。かれらは私の顧客にマーケティングをしたいのであって、もしあなたが私の店にレビューを書いてほかの店はまったくレビューしなかったとしたら、イェルプであなたの意見はまともに扱われません。これは一体どういうことなのでしょうか？　かれらはレビュアーたちに売り込んでいるのです。私はこの地域で美容室をやっている唯一の黒人で、それは有利に働くはずですが、そうはなっていません。もしかれらが誠実であれば、私は上位に表示されるはずです。ところがイェルプは広告ビジネスをしていて、この地域の状況にバイアスをかけています。その結果、私は存在していないかのように扱われるので、一層の被害を受けるのです。

フェイスブックを利用している際に、イェルプで働いている人を何人か見つけましたが、私が見た限りでは、黒人はあまり多くありませんでした。多様性に欠けているのです。フェイスブックではさまざまな人を見かけますが、イェルプで働く人たち（の多く）は黒人ではありません。そしてそれは問題です。というのも、マイノリティのニーズや、私たちが使う言葉を考慮するべきだということを、どうやって理解できるというのでしょうか？　私たちには特定のキーワードを使用するよう指示してきますが、かれらは私たちの言葉さえ知らないのです。「ブラック・ヘアー」を髪質ではなく、髪の色のことだと思っているのですから！　私たちは互いを「アフリカン・アメリカン」と呼んだりしません。社会がそう呼んでいるのです。何を言いたいかわかりますか？　私たちは黒人（ブラック）なのです。

私はイェルプから締め出されました。なぜ自分がイェルプの最初のページに表示されないのか、なぜ自分を見つけることができないのか、なぜ特定のキーワードを使っても見つけられないのかについて、私はメールで問い合わせました。かれらがそうすることで、私は存在しないことにされてしまうのだと伝えました。当時、かれらは私の店のレビューのほとんどを非表示にして、4ヶ月ほど私を締め出していました。イェルプで何か変更するたびに、誰かがそれをチェックしています。自分のページに入ると、そこで何をしているかを見られているのです。なぜそれを知っているかといえば、誰かが私について問い合わせると、イェルプは電話をかけてきて広告を掲載させようとするからです。かれらは、「イェルプを通じてあなたとつながろうとしている人がいる」と言って、広告を売り込んできます。イェルプは仕事を増やすのに役立つと言って、自分たちの価値を示そうとするのです。

以前は自分のページがありましたが、いまではページの3分の1ほどしか使えず、似たような店とともに掲載されています。自分のページを訪れたユーザーも、競合店に流れていってしまうかもしれません。料金を支払えばイェルプは競合店を削除しますが、そうしなければ私のページにそれらを表示してくるのです！　もはや自分だけのページはなく、広告と、似たスタイルの競合店とともに掲載されています。自分の店を検索すると、それらと競い合う形で表示されるのです。

イェルプは、広告料を支払わない店に顧客を行かせないために、わざと街のほかの地域の別の美容院を表示します。だから私は、イェルプが勧めるように、自分の写真を掲載したり、見つかりやすくするためのキーワードを使ったりしましたが、いまではそれも役に立ちません。

以前は、イェルプは経営者たちに自分の写真をアップロードするように勧めていて、それは私にはとても良いことでした。マイノリティであるおかげで目立ちやすくなるのはこういうときです。〔しかし、〕イェルプは顔写真の表示を取り止めてしまったのでこれは長くは続きませんでした。いまではイェルプは、自身の画像の使用を認める代わりに、地図を表示するようになりました。自分の写真は表示されません。私の写真やレビューにたどり着く前に、5マイル以上も離れている別の店が勧められるのです。最初に提案されるのは、レーザー脱毛とエクステです。私の店は脱毛もエクステもやっていません。[3]

カンディスは携帯電話を取り出し、彼女のイェルプのページを見せ、その仕組みを説明してくれた。

かれらはすでに私に不利なように広告を出していて、ページの最後にはさらに競合店が表示されています。それを消すためにはお金を払わなければいけません。私の店のレビューはページの中ほどに表示されています。写真を管理することはもうできません。「このページを見た人はこんなページも見ています」というセクションがあって、そこからほかの店に誘導されます。それを消すためにはお金を払う必要があります。いくつかのレビューは、私がお客さんに頼んで書いてもらったものだとイェルプに判断され、いまではブロックされています。これらのレビューを書いた人がほかの店をレビューしていないという理由で、イェルプはそれらを表示しないのです。

だから、6ヶ月間レビューが1件もなかったのに1日に2件レビューがつくと、何かしたのだと思われて、私のレビューはブロックされてしまいます。[4] イェルプの基本理念は、良い店を選ぶために公平な判断で人々を導くことであるはずです。どうやって？ 私にはわかりません。広告を売り込むビジネスをしているイェルプが、それを誠実に行なうことができるのでしょうか？

かれらは、誰がレビューを書けるかを決めるアルゴリズムをコントロールしています。これらすべてが、リストのどこに置かれるかに大きく影響します。私は、世代や文化的背景がさまざまに異なるお客さんたちがその構築に参加してほしいと思うし、それを願っています。これ（イェルプのランキングシステム）は見かけほど無作為なものではないのです。

人間の尊厳に取って代わることができるアルゴリズムはありません。かれらは独自のアルゴリズムに基づいて価値をシミュレーションするシステムをつくり出し、イェルプが最大の受益者になるようにしました。イェルプのような企業が手っ取り早い方法で利益を得るとき、その影響を受けるのは主に小企業、もしくは企業国家（コーポレート）アメリカのために働くことはないような実際の人々の暮らしです。重要なのは、これらの企業に依存しないことです。かれらはとどまることがないからです。新たな目標を掲げ、新たなビジョンとともに戻ってくるのです。しかも、まともな契約とは異なり、議論や交渉の余地はありません。規模が不釣り合いなので、交渉はできないのです。

私はカンディスの店やほかの小規模な店のページを訪れ、イェルプが競合店をどのように配置しているのかを確認し、彼女の主張をすべて検証した。実際、彼女の店のレビューや詳しい情報を見ようとクリックしたつもりが、代わりに競合店をクリックしていて、自分が調べていた店から引き離されるということが何度かあった。ここでカンディスの体験を紹介したのは、インターフェースとアルゴリズム設計の両方が、彼女の表象および彼女の店に関する情報へのアクセスに対して新たな次元のコントロールと影響力をもちつつあると示すためだ。彼女はアルゴリズムに影響を与える力をほとんどもっておらず、それを試みたときには、人種やジェンダーで認知されるという彼女の能力——このような認知は、彼女が経営者として成功するためには欠かせない——がイェルプによって妨げられた。人間による意思決定の代わりにカラーブラインドなアルゴリズムを導入するという試みは、甚大な影響をもたらす。カンディスの場合には、彼女やその顧客のアイデンティティについて、アルゴリズムが何を伝えるのか、そして何を伝えないのかということが、リアルな社会的・経済的影響を及ぼしている。

○オルタナティブを想像する——非商業的な公共検索に向けて

アメリカでは、グーグル検索のような市場重視の情報ポータルを支援する新自由主義的な推進力が、人々やコミュニティに関する高品質な情報をインターネットで探索するプロセスに影響を及ぼしている。こうしたポータルが、ウェブを閲覧するための主要な手段となっているからだ。これは、現在の営利目的の検索およびクラウドコンピューティング産業が抱える多くの矛盾の一つである。今後の研究では、プラットフォーム、インターフェース、ソフトウェア、体験のデザインを、文化的・ジェンダー的に状況づけられ、しばしば経済的必要性・権力・価値観に左右される実践として捉えたうえで、それらが果たす役割を問うていくことが必要である。このような問題意識は、ウェブ上の女性のアイデンティティに紐づくものとしてデフォルトでポルノや搾取的なウェブサイトが表示されることがないようにするための取り組みを後押しすることにつながる。市場の利害関心を原動力とするものは何であれ解決策を編み出すための最も手っ取り早く革新的な方法だとみなす風潮があるが、それとは裏腹に、私たちはいまその失敗を目の当たりにしている。このような慣行への注意を呼びかけることは、たとえどれほど不評を買うとしても、情報が信頼に値する確かなものだと思えるような環境を培うために欠かせない。必要なのは、広告や商業的利益をインターネット上の高品質な情報にアクセスする能力から切り離すことである。とりわけ、アメリカにおける一般的なメディアとしてインターネットの存在感が高まっている今日、その必要性は大きい。

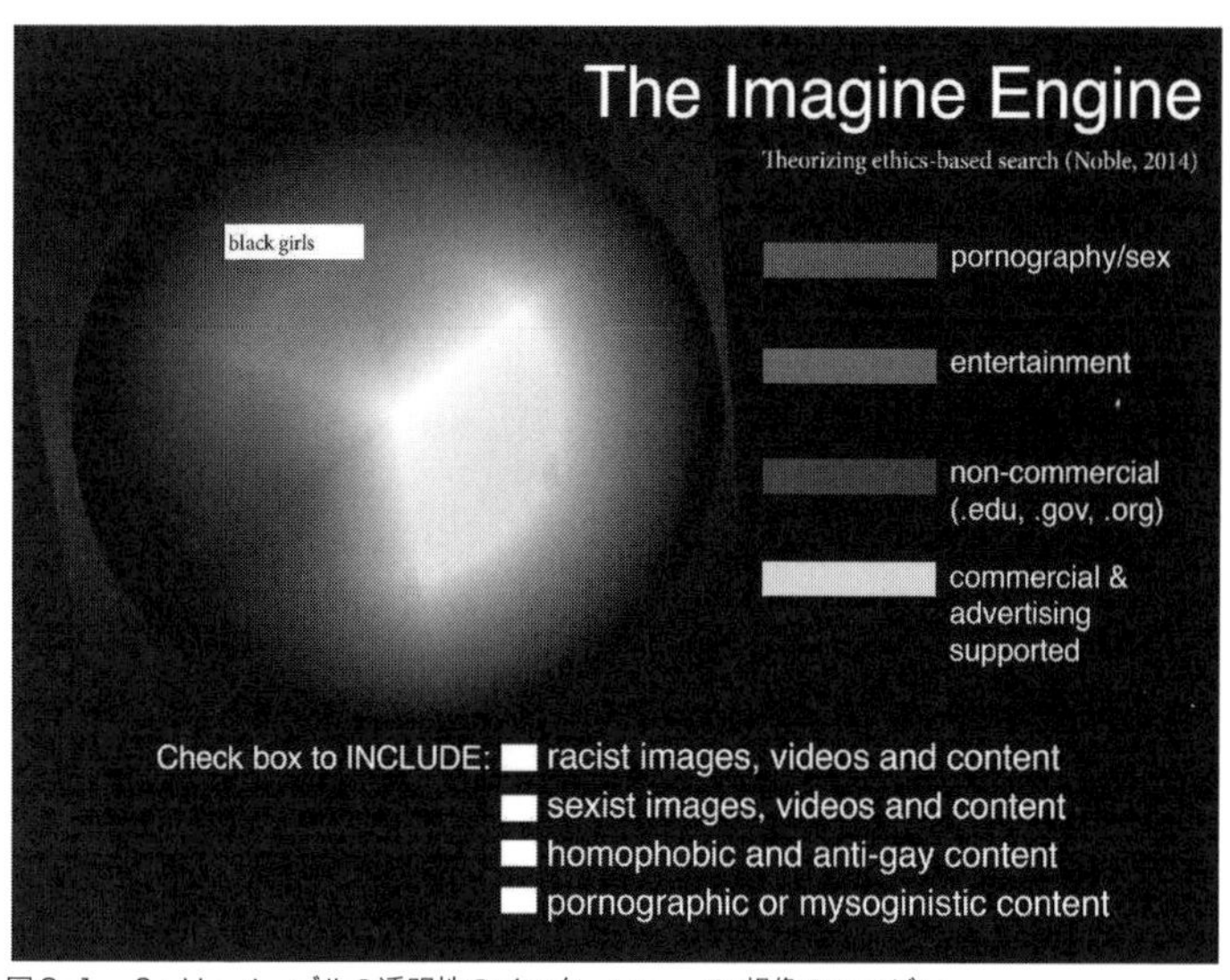

図C-1　S・U・ノーブルの透明性のインターフェース:想像のエンジン

グーグル検索であれイェルプであれ、デジタルメディアプラットフォームにおいて順位づけを行なうアルゴリズム的意思決定をデフォルト設定で利用する際、検索結果の最初のページに表示されるのがほんの一握りの結果からなるリストであることを普通だと思っている人も多いかもしれない。しかし、この「普通」は、ソフトウェアとハードウェアの両方をこの形式でのみ機能するように人間が意識的に設計した直接的な結果なのだ。

代わりに、すべての検索結果が、画面上の赤いものはいずれもポルノ、緑はビジネス・商業関連、オレンジはエンターテインメント、というように一連の管理されたカテゴリーを象徴するさまざまな色で視覚的に表示される、と想像してみてほしい。もしこれが実現すれば、インデックス化可能なウェブの全体像を見ることが可能になり、興味のある色をクリックして、自分が見たい色合いを掘り下げていくことができる。実際、ほかにもさまざまな検索の可能性について想像することができるし、そうするべきなのだ。私自身の想像、そして私が構築を試みているプロジェクトにおいて、ウェブ上の情報へのアクセスはカラーピッカーツールのような透明性が高いインターフェースに近い形でデザインされる。その狙いは、ユーザーが情報の微妙なニュアンスを見てとり、ニュースとエンターテインメント、エンターテインメントとポルノ、ジャーナリズムと学術研究などの境界を容易に識別できるようにすることである。これが実現すれば、ブログ圏と個人ウェブサイトもすぐに見分けられるようになるかもしれない。

このような想像は、検索エンジンとの対比において、一般市民への情報提供のあり方を脱自然化・再概念化しようとする試みの助けとなる。要するに、私たちの最悪の衝動が自動化される事態を遅らせるために、さらなる透明性と世論の圧力が必要とされているのだ。私たちは人間の意思決定を自動化し、そのうえでそれに対する責任を放棄してきた。公的資金が投入され、オンラインでの公正な表象に対する権利を守るための適切な情報政策が講じられなければ、一般市民に提供される良質な情報に対する侵食はエスカレートし続けるだろう。

黒人の女の子はいまどこに？

2010年に予備研究を開始し、2016年にかけてデータを収集するなかで、いくつかの変化があった。2012年にはフェミニズムの観点から大衆文化を扱う雑誌『ビッチ』に記事を執筆した。学生たちから、この話題は黒人の女性・女の子に限らず、すべての人々にとって重要なものだと説得されてのことだ。その記事では、互いに人種主義的・性差別的な見方を助長することがないような信頼できる情報へのアクセスを皆求めているのだと論じた。それが何かグーグルに決定的な影響を与えたとは言えないが、少なくとも月に1回、定期的に黒人の女の子についての検索は続けていた。その記事が店頭で売り出されてから約6週間後、再び「黒人の女の子」で検索したところ、グーグルがアルゴリズムに一定の変更を施したことが見てとれた。記事が発表されてからおよそ5ヶ月後のことだ。何年にもわたって黒人の女の子の主要な表象としてポルノを表示し続けた末、グーグルはそのアルゴリズムに修正を加えたのだ。本書の結論を執筆した時点での検索結果は図C-2のとおりである。

私は世界各地でこのテーマでの講演を行なっているが、聴衆はしばしば自らのスマートフォンで猛然と検索を行ない、その時々の結果でこの問題に折り合いをつけようとする。かれらは愕然とするときもあれば、そこまで懸念を抱かないときもある。というのも、人気が高くポジティブな話題や組織のなかには、混沌を切り抜けて1ページ目の上位に上がってきたものもあるからだ。実際、本書の制作中に、アメリカの大統領選挙についての偏った情報がグーグルやフェイスブックで盛んに出回ったことが政治の場に多大な影響を及ぼしていた、というニュースが報じられ、議論を呼んだ。

このようなテクノロジーが時間とともに変化して重要性を増しているなか、それらに過剰に依存することがどのようなアフォーダンスと影響をもたらしているかについて、すべての人が注意を払って再考すべきであろう。いま、かつてないほどに必要とされているのは、規制されていない非倫理的な人工知能がもたらす影響からの保護を掲げる公共政策である。

Google black girls Sign in

All Images Videos Shopping News More Search tools

About 301,000,000 results (0.42 seconds)

Black Girls Code
www.blackgirlscode.com/ Black Girls Code
Black Girls Code, BlackGirlsCode, STEM education San Francisco, Technology training for girls, diversity learning, Social Entrepreneurship in San Francisco, ...

Black Girls Rock
www.blackgirlsrockinc.com/
2016 Black Girls Rock! HONOREES. Rihanna ... TUNE IN TO CELEBRATE A NIGHT OF BLACK GIRL MAGIC WITH. Black Girls Rock!

Read More - Black Girls Rock
www.blackgirlsrockinc.com/home/
Amandla Stenberg is an actress, fashionista and social activist. She has been featured in many TV shows such as Hunger Games and Sleep Hollow. She also ...

In the news

7-Year-Old Writes Book To Show Black Girls They Are Princesses
Huffington Post - 2 days ago
Morgan Taylor wants to make sure every little black and brown girl feels like royalty. Which is ...

Black Girls Code relaunching Saturday with gaming workshop
Miami Herald - 51 mins ago

More news for black girls

Black Girls Rock! Homepage - BET.com
www.bet.com/shows/black-girls-rock.html BET
Check out all things Black Girls Rock! here. ... Rihanna Owns Her Role as a Rock Star · Black Girls Rock!, 2016, Highlights, Hillary Clinton, Beverly Bond ...

9 Types of Black Girls - YouTube
https://www.youtube.com/watch?v=HELQYU6nSIA
Aug 12, 2015 - 30 LIKES FOR 9 TYPES OF BLACK FRIENDS!!!!!!! These are 9 Types of Black Girls you are bound to come across in your lifetime. Most likely ...

(@darkskin.blackgirls) • Instagram photos and videos
https://www.instagram.com/darkskin.blackgirls/
Dedicated to Darkskin Women #BlackLivesMatter Business Inquiries: darkskin .blackgirls@yahoo.com DM For a Feature Tag them if you know their ...

Black Girls RUN!
blackgirlsrun.com/
Welcome to the MOVEment | Black Girls RUN!Black Girls RUN!

Black Girls Are Easy |
blackgirlsareeasy.com/
Black Girls Are Easy has been voted the top dating and relationship advice website of the year!

Why Are Black Girls Disproportionally Pushed Out of Schools? - The ...
www.theatlantic.com/education/archive/2016/03/the...of-black-girls-in.../473718/
The "good girl" and "bad girl" dichotomy, as chronicled by Monique W. Morris in Pushout: The Criminalization of Black Girls in Schools, is a ...

Study: Black Girls Are Being Pushed Out of School : Code Switch : NPR
www.npr.org/sections/codeswitch/.../study-black-girls-are-being-pushed-out-of-school
News surrounding a confrontation in a Baltimore school is raising new questions about the role race plays in discipline for black girls. Baltimore ...

I Have a Problem With #BlackGirlMagic - Black Girls Aren't Magical ...
www.elle.com/life-love/a33180/why-i-dont-love-blackgirlmagic/

See results about
Black Girls Code (Not-for-p...
Founder: Kimberly Bryant
Headquarters: San Francis...

図C-2　私が「黒人の女の子」で検索した際の最新の結果（2016年6月23日）

エピローグ

本書を執筆してから印刷に回されるまでの間に、アメリカ政治の風景は激変した。２０１６年11月8日、元国務長官ヒラリー・クリントンが大統領選挙でドナルド・トランプに敗北したのだ。特にクリントンは一般投票では３００万票近くの差をつけて勝利していたことから、数日のうちに、メディアの有識者や世論調査員はトランプの予想外の逆転勝利について解明しようと試み始めた。

まもなくして、オンラインで出回っていた「フェイクニュース」がこの結果を招いたのだという主張がなされるようになった。選挙後の数週間に本書について講演を行なった際、多くの一般講演で私は、「グーグルなどのプラットフォームを通じて流通する商業的情報のバイアスが女性・女の子にもたらす弊害について、私は何年も論じてきました。しかし、それが大統領選挙を混沌に陥れるまでは、誰も気にかけていないようでした」と述べるしかなかった。偽情報（欺くことを目的とした、明らかに誤った情報）についての異例の記事が、選挙結果をめぐる見出しを飾ったことは注目に値する。

この新たな政治環境は、「公共機関は、〔情報の商業化が進むなかで〕公益のための情報の監修（キュレーション）という重要な役割を担っている」という私たちがこれまで抱いてきた考えを劇的に変化させた。白人至上主義者を自認する偽情報のエキスパートが公的統治の中枢に進出し、その指揮のもとに誕生した新たな政

Google's top news link for 'final election results' goes to a fake news site with false numbers

図E-1　「選挙の最終結果」をグーグルで検索するとフェイクニュースに誘導される。
出典：『ワシントン・ポスト』（2016年11月14日）

If you head to Google to learn the final results of the presidential election, the search engine helpfully walks through the final electoral vote tallies and number of seats won by each party in the House and Senate. Under that, Google lists some related news articles. At the top this morning, with an accompanying photo: a story arguing that Donald Trump won both the popular and electoral votes.

In the news

FINAL ELECTION 2016 NUMBERS: TRUMP WON BOTH POPULAR (62.9 M -62.2 M) AND ELECTORAL COLLEGE ...

That's not true.

The Daily Show's Dan Amira noticed that numbers were being spread on social media that linked back to the "70 News" site. The 70 News article cites its source as this tweet.

図E-2　選挙の最終結果についてのグーグル検索の結果は、一般投票の勝者はトランプであると誤って伝えている。出典：『ワシントン・ポスト』（2016年11月14日）

図E-3　ツイッター上で広まった偽情報は、トランプが一般投票の勝者だと伝えている（2016年11月14日）。

治体制において情報がどのような意味をもつかをあらためて文脈化することは、今後の著作で扱われるべき課題である。

博物館・図書館サービス機構、全米人文科学基金、全米芸術基金など、情報や学術の社会的役割をめぐる研究の支援において重要な役割を担うことができたはずの機関はいずれも、本書が印刷に回される時点で、恒久的な資金の打ち切りと解体の脅威にさらされている。実際、公立の研究大学も、新政権の方針に従わないという理由で、連邦政府からの資金削減という深刻な脅威に直面している。これによって、研究をとりまく環境の政治的な右傾化が進んだ。その変化はあまりに急激なものであり、２０１７年４月22日には、政府の資金提供を受ける科学者・研究者が研究の実施や公表を停止するように命じられたことを受けて、ワシントンD．C．で科学者や研究者らによるデモ行進が行なわれたほどである。公立の研究大学も同様の介入を受ける恐れがあり、少なくとも多くの教職員は、今後4～8年の間にその可能性がないとは言い切れないという前提のもと働いている。

本書では、新自由主義的な政治・経済環境は、コミュニティについての誤情報や誤った特徴づけからきわめて大きな利益を得てきたということ、そしてそれは最も権利を剝奪され周縁化されている人々にさまざまな影響を及ぼしているということを論じてきた。加えて、商業的な情報プラットフォームに代わるものを模索するために、非営利および公的な研究資金を増やすことも訴えてきた。そのなかには、明らかに誤った情報や有害な情報の流通により注意を払うことができる、公益に資するような非商業的検索エンジンの支援も含まれるはずだった。〔しかし、〕本書の出版を前にして、現在展開しつつある政策環境を踏まえると、こうした案にはまったく実現の見込みがないかもしれないと認めざるを得ない。

私が願うのは、一般市民が諸機関を取り戻し、多民族民主主義（multiracial democracy）のために資源を振り向けることである。いま、かつてないほどに、図書館・大学・学校・情報資源が必要とされている。それは人種・宗教・ジェンダーの境界線に沿って参加の枠組みを狭めるのではなく、すべての人々のための民主主義を支え、さらに拡大させる助けとなるものである。情報は、受容性という文化的文脈のなかで流通する。最も正確で信頼できる情報が検索エンジンの上位に表示されることを単に求めるだけでは十分ではないが、それが情報利用のより広範な文化に影響を与える重要な一歩になることは間違いない。それは、社会で最も大きな力をもつ人々と、最も権利を剝奪されている人々の間の資源分配をめぐる意思決定にも役立つはずだ。

つまるところ、公民権や人権を侵食するために利用されている人種主義的・性差別的な情報の流通をくい止めるために、私たちは闘わなければならないのだ。本書がその一助となることを願っている。

解説

前田春香／佐倉統

本書は、*Algorithms of Oppression: How Search Engines Reinforce Racism*（New York University Press, 2018）の翻訳である。著者のサフィヤ・ウモジャ・ノーブルは、カリフォルニア大学ロサンゼルス校（ＵＣＬＡ）のジェンダー研究ならびにアフリカン・アメリカン研究の教授であると同時に、人種とデジタル正義センター（Center on Race & Digital Justice）の研究所長であり、ＵＣＬＡの批判的インターネット研究センター（Center for Critical Internet Inquiry）のテクノロジーと権力におけるミンデルー・イニシアチブ（Minderoo Initiative on Tech & Power）の共同ディレクターでもある。

今日の社会ではコンピュータやＡＩが、日常生活において当たり前となるほどに普及しているが、本書はそれらの振る舞いの根底に重大な差別や偏りがあることを明らかにした重要な文献である。近年では生成ＡＩが私たちの生活に影響を及ぼしているが、本書で論じられていることはいまなお正鵠を射たものだ。本書が重要なのは、なぜ黒人女性の表象が商業主義の検索エンジンの利益となっているのか、すなわちなぜ差別的な構造が生まれたのか、またなぜそれがＩＴプラットフォーム（本書ではグーグル検索）のなかで存在し続けているのか、その原因を明確にした点にある。グーグルはいまや絶大な権力を有する存在であると目されているが、本書はその商品たる検索システムの差別性について、ほかに類がないほど明晰な分析を施した。白人女性と黒人女性では日常生活でのさまざまな経験が異なるという視点に立ち、黒人女性ならではの経験を重視するインターセクショナリティの観点から分析されていることも本書がこの分野において不可欠の文献と評価されている理由の一つである。原著の出版からすでに5年経っているが、いまもなおアメリカのアマゾン（Amazon）で「オンラインサーチ」のジャンルで技術書やハウツー本と並んで4位にランクインしている（２０２３年9月18日現在）。

アルゴリズムと差別に関する問題は、２０１６年以降により広く注目されるようになった。その背景の一つとして、機械学習の技術的成功が社会に認知されるようになり、それに伴ってさまざまな問題点が認識されだしたという状況がある。同時期にグーグルは画像分野の機械学習におけるブレイクスルーを達成し、「ＡＩが自力で猫を認識することができた」と大々的に報道されていた。テクノロジーの大きな達成に沸き立つ一方で、技術は「中立的」「客観的」に判断をするという、本書が全面的に批判しているイメージを裏切る事例が散見され始め、「人工知能はバイアスを持ちうる」という驚きが広まった。

もう一つの背景は、黒人の命とその安全な生活を守ろうとする運動「ブラック・ライブズ・マター（Black Lives Matter）」である。日本でこの運動が話題になったのはジョージ・フロイド氏が白人の警官によって殺害された２０２０年以降であるが、アメリカでの運動の始まりは２０１２年まで遡ることができる。そのきっかけもやはり黒人男性が警官によって射殺されたことであった。一つの行為が差別であると広く社会に認識されるためには、その行為の背景に体系的な抑圧の歴史が長く続いていることが周知されている必要がある。このような経緯を経て、２０１０年代半ばのアメリカでは、アルゴリズムによる差別が大きなうねりになる下地がすでにできていたと考えられる。

翻って２０１７年時点の日本では、人工知能学会の開発ガイドライン（倫理指針）や、一部の企業のＡＩに関する倫理指針の原則に反差別の標榜が見られる程度であった。当時は日本におけるアルゴリズム差別の具体的な事例がまだあまり知られておらず、海外の事例を「輸入」する形で問題認識が進んでいったといえよう。当初は技術的側面についての関心が主であったが、本解説の執筆者の一人（前田）は、アメリカで実際に使用されている再犯予測システムCOMPASの事例を哲学的差別論に基づいて分析した[1]。日本におけるこの分野の研究は盛んになりつつあるとはいえ、まだ十分に実態は把握されていない。日本でも女性、人種、外国人、アイヌ民族、部落、沖縄県など、差別は構造的に存在しており、ＡＩの普及によってどのような状況になるか、工学面だけでなく人文・社会科学的な研究調査が必要である。

本書で強調されているのは、第一にアルゴリズムをコーディングするのは人間であるということ、第二にアルゴリズムやインターネットでは白人男性の価値観が支配的となっていることである。しかし何よりも本書の基底をなすのは、アルゴリズムやインターネットの影響を受けるのはいまを生きる人間なのだということであるように思われる。いまを生きる人間はその人種や性別によって、歴史の重みを否応なく背負わされる立場にあるのだ。そして、その歴史の重みはすべての人間に等しく背負わされているわけではない。

さて、本書でも取り上げられている、「黒人の女の子（black girls）」と検索ボックスに入力するとポルノサイトばかりが出てくるという事例は、一見すると単なる技術的な「不具合（グリッチ）」に思えるかもしれない。しかし著者によれば、それは「偶発的」なエラーなどではなく、これまでの歴史の上に構築された体系的な性差別・人種差別の表れであり、資本主義的な商慣行の一部であるということだ。これはこの事例に限ったことではない。したがって、グーグル検索の結果を弥縫的に修正すればよいというものではない。敵はより大きく広く根深いのだ。いまや広く認識されるようになったように、さまざまな人工知能の「認識」の差異にまつわるトラブルが裏づけているのは、それらは社会の至るところで繰り返される集合的な問題（すなわち差別）と結びつけて解釈するのが妥当であるということだ。この問題は個別のエラーとしてではなく、差別の問題として「発見」されたのである。社会が差別的だからこそＡＩも差別的に振る舞う。そしてＡＩの差別的な振る舞いが社会の差別をさらに再生産していく。いまや技術的問題と倫理的問題は別種のものではなく、相互に重なり合うものだと認識されるようになったのである。

本書で論じられているように情報技術業界が白人男性の文化を基盤に成り立っているためか、アルゴリズムにおける差別の解消に関わっている黒人女性の活躍には目を見張るものがある。『タイム（*Time*）』誌の「最も影響ある人工知能関係者１００人（TIME100/AI）」にも選出されたジョイ・ブオラムウィニ（Joy Buolamwini）はマサチューセッツ工科大学（ＭＩＴ）のメディアラボを拠点とする計算科学者であるが、その業績は大手のＩＴ企業が提供する画像認識プログラムの人種・性別間格差を暴いたことで知られる。[2]

また、いくつかの類書に目を通すと、たびたび個人的な経験に言及していることが目を引く。たとえばアフリカン・アメリカン研究を専門とするプリンストン大学准教授ルハ・ベンジャミン（Ruha Benjamin）は、その著書『テクノロジー以後の人種（*Race after Technology*）』の序章で、「名づけ」という行為の政治性に言及している。[3] 自らのルーツを反映した名前をつけることは、ある社会ではその名前をつけられた者のアイデンティティやその基盤となる人種を（しばしば主流の人々に対して敵対的に）表象するものとみなされ、いわば名づけをされた時点で、社会構造のなかに位置づけられてしまう。実際にグーグルの画像検索の事例では、いかにも健全なアメリカ人と思しき姿の画像が表示された白人らしい名前とは対照的に、黒人らしい名前を検索ボックスに入れると、逮捕写真が多く表示されたという。本書の「はじめに」でも、黒人の女の子が興味をもちそうな話題について検索しようとしたときにポルノサイトが表示されたという著者自身の体験が紹介されている（もっとも、この現象は、程度の差はあれど白人の女の子も経験することかもしれない）。

マジョリティは人種や性別について、その属性そのものが理由で思い悩むことは少ないが、それこそがマジョリティが有する特権なのである。白人は子どもに名前をつけるとき、その名前が白人らしいがためにその子の将来を心配することはない。日本における日本人も、マイノリティとしての立場を経験することはそれほど多くないだろう。アメリカ社会、より正確に言うならば白人男性が優位な社会のなかで、黒人として、女性として経験してきたさまざまな事柄が、著者らのアルゴリズムによる差別に対する感性を養い、いち早く「アルゴリズムによる差別黎明期」に一冊の告発の書を結実させた原動力となったといえよう。

著者が目指しているのは、本書を通して社会に変化をもたらすことだ。著者がなしたのは一つの技術における差別性を明らかにするという重要な役割である。差別性を指摘してこそその是正は可能になるという意味で、本書が成し遂げたことは偉業といってよい（しかも実際に是正されており、あまつさえ本書によってアルゴリズムによる差別という現象が広く知られるようになった）。しかし、インターネットにはそれとは異なる役割を持たせることもできるように思われる。

第一に、インターネットを気づきを得て連帯する空間として捉えることである。黒人としての経験、女性としての経験といっても、その記憶が個人のなかで保持されているだけでは差別として認識されることはない。その経験や語りが社会において「差別」とみなされるためには、ほかの女性や黒人の経験と接続され、「個人が被った理不尽」としてではなく、「ある属性をもった集団が全体として被った理不尽」として再解釈・再編成される必要がある。そのためには同じ属性を共有する人々、ひいては同様の差別を受けたという人々の間で、記憶が共有されることが必要となるが、インターネットはそのような共有を容易にする。「私にもこういうことがあった」と想起し「自分だけではないのか」と目が覚めるような思いがするとき、これは不正だったのではないか、次の世代にも起きうるのではないか、と認識するきっかけとなるのだ。#MeToo運動では一つの記事をきっかけに、ＳＮＳで世界的な性加害の告発運動が勃興したが、これこそインターネットと連帯を示す顕著な例であるといえよう。

第二に、インターネットを記録を残す空間として捉えることである。個人の経験には良いものも悪いものもある。残したいこともあれば残したくないこともある。本書で必要性が強調されているのは、本人は残したくないにもかかわらずインターネットに保存されてしまった個人の行為の記録を消去できるようにすること、すなわち個人の忘れられる権利を保障することであった。この権利が重要であることは疑い得ない。しかし一方で、インターネットに保存された行為の記録が恒久的に残るのであれば、集団として被った差別的行為の記憶を継承することができるともいえる。たとえば、ホロコーストの記憶の語りをＡＩで再現しようとする試みがある。オーストラリアのシドニーにあるシドニー・ユダヤ博物館では、ホロコーストの生存者を模したプログラムが本人の肉声で来館者の質問に答えるという。もちろん、保存したい記憶が何かはその共同体によって異なるだろう。日本であれば、いまや語り手がいなくなりつつある原爆や戦争の記憶を残そうとするかもしれない。個人が加害者となると自身の加害を忘れてしまうことがあるし、集団で何かをなしたならばなおさらそれを隠蔽しがちである。しかし当事者の代わりにインターネットが記憶を保持しつづけるのであれば、私たちが時間を越えて特定の人々に対して責任を履行する契機が開かれるともいえるのだ。

たしかに日本では人工知能の差別という問題は深刻化していない（ように見える）。アルゴリズムによる差別は顕在化しにくいのだ。しかしアルゴリズムはいまや日常的に、しかも至るところで駆動しており、日本でもいつ問題が表面化するかわからない。本書における差別の事例は、広く社会に周知することに成功しており、なおかつその是正にも成功したという点で、企業や研究者にとっては今後の対策のモデルケースとなりうるものである。日本でもこのような事例がないか目を光らせる必要があるし、発見されたならば企業はただちに是正する必要があるといえるだろう。本書はこのような点で、私たちにとって良き参照点を提示してくれる、貴重な書である。

注

（1）前田春香「アルゴリズムの判断はいつ差別になるのか――COMPAS事例を参照して」『応用倫理』第12号、北海道大学大学院文学研究院応用倫理・応用哲学研究教育センター、２０２１年

（2）Joy Buolamwini and Timnit Gebru, "Gender Shades: Intersectional Accuracy Disparities in Commercial Gender Classification," *Proceedings of Machine Learning Research* 81, pp. 1-15, 2018.

（3）Ruha Benjamin, *Race after Technology: Abolitionist Tools for the New Jim Code*, Polity, 2019, pp.1-48. 同書も明石書店より翻訳書の出版企画が進行中である。

＊本解説は、ＪＳＴムーンショット型研究開発事業（JPMJMS2215）の支援を受けたものである。

連邦政府が資金を提供する機関のすべてのコンピュータにフィルターをかけ、ポルノコンテンツを閲覧できないようにすることを目的としている。同法は、このような機関に対するインセンティブとして、フィルタリングを導入しインターネット安全ポリシーを採用した機関への財政的優遇措置（ユニバーサルEレート割引）を設けている。連邦通信委員会「児童インターネット保護法」（www.fcc.gov/guides/childrens-internet-protection-act）を参照（最終アクセス :2017年8月9日）。

(51) 2007年の児童安全閲覧法は、成人向けのいかがわしいコンテンツを、子どもが携帯端末で見ることができないように規制することを目的としている。連邦通信委員会は、大人によるコンテンツのブロックを可能にするVチップの利用を通じた、テレビや携帯端末でのアクセス制限ソフトや装置の使用状況を調査している。連邦通信委員会「無線端末上のいかがわしいコンテンツからの児童の保護」（www.fcc.gov/guides/protecting-children-objectionable-content-wireless-devices）を参照（最終アクセス :2017年8月9日）。

(52) ナショナル・アーバン・リーグは、2010年、アフリカ系アメリカ人に特有の経済危機について驚くべき統計を発表した。その要点は、(1)白人世帯の4分の3が家を所有しているのに対し、黒人およびヒスパニック系の世帯ではその割合が半分を下回る（それぞれ47.4%、49.1%）、そして(2)黒人およびヒスパニック系は、白人に比べて3倍以上も貧困線以下の生活をしている者の割合が大きい、というものだ。National Urban League（2010）を参照。

(53) McGreal（2010）を参照。

(54) Jensen（2005）, McGreal（2010）を参照。

(55) Neville et al.（2005）を参照。

(56) Pawley（2006）を参照。

(57) Tettegah（2016）を参照。

(58) Brown（2003）, Crenshaw（1991）を参照。

(59) Lipsitz（1998）, Brown（2003）, Burdman（2008）を参照。

(60) Tynes and Markoe（2010）を参照。

(61) Brown（2003）を参照。

(62) Ibid.

(63) Lipsitz（1998）, Jensen（2005）を参照。

結　論　抑圧のアルゴリズム

(1) Tate（2003）を参照。

(2) Daniels（2008）を参照。

(3) カンディスの店に対するこのような抑圧は、人気がないことが原因というよりは、自分のページから競合店を削除するためにイェルプに追加の料金を支払おうとしないことによるものだと彼女は話した。

(4) カンディスによれば、普段はイェルプでレビューをしない客2人が、彼女について好意的なレビューを投稿してくれたものの、彼女のページから削除されてしまったのだという。彼女は、イェルプのカスタマーサービス担当者との会話から、これらのレビューが「詐欺的」、すなわち彼女が顧客に懇願して書いてもらったであろう不正なレビューとみなされたと推論している。

(29) Ibid.

(30) Ibid, p. 43.

(31) Ibid.

(32) グーグルのグローバルな資産および子会社の一覧は、証券取引委員会への提出書類に記載されている（www.sec.gov/Archives/edgar/data/1288776/000119312507044494/dex2101.htm）。

(33) 米国労働省のデータと、シリコンバレーのテクノロジー産業における黒人・ラテン系・女性の著しい減少をめぐる最近のニュース報道を参照。Swift（2010）。

(34) Meyer（2016）を参照。

(35) Glusac（2016）を参照。

(36) Eddie and Prigg（2015）を参照。

(37) Mosher（2016）を参照。

(38) Fuchs（2011）を参照。

(39) Noble and Roberts（2015）を参照。

(40) 労働省事務局の「大統領令13126に準じ、強制または年季奉公の児童労働に関する連邦政府請負業者認定を要する製品リストの改訂の最終決定の通知」を参照。これにより、児童労働で生産されたコルタンをアメリカに持ち込むことが禁じられた。

(41) クリスティ・エシックは、「銃、金、携帯電話（Guns, Money and Cell Phones）」（2011）という記事でこの問題を取り上げている。国連も、コフィー・アナン事務総長によって提出された報告書を公表しており、それにはコルタンの不正取引に関与している企業の状況と、そのような慣行をきっかけにコンゴ民主共和国で生じている紛争についての国連の調査の影響が記されている。この報告書はwww.un.org/Docs/journal/asp/ws.asp?m=S/2003/1027で閲覧可能（最終アクセス:2012年7月3日）〔2023年4月現在リンク切れ〕。

(42) コルタン採掘に関しては、欧米の研究者による研究はきわめて不足しているものの、奴隷制に近い状態のコンゴ経済についての非政府組織による数々の報告書がその状況を記録している。そのようなコンゴ経済の現状は、コルタンのような「紛争鉱物」への欧米の依存が招いたものであり、それが現在も続く戦争状態やルワンダ、ウガンダ、ブルンジにまで広がる密輸体制の基盤となっている。『ニューヨーク・タイムズ』紙のレビュー、また採掘に起因するコンゴの現状についてのアヌープ・シャーの詳細な解説（www.globalissues.org）を参照。シャーは、多国籍企業、政治家、軍事指導者からなるエリートネットワークが本質的にこの問題を世間の目から遠ざけていると指摘している。Harden（2001）、Shah（2010）を参照。

(43) この問題に特化した本格的な学術研究は少ないものの、2011年から2012年にかけて、アップルが製品を製造している中国の一部地域での労働条件にメディアの注目が集まった。一部の報道には場所や日時に関する事実誤認があるが、アップルのサプライヤーであるフォックスコンの労働条件が不安定で人権侵害が常態化していることを示すかなりの証拠がある。Duhigg and Barboza（2012）を参照。

(44) Fields（2004）を参照。

(45) Wallace（1990）p. 98.

(46) Hobson（2008）を参照。

(47) Harvey（2005）を参照。

(48) Jensen（2005）, Brown（2003）, Burdman（2008）を参照。

(49) Harvey（2005）を参照。

(50) 2001年に連邦通信委員会が採択した児童インターネット保護法（CIPA）は、学校や図書館など

（47）Ibid, p. 1101.

（48）Fuchs（2008）を参照。

第6章　情報文化の未来

（1）Federal Communications Commission（2010）を参照。

（2）Ibid.

（3）Schiller H.（1996）p. 44.

（4）Cohen（2016）.

（5）McChesney and Nichols（2009）, Schiller H.（1996）を参照。

（6）Harris-Perry（2011）, hooks（1992）を参照。

（7）Arreola（2010）.

（8）職業ジャーナリスト協会のウェブサイトの倫理綱領を参照（www.spj.org）。

（9）Darnton（2009）, Jeanneney（2007）を参照。

（10）Jeanneney（2007）を参照。

（11）Authors Guild v. Google, Case 1:05-cv-08136-DC, Document 1088（2013年11月14日）を参照。

（12）Darnton（2009）p. 4.

（13）Search King v. Google（2003）を参照。

（14）Dickinson（2010）を参照。

（15）Ibid, p. 866.

（16）Ibid.

（17）Ingram（2011）.

（18）Wilhelm（2006）を参照。

（19）Sinclair（2004）を参照。

（20）Luyt（2004）を参照。

（21）van Dijk and Hacker（2003）, Pinkett（2000）を参照。

（22）Rifkin（2000）を参照。

（23）Segev（2010）を参照。

（24）Rifkin（1995）を参照。

（25）「プロシューマー（prosumer）」という用語は、「生産者（プロデューサー）」と「消費者（コンシューマー）」の混成語で、多くの場合、より高度なデジタルリテラシー、経済的参加、テクノロジー生産手段に対する個人のコントロールを指す。この用語は、この文脈では一般的に、未来学者のアルビン・トフラーが考案したとされる。彼は、従来の経済的な消費者と生産者の間の境界線は、テクノロジーとの関わりを通じて次第に曖昧なものになると考えた。そして、この〔プロシューマー的〕参加によって、一般的に、企業による製品やサービスのマス・カスタマイゼーション〔大量生産の規模を維持しつつ、顧客の要望に応じて仕様変更を行なう生産方式〕が広がりをみせるだろうと論じた。Toffler（1970, 1980）, Tapscott（1996）, Ritzer and Jurgenson（2010）を参照。

（26）Ritzer and Jurgenson（2010）p. 14.

（27）Smythe（1981/2006）を参照。

（28）Fuchs（2011）を参照。

(11) Olson（1998）を参照。

(12) Anderson（1991）pp. 37-46 を参照。

(13) Hudson（1996）p. 256, Anderson（1991）。

(14) 印刷文化の存在を示す最古の記録は、中国の木版印刷だとされている。Hyatt Mayor（1971）pp. 1-4 を参照。

(15) Saracevic（2009）を参照。

(16) Berman（1971）, Olson（1998）を参照。

(17) Berman（1971）p. 15.

(18) Ibid, p. 5.

(19) Ibid, Palmer and Malone（2001）も参照。

(20) Berman（1971）p. 5 を参照。

(21) Ibid.

(22) Olson（1998）p. 233.

(23) Ibid, p. 234.

(24) Ibid, pp. 234-235.

(25) Ibid, p. 235.

(26) Ibid.

(27) Cornell（1992）, Olson（1998）を参照。

(28) Olson（1998）p. 237 を参照。

(29) West, C.（1996）p. 84 を参照。

(30) Berman（1971）p. 18 を参照。

(31) Ibid. Mosse（1966）が引用されている。

(32) Wilson（1968）p. 6 を参照。

(33) Berman（1971）p. 19. マーシャルとの個人的なやり取り（1970 年 6 月 23 日）が引用されている。

(34) Ibid, p. 20.

(35) Reidsma（2016）.

(36) Galloway（2008）を参照。

(37) Galloway, Lovink, and Thacker（2008）を参照。

(38) Galloway（2008）を参照。

(39) Battelle（2005）p.6.

(40) Brin and Page（1998a）を参照。

(41) Saracevic（1999）p. 1054.

(42) Ibid.

(43) Saracevic（2009）p. 2570.

(44) Bowker and Star（1999）を参照。

(45) Saracevic（2009）を参照。

(46) Brock（2011）を参照。

Data Center with Street View」(www.google.com/about/datacenters/inside/) を参照(最終アクセス:2017年8月17日)〔2023年4月現在、リンク先のページの内容は変更されているが、当該の動画は https://www.youtube.com/watch?v=avP5d16wEp0&t=2s で閲覧可能〕。

(20) グーグル「Inside Look: Data and Security」(www.google.com/about/datacenters/inside/data-security/)(最終アクセス:2017年8月17日)。

(21) グーグルの「Data and Security」からリンクされている「Security Whitepaper: Google Apps Messaging and Collaboration Products」(www.google.com/about/datacenters/inside/data-security/) を参照(最終アクセス:2016年8月16日)〔2023年4月現在、リンク先のページの内容は変更されているが、当該資料は https://cryptome.org/2012/12/google-cloud-sec.pdf で公開されている〕。

(22) Storm (2014) を参照。

(23) Blanchette and Johnson (2002) p. 36.

(24) Xanthoulis (2012) p. 85 を参照。Fleischer (2011) が引用されている。

(25) Ibid.

(26) Google (2012) を参照。

(27) アメリカ政府の広範な監視プログラムに関するエドワード・スノーデンの内部告発については、『ガーディアン』紙 (MacAskill and Dance, 2013) がその経緯を網羅的に解説している。

(28) Tippman (2015).

(29) Kiss (2015).

(30) Goodman (2015).

(31) Robertson (2016) を参照。

(32) Ibid.

第5章 社会における知識の未来

(1) 『Dartblog』の「The Plan for Dartmouth's Freedom Budget: Items for Transformative Justice at Dartmouth」(www.dartblog.com/Dartmouth_Freedom_Budget_Plan.pdf) を参照(最終アクセス:2017年8月9日)〔2023年4月現在、このリンクは無効になっているが、当該資料は https://docplayer.net/15632504-The-plan-for-dartmouth-s-freedom-budget-items-for-transformative-justice-at-dartmouth.html で閲覧可能〕。

(2) Peet (2016).

(3) Ibid.

(4) Ibid.

(5) Qin (2016).

(6) サンフォード・バーマンはその記念碑的な著書『偏見と反感 (*Prejudices and Antipathies*)』(1971) で、アメリカ議会図書館における人種主義的な分類の醜悪な歴史を記している。その30年後、彼の研究成果の追跡調査として執筆されたのが、スティーブン・A・ノールトンの論文「『偏見と反感』から30年――アメリカ議会図書館件名標目表の変遷に関する研究 (Three Decades since Prejudices and Antipathies: A Study of Changes in the Library of Congress Subject Headings)」(2005) である。

(7) Peet (2016).

(8) Furner (2007) p. 148.

(9) Ibid, p. 147.

(10) Ibid, p. 164.

第3章　人々とコミュニティのための検索

（1）ディラン・ルーフは、2015年7月22日、ヘイトクライムに関する連邦法違反の罪で起訴された。Apuzzo（2015）.

（2）ディラン・ルーフの写真と文章が掲載されたウェブサイト（www.lastrhodesian.com）は削除されたが、インターネットアーカイブで閲覧することができる（http://web.archive.org/web/20150620135047/http://lastrhodesian.com/data/documents/rtf88.txt.）。

（3）南部貧困法律センターによるCCCの説明を参照（www.splcenter.org/get-informed/intelligence-files/groups/council-of-conservative-citizens）。

（4）マギル大学の科学・技術リテラシーのウルフ・チェアであるガブリエラ・コールマンは、アノニマスとして知られるハッカーたちの積極行動主義や破壊行為について、また内部告発やハクティヴィズムといったかれらの活動の文化的・政治的性質について詳しく論じている。Coleman（2015）を参照。

（5）2010年のFBIの統計によれば、犯罪の大半は同一人種内で発生している。また、白人は、ほかのどの人種よりも暴力犯罪で逮捕されることが多く、暴力犯罪による逮捕の59.3%を占めることも指摘されている。U.S. Department of Justice（2010）を参照。

（6）Daniels（2009）p. 8を参照。

第4章　検索エンジンからの保護を求めて

（1）Associated Press（2013）を参照。

（2）Gold（2011）を参照。

（3）Ibid. 元の投稿はhttps://you-aremyanchor.tumblr.com/post/7530939623で閲覧可能。

（4）サイバー・シビルライツ・イニシアチブの「リベンジポルノ法」のページを参照（www.cybercivilrights.org）（最終アクセス:2017年8月9日）。

（5）Rocha（2014）.

（6）Ohlheiser（2015）.

（7）Judgment of the Court (Grand Chamber), 13 May 2014, Google Spain SL, Google Inc. v. Agencia Español de Protección de Datos (AEPD), Mario Costeja González を参照（http://curia.europa.eu）。

（8）Xanthoulis（2012）を参照。

（9）Charte du droit à l'oubli dans les sites collaboratifs et les moteurs de recherche（2010年9月30日）を参照。

（10）Xanthoulis（2013）, Kuschewsky（2012）を参照。

（11）Jones（2016）を参照。

（12）Purcell, Brenner, and Rainie（2012）を参照。

（13）UnpublishArrest.com「Unpublish, Permanently Publish or Edit Content」（www.unpublisharrest.com/unpublish-mugshot/）を参照（最終アクセス:2017年8月9日）〔2023年4月現在リンク切れ〕。

（14）Sweeney（2013）を参照。

（15）Blanchette and Johnson（2002）.

（16）Ibid, p. 34.

（17）Gandy（1993）p. 285.

（18）Caswell（2014）を参照。

（19）グーグルの「Inside Our Data Centers」からリンクされているユーチューブの「Explore a Google

(68) Ibid. また、Bennett（2001）, Filippo（2000）, O'Toole（1998）, Perdue（2002）も参照。

(69) Estabrook and Lakner（2000）を参照。

(70) Nash（2008）p. 53.

(71) Miller-Young（2014）.

(72) Paasonen（2010）p. 418.

(73) Ibid.

(74) Dines（2010）p. 48.

(75) Ibid, p. 47, 48.

(76) Miller-Young（2007）p. 267.

(77) hooks（1992）p. 65 を参照。

(78) Miller-Young（2007）p. 262.

(79) Greer（2003）, France（1999）, Tucher（1997）を参照。

(80) Markowitz（1999）を参照。

(81) Burbules（2001）を参照。

(82) Barth（1966）, Jenkins（1994）を参照。

(83) Herring, Jankowski, and Brown（1999）p. 363 を参照。

(84) Vaidhyanathan（2011）, Gandy（2011）を参照。

(85) Jenkins（1994）を参照。

(86) Harris（1995）を参照。

(87) Jenkins（1994）を参照。

(88) Davis and Gandy（1999）p. 367.

(89) Jenkins（1994）, Davis and Gandy（1999）を参照。

(90) Ferguson, Kreshel, and Tinkham（1990）, Pease（1985）, Potter（1954）を参照。

(91) Ferguson, Kreshel, and Tinkham（1990）, Tuchman（1979）を参照。

(92) Rudman and Borgida（1995）, Kenrick, Gutierres, and Goldberg（1989）, Jennings, Geis, and Brown（1980）を参照。

(93) Kilbourne（2000）p. 27.

(94) Kuhn（1985）p. 10. hooks（1992）p. 77 に引用されている。

(95) Paasonen（2011）, Gillis（2004）, Sollfrank（2002）, Haraway（1991）を参照。

(96) Wajcman（2010）を参照。

(97) Wajcman（1991）p. 5 を参照。

(98) Wajcman（2010）p. 150.

(99) Everett（2009）p. 149 を参照。

(100) Daniels（2015）を参照。

(101) Everett（2009）を参照。

(102) Fouché（2006）p. 640.

(36) Warf and Grimes（1997）p. 260.

(37) Brock（2011）p. 1088.

(38) Harvey（2005), Fairclough（1995）.

(39) Boyle（2003), D. Schiller（2007）を参照。

(40) Davis（1972）を参照。

(41) Dorsey（2003）を参照。

(42) hooks（1992）p. 62 を参照。

(43) Ibid.

(44) Dorsey（2003）.

(45) Ibid.

(46) U.S. Census Bureau（2008）.

(47) U.S. Census Bureau（2007）に基づく。既婚者で貧困状態にある者の割合は、白人では 5.4% であるのに対し、黒人では 9.7%、ヒスパニック系では 14.9% である。単身者に関しては、貧困状態にある者の割合は、白人では 22.5% であるのに対し、黒人では 44%、ヒスパニック系では 33.4% である。

(48) Ibid.

(49) ミシガン大学が実施している「所得動態に関するパネル調査(Panel Study of Income Dynamics)」(http://psidonline.isr.umich.edu）を参照。この調査は、縦断的な世帯調査として世界で最も長い歴史をもつとされている。

(50) Lerner（1986）p. 223.

(51) Ibid.

(52) Sharpley-Whiting（1999), Hobson（2008）を参照。

(53) Braun et al.（2007）を参照。

(54) Ibid, p. e271（原注は省略している)。

(55) Ibid.

(56) Stepan（1998）を参照。

(57) Harding, L.（2012）を参照。

(58) White（1985/1999）を参照。

(59) 同館のウェブサイト（www.ferris.edu/jimcrow）を参照。

(60) Miller-Young（2005), Harris-Perry（2011）を参照。

(61) White（1985/1999）p. 29 を参照。ホワイトの著書、とりわけ第 1 章「ジェゼベルとマミー（Jezebel and Mammy)」（pp. 27-61）は、ジェゼベルの描写に関する歴史的考察として非常に優れている。

(62) West, C. M.（1995）を参照。

(63) Kilbourne（2000), Cortese（2008), O'Barr（1994）を参照。

(64) Everett（2009), Brock（2009), Brock, Kvasny, and Hales（2010）を参照。

(65) Kappeler（1986）を参照。

(66) Ibid, p. 3.

(67) Paasonen（2011）を参照。

(2) Hiles（2015）を参照。

(3) Sinclair（2004）, Everett（2009）, Nelson, Tu, and Hines（2001）, Daniels（2015）, Weheliye（2003）, Eglash（2002）, Noble（2012）を参照。

(4) グーグル・アドワーズの詳細については第2章を参照。

(5) ウェブサイトや広告に掲載されている被写体の身元を保護するため、アドビ・フォトショップ（Adobe Photoshop）を使って顔や体の一部を意図的に塗りつぶした。ただし、読者がテキスト・画像の内容や言説を理解できる程度の視覚的要素は残した。

(6) Omi and Winant（1994）を参照。

(7) Daniels（2009）を参照。

(8) Ibid, p. 56.

(9) Treitler（1998）p. 966.

(10) Golash-Boza（2016）を参照。

(11) Omi and Winant（1994）p. 67.

(12) Daniels（2013）を参照。

(13) Hall（1989）, Davis and Gandy（1999）を参照。

(14) Fraser（1996）を参照。

(15) Jansen and Spink（2006）.

(16) McCarthy（1994）p. 91.

(17) Davis and Gandy（1999）p. 368.

(18) Barzilai-Nahon（2006）.

(19) Segev（2010）を参照。

(20) Ibid.

(21) Williamson（2014）を参照。

(22) XMCP（2008）.

(23) Morville（2005）p. 4.

(24) West, C. M.（1995）, hooks（1992）を参照。

(25) Ladson-Billings（2009）を参照。

(26) Yarbrough and Bennett（2000）を参照。

(27) Treitler（2013）, Bell（1992）, Delgado and Stefancic（1999）を参照。

(28) Davis and Gandy（1999）, Gray（1989）, Matabane（1988）, Wilson, Gutierrez, and Chao（2003）を参照。

(29) Dates（1990）を参照。

(30) Punyanunt-Carter（2008）.

(31) Ford（1997）.

(32) Fujioka（1999）.

(33) Pacey（1983）, Winner（1986）, Warf and Grimes（1997）.

(34) Pacey（1983）を参照。

(35) Winner（1986）.

(73) シカゴ・アーバン・リーグは、インターネット上の黒人に関するコンテンツとイメージに特化したデジタルメディア戦略を策定している。同団体のウェブサイトを参照（www.thechicagourbanleague.org）。

(74) NAACP イメージ・アワードは、メディアにおける黒人のポジティブなイメージを表彰している。同団体のウェブサイトを参照（www.naacp.org）。

(75) Hunt, Ramón, and Tran（2016）を参照。

(76) FreePress.org には、公民権とメディアの公正性の問題を扱うページがある。www.freepress.net/media_issues/civil_rights を参照（最終アクセス :2012 年 4 月 15 日）〔2023 年 4 月現在リンク切れ〕

(77) 連邦取引委員会（FTC）は、グーグルのターゲット広告および行動ベースの広告プログラムに関して、アメリカ人が直面しているプライバシーの問題を調査している。また、FTC は、グーグルの書籍デジタル化プロジェクトに関しても法廷外で和解している。このプロジェクトは、公有財産であるところの孤児著作物〔著作権者が不明な著作物〕に対する「独占的なオンライン土地収奪」であるとメディアで報じられていた。Yang and Easton（2009）を参照。

(78) Roberts（2016）, Stone（2010）を参照。

(79) 詳細は Roberts（2012）を参照。

(80) Roberts（2016）.

(81) Heider and Harp（2002）, Gunkel and Gunkel（1997）, Pavlik（1996）, Kellner（1995）, Barlow（1996）を参照。

(82) Heider and Harp（2002）を参照。

(83) Ibid, p. 289.

(84) Berger（1972）p. 64.

(85) Mayall and Russell（1993）p. 295 を参照。

(86) Gardner（1980）pp. 105-106.

(87) Gunkel and Gunkel（1997）p. 131.

(88) Lipsitz（1998）p. 370.

(89) Ibid, p. 381.

(90) Mills（2014）を参照。

(91) Winner（1986）, Pacey（1983）を参照。

(92) Chouliaraki and Fairclough（1999）を参照。

(93) Barlow（1996）を参照。

(94) Segev（2010）を参照。

(95) Stepan（1998）p. 28.

(96) ゲーマーゲート（#Gamergate）は、ビデオゲーム業界の女性たちに対して匿名の集団的な嫌がらせがなされた事件である。ゾーイ・クイン、ブリアナ・ウー、ライターで批評家のアニタ・サーキシアンなどが殺害やレイプの脅迫を受けた。ビデオゲーム文化における白人男性至上主義・性差別・人種主義・女性蔑視に対する異議申立てへの反発として、多くの女性ビデオゲーム開発者、フェミニスト、ゲーム業界の女性を支持する男性たちが、オンラインでの攻撃やストーカー行為、嫌がらせにさらされた。

第 2 章　黒人の女の子を検索する

(1) Guynn（2016）を参照。

(52) Holloway (2010) p. 143 を参照。

(53) Hindman (2009) を参照。

(54) Ibid.

(55) Gulli and Signorini (2005) を参照。

(56) Federal Communications Commission (2010).

(57) Associated Press v. United States, 326 U.S. 1, 20 (1945). Diaz (2008) は、討議民主主義の基本的概念、また一般市民に情報を提供し続けるためにそれが果たす重要な役割を丁寧に紐解いている。これは、民主主義の繁栄には公共の議論とできるかぎり幅広い観点からの言説が欠かせないと論じたジョン・スチュアート・ミルの『自由論』の伝統に連なるものである。

(58) Van Couvering (2004, 2008), Diaz (2008), Noble (2014), Zimmer (2009) を参照。

(59) Lev-On (2008) を参照。

(60) Andrejevic (2007) を参照。

(61) Goldsmith and Wu (2006) を参照。

(62) Schiller, H. (1996) p. 48.

(63) Fallows (2005), Purcell, Brenner, and Rainie (2012) を参照。

(64) アイゼンハワー大統領は、1961 年 1 月 17 日の退任演説で、このようなプロジェクトについて次のように述べ、警鐘を鳴らしていた。「政府の評議会などにおいては、それが意図的なものであろうとなかろうと、軍産複合体による不当な影響力の獲得を警戒しなければなりません。誤って与えられた権力の台頭が悲惨な事態をもたらす可能性は存在しますし、今後も存在し続けるでしょう」。Eisenhower (1961).

(65) Niesen (2012).

(66) 報告書の全文は www.pewinternet.org で閲覧可能。

(67) Epstein and Robertson (2015) を参照。

(68) Purcell, Brenner, and Rainie (2012) p. 2. ピューの報告書は、2012 年 1 月 20 日から 2 月 19 日にかけて、18 歳以上の成人 2253 人（うち 901 件は携帯電話での聞き取り）を対象に実施された調査に基づいている。聞き取りは英語とスペイン語で行なわれた。フルサンプルの許容誤差はプラスマイナス 2 パーセントポイントである。

(69) Feuz, Fuller, and Stalder (2011) を参照。

(70) グーグル・ウェブ・ヒストリーは、ログインしたユーザーの検索を追跡し、ユーザーの関心をより詳細に把握することを目的に設計されている。グーグルの発表を受けてかなりの論争が巻き起こり、グーグル・ウェブ・ヒストリーを無効にしてプライバシーを保護する方法について順を追って説明するオンライン記事が数多く出された。この論争についての詳細は Tsukayama (2012) を参照。グーグルはこのプロジェクトについての公式情報を http://support.google.com/accounts/bin/answer. py?hl=en&answer=54068&topic=14149&ctx=topic に掲載している（最終アクセス :2012 年 6 月 22 日）〔2023 年 4 月現在、この URL を入力するとグーグルアカウントヘルプのトップページにリダイレクトされる〕。

(71) Leigh Estabrook and Ed Lakner (2000) は、図書館のインターネット管理の仕組みについての全国的な調査を実施した。主に採用されていたのは、フィルタリングではなく〔インターネット利用に関する〕ポリシーと利用者教育であった。このようなポリシーや仕組みは、ポルノだけでなく、その他の不快とみなされる可能性のあるコンテンツへのユーザーのアクセスを防ぐことも意図している。

(72) Corea (1993), Dates (1990), Mastro and Tropp (2004), Stroman, Merrit, and Matabane (1989) を参照。

(35) Wasson (1973), Courtney and Whipple (1983) を参照。

(36) Smith (1981) を参照。

(37) Bar-Ilan (2007) を参照。

(38) クロールを行なう頻度についてのグーグルの公式声明は以下のとおりである。「グーグルのスパイダーは、インデックスを再構築するために定期的にウェブをはいまわって（クロールして）います。クロールは、PageRank™、ページへのリンク、クロールに関する制約（URL内のパラメータ数など）といった、多くの要因に基づいて行なわれます。さまざまな要因が、個々のサイトのクロール頻度に影響を与えています。クロールのプロセスはアルゴリズムに基づいており、どのサイトをどれくらいの頻度でクロールするか、各サイトからどれだけのページをフェッチ（取り込み）するかは、コンピュータプログラムによって決定されます。支払いと引き換えにクロールの頻度を上げることはありません」。グーグルの「グーグルによる定期的なウェブのクローリングについて」を参照（http://support.google.com/webmasters/bin/answer.py?hl=en&answer=34439）（最終アクセス :2012年7月6日）〔2023年4月現在、リンク先のページの文面は一部変更されている〕。

(39) Brin and Page (1998a) p. 110 を参照。

(40) Ibid.

(41) Brin and Page (1998b) p. 18。Bagdikian (1983) を引用している。

(42) 2012年6月27日、オンラインニュースサイトの「ザ・ローカル」と「ザ・ロウ・ストーリー」は、「Jew」という単語と著名人を関連づけることへの懸念に端を発する訴訟でグーグルが和解にいたったと報じた。AFP (2012) を参照。

(43) Anti-Defamation League (2004) を参照。

(44) Ibid.

(45) Zittrain and Edelman (2002) を参照。

(46) SEMPO (2010) を参照。

(47) ウェブミームの歴史を専門に扱うサイトでは、「グーグル爆弾」という言葉の前身となったものを生み出したのは、Archimedes Plutonium というユーズネット〔オンラインの掲示板サービス〕の有名人だとされている。この人物は1997年に「検索エンジン爆弾（searchenginebombing）」という言葉をつくった。詳しくは、Know Your Meme の「Google Bombing」のページを参照（http://knowyourmeme.com/memes/google-bombing）（最終アクセス :2012年6月20日）。一方、最初のグーグル爆弾をつくったのは Black Sheep だとする説もある。Black Sheep は、「フランス軍の勝利（French Military Victory）」という言葉を、フランス軍の敗北をすべて――フランスが自国民の殺害に成功したとされるフランス革命は除いて――列挙した、グーグルのような見た目の偽ページへのリンクと関連づけた。グーグル爆弾の最初の、最も悪名高い例は、Hugedisk というオンラインマガジンが「まぬけなくそったれ（dumb motherfucker）」という文言をジョージ・W・ブッシュを支援するサイトにリンクさせた事件である。詳細は、Calore and Gilbertson (2001) を参照。

(48) ブリンとペイジによれば、グーグルのプロトタイプ（試作モデル）で「携帯電話」を検索すると、ページランクによって最上位に表示される結果は運転中に携帯電話で通話するリスクについての研究であったという。

(49) SEMPO (2004) p. 4 を参照。

(50) 2003年、ラジオ番組の司会者でコラムニストのダン・サヴェージは、彼が作成した www.santorum.com というウェブサイトを訪れて「サントラム」という言葉の定義を投稿するよう番組のリスナーに呼びかけた。この共和党上院議員が、一連の同性愛者差別発言で人々の激しい怒りを買った後の出来事であった。

(51) Hindman (2009), Zittrain (2008), Vaidhyanathan (2011) を参照。

業としてのグーグルをめぐる議論が交わされた。グーグルの独占的とされる慣行によって消費者に弊害がもたらされているのか否か、が中心的な論点となった。グーグルはこのような主張に応答している。Kohl and Lee（2011）を参照。

（11）Ascher（2017）を参照。

（12）Leonard（2009）を参照。

（13）Daniels（2009, 2013）, Brock（2009）を参照。

（14）Kendall（2002）を参照。

（15）Brock（2009）を参照。

（16）Harding, S.（1987）p. 7 を参照。

（17）グーグルの「ユダヤ人に関する」免責条項についての詳しい議論は第 2 章を参照。

（18）hooks（1992）, Harris-Perry（2011）, Ladson-Billings（2009）, Miller-Young（2007）, Sharpley-Whiting（1999）, West, C. M.（1995）, Harris（1995）, Collins（1991）, Hull, Bell-Scott, and Smith（1982）を参照。

（19）Collins（1991）, hooks（1992）, Harris（1995）, Crenshaw（1991）を参照。

（20）Brock（2007）を参照。

（21）「デジタル・ディバイド（digital divide）」は、アメリカで十分な行政サービスを受けていない、あるいは周縁化された集団がインターネットに接続できない状況についてのナラティブである。米国商務省電気通信情報局の報告書『ネットからこぼれ落ちる――デジタル・ディバイドを定義する（Falling through the Net: Defining the Digital Divide）』（1999 年 7 月 8 日）に由来する。

（22）Inside Google（2010）を参照。

（23）Fallows（2005）, Purcell, Brenner, and Rainie（2012）を参照。

（24）この件に関する詳細な議論は、「ユダヤ人（Jew）」という言葉を検索した際に表示される結果についてのグーグルの免責条項にみることができる。この免責条項の URL は www.google.com/explanation.html であった（現在は無効）。

（25）Senate Judiciary Committee, Subcommittee on Antitrust, Competition Policy and Consumer Rights（2011）。

（26）グーグルとグローバルな不平等に関するイラド・セゲフの研究（2010）を参照。

（27）グーグルが、グーグル・イメージ・ラベラー〔ランダムに表示される画像に対して、ユーザーがゲーム形式でラベル付け（画像から連想する単語の入力）を行なう機能。グーグル画像検索の精度向上を目的としている〕のようなプロジェクトのためにクラウドソーシングを無報酬の労働力として利用している状況については、ブログ「Labortainment」（http://labortainment.blogspot.com）に良質な議論がみられる（最終アクセス :2012 年 6 月 20 日）。

（28）イリノイ大学アーバナ・シャンペーン校の教育学の教授キャメロン・マッカーシーの研究（1994）を参照。

（29）Nissenbaum and Introna（2004）, Vaidhyanathan（2011）, Segev（2010）, Diaz（2008）, Noble（2014）を参照。

（30）このプロセスについては、Levene（2006）が詳しく論じている。

（31）Blogger, Wordpress, Drupal などのデジタルメディアプラットフォームでは、ページの作成やほかのサイトのリンクを貼る操作がボタンを押すだけといったシンプルな形になっており、コードを知らなくても実装できるようになっている。

（32）Spink et al.（2001）, Jansen and Pooch（2001）, Wolfram（2008）を参照。

（33）Markey（2007）を参照。

（34）Ferguson, Kreshel, and Tinkham（1990）を参照。

原　注

はじめに——アルゴリズムの力

(1) Matsakis (2017).

(2) Peterson (2014) を参照。

(3) この用語は、イーライ・パリサーが 2011 年の著書『閉じこもるインターネット（*The Filter Bubble*）』で生み出したものである。

(4) Dewey (2015) を参照。

(5) 本書では、人種的な蔑称をあからさまに記す代わりに、「the N-word」や「n*gger」といった表現を用いている。また、日頃から、アフリカ系アメリカ人ではない研究者やその研究で、代替表現を用いずに人種的な蔑称を露骨に使っているものを引用したり勧めたりすることはしていない。

(6) Sweney (2009) を参照。

(7) Boyer (2015), Craven (2015) を参照。

(8) Noble (2014) を参照。

(9) 「デジタル・フットプリント」は、一般的にはニコラス・ネグロポンテが考案したとされる用語で、デジタルメディアプラットフォームがユーザーのプロフィールを把握するために用いる、オンライン・アイデンティティの痕跡を指す。オンラインでのやり取りは、さまざまなハードウェア（携帯電話、コンピュータ、インターネット・サービスなど）やワールド・ワイド・ウェブ上のプラットフォーム（グーグルの Gmail、フェイスブック、各種ソーシャルメディアなど）を通じて追跡されることが多い。デジタルな痕跡は、データマイニングのプロセスでユーザーの人物像を分析（プロファイリング）するためによく使われる。デジタル・フットプリントは、多くの場合、時間、地理的位置、ウェブサイトや広告を通じて追跡される過去の検索結果やクリックなどを指し、デバイスやほかのハードウェアに保存されるクッキーも含まれることがある。

(10) 「カンディス」は仮名。

(11) Schiller, H. (1996) を参照。

第 1 章　検索する社会

(1) UN Women (2013) を参照。

(2) Diaz (2008), Segev (2010), Nissenbaum and Introna (2004) を参照。

(3) Olson (1998), Berman (1971), Wilson (1968), Furner (2007) を参照。

(4) Daniels (2009, 2013), Davis and Gandy (1999) を参照。

(5) Halavais (2009) pp. 1-2 を参照。

(6) Angwin et al. (2016) を参照。

(7) O'Neil (2016) p. 8 を参照。

(8) Levin (2016) を参照。

(9) Kleinman (2015) を参照。

(10) 2011 年 9 月 21 日に行なわれたアメリカ連邦議会の反トラスト小委員会の公聴会では、独占企

Zimmer, M. (2008). Preface: Critical Perspectives on Web 2.0. *First Monday, 13*(3). Retrieved from www.firstmonday.org.

Zimmer, M. (2009). Web Search Studies: Multidisciplinary Perspectives on Web Search Engines. In J. Hunsinger, L. Klastrup, and M. Allen (Eds.), *International Handbook of Internet Research*, 507-521. Dordrecht, The Netherlands: Springer.

Zittrain, J. (2008). *The Future of the Internet and How to Stop It.* New Haven, CT: Yale University Press〔ジョナサン・ジットレイン『インターネットが死ぬ日――そして、それを避けるには』井口耕二訳（ハヤカワ新書 juice）、早川書房、2009 年〕

Zittrain, J., and Edelman, B. (2002). Localized Google Search Result Exclusions: Statement of Issues and Call for Data. Retrieved from http://cyber.harvard.edu/filtering/google/.

Vaidhyanathan, S. (2011). *The Googlization of Everything (and Why We Should Worry)*. Berkeley: University of California Press〔シヴァ・ヴァイディアナサン『グーグル化の見えざる代償——ウェブ・書籍・知識・記憶の変容』久保儀明訳（インプレス選書）、インプレスジャパン、2012 年〕

Van Couvering, E. (2004). New Media? The Political Economy of Internet Search Engines. Paper presented at the annual conference of the International Association of Media and Communications Researchers, Porto Alegre, Brazil.

Van Couvering, E. (2008). The History of the Internet Search Engine: Navigational Media and the Traffic Commodity. In A. Spink and M. Zimmer (Eds.), *Web Searching: Multidisciplinary Perspectives*, 177-206. Dordrecht, The Netherlands: Springer.

van Dijk, J., and Hacker, K. (2003). The Digital Divide as a Complex and Dynamic Phenomenon. *Information Society, 19*(4), 315-326.

van Dijk, T. A. (1991). *Racism and the Press*. London: Routledge.

Wajcman, J. (1991). *Feminism Confronts Technology*. University Park: Pennsylvania State University Press.

Wajcman, J. (2010). Feminist Theories of Technology. *Cambridge Journal of Economics, 34*, 143-152.

Wallace, M. (1990). *Invisibility Blues: From Pop to Theory*. London: Verso.

Warf, B., and Grimes, J. (1997). Counterhegemonic Discourses and the Internet. *Geographical Review, 87*(2), 259-274.

Wasson, H. (1973). The Ms. in Magazine Advertising. In R. King (Ed.), *Proceedings: Southern Marketing Association 1973 Conference*, 240-243. Blacksburg: Virginia Polytechnic Institute and State University.

Weheliye, A. G. (2003). "I Am I Be": The Subject of Sonic Afro-Modernity. *Boundary 2, 30*(2), 97-114.

West, C. (1996). Black Strivings in a Twilight Civilization. In H. L. Gates Jr. and C. West, *The Future of the Race*, 53-114. New York: Knopf.

West, C. M. (1995). Mammy, Sapphire, and Jezebel: Historical Images of Black Women and Their Implications for Psychotherapy. *Psychotherapy, 32*(3), 458-466.

White, D. G. (1985/1999). *Ar'n't I a Woman? Female Slaves in the Plantation South*. New York: Norton.

Wilhelm, A. G. (2006). *Digital Nation: Towards an Inclusive Information Society*. Cambridge, MA: MIT Press.

Williamson, Z. (2014, July 19). Porn SEO. Zack Williamson's blog. Retrieved from www.zackwilliamson.com.

Wilson, C. C., Gutierrez, F., and Chao, L. M. (2003). *Racism, Sexism, and the Media: The Rise of Class Communication in Multicultural America*. Thousand Oaks, CA: Sage.

Wilson, P. (1968). *Two Kinds of Power: An Essay on Bibliographical Control*. Berkeley: University of California Press.

Winner, L. (1986). *The Whale and the Reactor: A Search for Limits in an Age of High Technology*. Chicago: University of Chicago Press〔ラングドン・ウィナー『鯨と原子炉——技術の限界を求めて』吉岡斉／若松征男訳、紀伊國屋書店、2000 年〕

Wolfram, D. (2008). Search Characteristics in Different Types of Web-Based IR Environments: Are They the Same? *Information Processing and Management, 44*(3), 1279–1292.

Xanthoulis, N. (2012, May 22). Conceptualising a Right to Oblivion in the Digital World: A Human Rights-Based Approach. SSRN. Retrieved from http://dx.doi.org/10.2139/ssrn.2064503.

XMCP. (2008, January 21). Yes Dear, There Is Porn SEO, and We Can Learn a Lot from It. *YouMoz* (blog). Retrieved from www.moz.com.

Yang, J. L., and Easton, N. (2009, July 26). Obama & Google (a Love Story). *Fortune*. Retrieved from http://money.cnn.com.

Yarbrough, M., and Bennett, C. (2000). Cassandra and the "Sistahs": The Peculiar Treatment of African American Women in the Myth of Women as Liars. *Journal of Gender, Race, and Justice, 3*(2), 626-657.

Zeran v. America Online, Inc. (1997). 129 F.3d 327 (4th Cir.).

Reader, 721-731. New York: Routledge.

Stratton Oakmont, Inc. v. Prodigy Services Co. (1995). No. 31063/94. 1995 WL 323710. N.Y. Sup. Ct.

Stroman, C. A., Merrit, B. D., and Matabane, P. W. (1989). Twenty Years after Kerner: The Portrayal of African Americans on Prime-Time Television. *Howard Journal of Communication, 2*, 44-56.

Sweeney, L. (2013). Discrimination in Online Ad Delivery. *Communications of the ACM, 56*(5), 44-54.

Sweney, M. (2009, November 25). Michelle Obama "Racist" Picture That Is Topping Google Images Removed. *Guardian*. Retrieved from www.theguardian.com.

Swift, M. (2010, February 11). Blacks, Latinos and Women Lose Ground at Silicon Valley Tech Companies. *San Jose Mercury News*. Retrieved from www.mercurynews.com.

Tapscott, D. (1996). *The Digital Economy: Promise and Peril in the Age of Networked Intelligence*. New York: McGraw-Hill〔ドン・タプスコット『デジタル・エコノミー――ネットワーク化された新しい経済の幕開け』野村総合研究所訳、野村総合研究所情報リソース部、1996 年〕

Tate, G. (Ed.). (2003). *Everything but the Burden: What White People Are Taking from Black Culture*. New York: Broadway Books.

Tettegah, S. Y. (2016). The Good, the Bad, and the Ugly: Color-Blind Racial Ideology. In H. A. Neville, M. E. Gallardo, and D. W. Sue (Eds.), *The Myth of Racial Color Blindness: Manifestations, Dynamics, and Impact*, 175-190. Washington, DC: American Psychological Association.

Tippman, S. (2015, July 14). Google Accidentally Reveals Data on "Right to Be Forgotten" Requests. *Guardian*. Retrieved from www.theguardian.com.

Toffler, A. (1970). *Future Shock*. New York: Random House〔A・トフラー『未来の衝撃――激変する社会にどう対応するか』徳山二郎訳、実業之日本社、1970 年〕

Toffler, A. (1980). *The Third Wave*. New York: Morrow〔A・トフラー『第三の波』徳岡孝夫監訳（中公文庫）、中央公論社、1982 年〕

Treitler, V. (1998). Racial Categories Matter Because Racial Hierarchies Matter: A Commentary. *Ethnic and Racial Studies, 21*(5), 959-968.

Treitler, V. (2013). *The Ethnic Project: Transforming Racial Fiction into Ethnic Factions*. Stanford, CA: Stanford University Press.

Tsukayama, H. (2012, February 29). How to Clear Your Google Search History, Account Info. *Washington Post*. Retrieved from www.washingtonpost.com.

Tucher, A. (1997). Why Web Warriors Might Worry. *Columbia Journalism Review, 36*, 35-36.

Tuchman, G. (1979). Women's Depiction by the Mass Media: Review Essay. *Signs: Journal of Women in Culture and Society, 4*(3), 528–542.

Tynes, B. M., and Markoe, S. L. (2010). The Role of Color-Blind Racial Attitudes in Reactions to Racial Discrimination on Social Network Sites. *Journal of Diversity in Higher Education, 3*(1), 1-13.

UN Women. (2013). UN Women Ad Series Reveals Widespread Sexism. Retrieved from www.unwomen.org.

U.S. Census Bureau. (2007). Current Population Survey: People in Families by Family Structure, Age, and Sex, Iterated by Income-to-Poverty Ratio and Race.

U.S. Census Bureau. (2008). Table B-2: Poverty Status of People by Age, Race, and Hispanic Origin: 1959-2008. In *Income, Poverty, and Health Insurance Coverage in the United States: 2008*, Report P60-236, 50-55. Washington, DC: U.S. Census Bureau.

U.S. Department of Justice, Federal Bureau of Investigation. (2010). Table 43: Arrests, by Race, 2010. In *Crime in the United States: 2010*. Retrieved from http://ucr.fbi.gov/crime-in-the-u.s/2010/crime-in-the-u.s.-2010/tables/table-43.

Vaidhyanathan, S. (2006). Critical Information Studies: A Bibliographic Manifesto. *Cultural Studies, 20*(2-3), 292-315.

Retrieved from www.illusionofvolition.com.

Roberts, S. T. (2016). Commercial Content Moderation: Digital Laborers' Dirty Work. In S. U. Noble and B. Tynes (Eds.), *The Intersectional Internet*, 147-160. New York: Peter Lang.

Robertson, T. (2016, March 20). Digitization: Just Because You Can, Doesn't Mean You Should. Tara Robertson's blog. Retrieved from www.tararobertson.ca.

Rocha, V. (2014, December 4). "Revenge Porn" Conviction Is a First under California Law. *Los Angeles Times*. Retrieved from www.latimes.com.

Rogers, R. (2004). *Information Politics on the Web*. Cambridge, MA: MIT Press.

Rudman, L. A., and Borgida, E. (1995). The Afterglow of Construct Accessibility: The Behavioral Consequences of Priming Men to View Women as Sexual Objects. *Journal of Experimental Social Psychology, 31*, 493-517.

Saracevic, T. (1999). Information Science. *Journal of the American Society for Information Science, 50*(12), 1051-1063.

Saracevic, T. (2009). Information Science. In M. J. Bates and M. N. Maack (Eds.), *Encyclopedia of Library and Information Science*, 2570-2586. New York: Taylor and Francis.

Schiller, D. (2007). *How to Think about Information*. Urbana: University of Illinois Press.

Schiller, H. (1996). *Information Inequality: The Deepening Social Crisis in America*. New York: Routledge.

Search King, Inc., v. Google Technology, Inc. (2003). Case No. Civ-02-1457-M. W.D. Okla. Jan. 13). Retrieved from www.searchking.com.

Sedgwick, E. K. (1990). *Epistemology of the Closet*. Berkeley: University of California Press〔イヴ・コゾフスキー・セジウィック『クローゼットの認識論――セクシュアリティの 20 世紀 新装版』外岡尚美訳、青土社、2018 年〕

Segev, E. (2010). *Google and the Digital Divide: The Bias of Online Knowledge*. Oxford, UK: Chandos.

Senate Judiciary Committee, Subcommittee on Antitrust, Competition Policy, and Consumer Rights. (2011, September 21). *The Power of Google: Serving Consumers or Threatening Competition?* Retrieved from www.judiciary.senate.gov/hearings.

Senft, T., and Noble, S. U. (2014). Race and Social Media. In J. Hunsinger and T. Senft (Eds.), *The Routledge Handbook of Social Media*, 107-125. New York: Routledge.

Shah, A. (2010, August 21). Hidden Cost of Mobile Phones, Computers, Stereos and VCRs? Global Issues. Retrieved from www.globalissues.org.

Sharpley-Whiting, T. D. (1999). *Black Venus: Sexualized Savages, Primal Fears, and Primitive Narratives in French*. Durham, NC: Duke University Press.

Sinclair, B. (2004). Integrating the Histories of Race and Technology. In B. Sinclair (Ed.), *Technology and the African American Experience: Needs and Opportunities for Study*, 1-17. Cambridge, MA: MIT Press.

Smith, L. C. (1981). Citation Analysis. *Library Trends, 30*(1), 83-106.

Smythe, D. W. (1981/2006). On the Audience Commodity and Its Work. In M. G. Durham and D. Kellner (Eds.), *Media and Cultural Studies*, 230-256. Malden, MA: Blackwell.

Sollfrank, C. (2002). The Final Truth about Cyberfeminism. In H. von Oldenburg and C. Reiche (Eds.), *Very Cyberfeminist International*, 108-113. Hamburg: OBN.

Spink, A., Wolfram, D., Jansen, B. J., and Saracevic, T. (2001). Searching the Web: The Public and Their Queries. *Journal of the American Society for Information Science and Technology, 52*(3), 226-234.

Stepan, N. (1998). Race, Gender, Science and Citizenship. *Gender and History, 10*(1), 26–52.

Stone, B. (2010, July 18). Concern for Those Who Screen the Web for Barbarity. *New York Times*. Retrieved from www.nytimes.com.

Storm, D. (2014, July 9). Think You Deleted Your Dirty Little Secrets? Before You Sell Your Android Smartphone... *ComputerWorld*. Retrieved from www.computerworld.com.

Stratton, J. (2000). Cyberspace and the Globalization of Culture. In D. Bell and B. Kennedy (Eds.), *The Cybercultures*

Paasonen, S. (2011). Revisiting Cyberfeminism. *Communications: European Journal of Communication Research, 36*(3), 335–352.

Pacey, A. (1983). *The Culture of Technology*. Cambridge, MA: MIT Press.

Palmer, C. L., and Malone, C. K. (2001). Elaborate Isolation: Metastructures of Knowledge about Women. *Information Society, 17*(3), 179-194.

Pariser, E. (2011). *The Filter Bubble: What the Internet Is Hiding from You*. New York: Penguin〔イーライ・パリサー『フィルターバブル――インターネットが隠していること』井口耕二訳（ハヤカワ文庫）、早川書房、2016年〕

Pasquale, F. (2015). *The Black Box Society: The Secret Algorithms That Control Money and Information*. Cambridge, MA: Harvard University Press〔フランク・パスカーレ『ブラックボックス化する社会――金融と情報を支配する隠されたアルゴリズム』田畑暁生訳、青土社、2022年〕

Pavlik, J. V. (1996). *New Media Technology: Cultural and Commercial Perspectives*. Boston: Allyn and Bacon.

Pawley, C. (2006). Unequal Legacies: Race and Multiculturalism in the LIS Curriculum. *Library Quarterly, 76*(2), 149–169.

Pease, O. (1985). *The Responsibilities of American Advertising*. New Haven, CT: Yale University Press.

Peet, L. (2016, June 13). Library of Congress Drops Illegal Alien Subject Heading, Provokes Backlash Legislation. *Library Journal*. Retrieved from www.libraryjournal.com.

Perdue, L. (2002). *EroticaBiz: How Sex Shaped the Internet*. New York: Writers Club Press.

Peterson, Latoya. (2014, January 25). Post on *Racialicious* (blog). Retrieved from http://racialicious.tumblr.com/post/72346551446/kingjaffejoffer-holliebunni-this-was-seen.

Pinkett, R. (2000, April 24-28). Constructionism and an Asset-Based Approach to Community Technology and Community Building. Paper presented at the eighty-first annual meeting of the American Educational Research Association (AERA), New Orleans, LA.

Postmes, T., Spears, R., and Lea, M. (1998). Breaching or Building Social Boundaries? SIDE-Effects of Computer-Mediated Communication. *Communication Research, 25*, 689-715.

Potter, D. M. (1954). *People of Plenty*. Chicago: University of Chicago Press〔D・M・ポッター『アメリカの富と国民性』渡辺徳郎訳、国際文化研究所、1957年〕

Punyanunt-Carter, N. M. (2008). The Perceived Realism of African-American Portrayals on Television. *Howard Journal of Communications, 19*, 241–257.

Purcell, K., Brenner, J., and Rainie, L. (2012, March 9). Search Engine Use 2012. Pew Research Center. Retrieved from www.pewinternet.org.

Qin, S. (2016, March 28). Library of Congress to Replace Term 'Illegal Aliens.' *Dartmouth*. Retrieved from www.thedartmouth.com.

Rainie, L., and Madden, M. (2015, March). Americans' Privacy Strategies Post-Snowden. Pew Research Center. Retrieved from www.pewinternet.org.

Rajagopal, I., and Bojin, N. (2002). Digital Representation: Racism on the World Wide Web. *First Monday, 7*(10). Retrieved from www.firstmonday.org.

Reidsma, M. (2016, March 11). Algorithmic Bias in Library Discovery Systems. Matthew Reidsma's blog. Retrieved from http://matthew.reidsrow.com/articles/173.

Rifkin, J. (1995). *The End of Work: The Decline of the Global Labor Force and the Dawn of the Post-Market Era*. New York: Putnam〔ジェレミー・リフキン『大失業時代』松浦雅之訳、TBSブリタニカ、1996年〕

Rifkin, J. (2000). *The Age of Access: The New Culture of Hypercapitalism, Where All of Life Is a Paid-For Experience*. New York: J. P. Tarcher/Putnam〔ジェレミー・リフキン『エイジ・オブ・アクセス』渡辺康雄訳、集英社、2001年〕

Ritzer, G., and Jurgenson. N. (2010). Production, Consumption, Prosumption. *Journal of Consumer Culture, 10*(1), 13-36. doi:10.1177/1469540509354673.

Roberts, S. T. (2012). Behind the Screen: Commercial Content Moderation (CCM). *The Illusion of Volition* (blog).

Mosco, V. (1996). *The Political Economy of Communication: Rethinking and Renewal.* London: Sage.

Mosher, A. (2016, August 10). Snapchat under Fire for "Yellowface" Filter. *USA Today*. Retrieved from www.usatoday.com.

Mosse, G. L. (1966). *Nazi Culture: Intellectual, Cultural, and Social Life in the Third Reich*. New York: Grosset and Dunlap.

Nakayama, T., and Krizek, R. (1995). Whiteness: A Strategic Rhetoric. *Quarterly Journal of Speech, 81*(3), 291-309.

Nash, J. C. (2008). Strange Bedfellows: Black Feminism and Antipornography Feminism. *Social Text, 26*(4 97), 51-76. doi:10.1215/01642472-2008-010.

National Telecommunications and Information Administration. (1999, July 8). *Falling through the Net: Defining the Digital Divide*. Retrieved from www.ntia.doc.gov/report/1999/falling-through-net-defining-digital-divide.

National Urban League. (2010). *State of Black America Report*. Retrieved from www.nul.org.

Nelson, A., Tu, T. L. N., and Hines, A. H. (2001). *Technicolor: Race, Technology, and Everyday Life*. New York: NYU Press.

Neville, H., Coleman, N., Falconer, J. W., and Holmes, D. (2005). Color-Blind Racial Ideology and Psychological False Consciousness among African Americans. *Journal of Black Psychology, 31*(1), 27-45. doi:10.1177/0095798404268287.

Newport, F. (2007, September 28). Black or African American? Gallup. Retrieved from www.gallup.com.

Niesen, M. (2012). The Little Old Lady Has Teeth: The U.S. Federal Trade Commission and the Advertising Industry, 1970–1973. *Advertising & Society Review, 12*(4). http:// doi.org/10.1353/asr.2012.0000.

Nissenbaum, H., and Introna, L. (2004). Shaping the Web: Why the Politics of Search Engines Matters. In V. V. Gehring (Ed.), *The Internet in Public Life*, 7-27. Lanham, MD: Rowman and Littlefield.

Noble, S. U. (2012). Missed Connections: What Search Engines Say about Women. *Bitch 12*(54), 37-41.

Noble, S. U. (2013, October). Google Search: Hyper-visibility as a Means of Rendering Black Women and Girls Invisible. *InVisible Culture, 19*. Retrieved from http://ivc.lib.rochester.edu.

Noble, S. U. (2014). Teaching Trayvon: Race, Media, and the Politics of Spectacle. *Black Scholar, 44*(1), 12-29.

Noble, S. U., and Roberts, S. T. (2015). Through Google Colored Glass(es): Emotion, Class, and Wearables as Commodity and Control. In S. U. Noble and S. Y. Tettegah (Eds.), *Emotions, Technology, and Design*, 187-212. London: Academic Press.

Norris, P. 2001. *Digital Divide: Civic Engagement, Information Poverty, and the Internet Worldwide*. New York: Cambridge University Press.

O'Barr, W. M. (1994). *Culture and the Ad: Exploring Otherness in the World of Advertising*. Boulder, CO: Westview.

Ohlheiser, A. (2015, December 3). Revenge Porn Purveyor Hunter Moore Is Sentenced to Prison. *Washington Post*. Retrieved from www.washingtonpost.com.

Olson, H. A. (1998). Mapping beyond Dewey's Boundaries: Constructing Classificatory Space for Marginalized Knowledge Domains. In G. C. Bowker and S. L. Star (Eds.), *How Classifications Work: Problems and Challenges in an Electronic Age*, special issue, *Library Trends, 47*(2), 233-254.

Omi, M., and Winant, H. (1994). *Racial Formation in the United States: From the 1960s to the 1990s*. New York: Routledge.

O'Neil, C. (2016). *Weapons of Math Destruction: How Big Data Increases Inequality and Threatens Democracy*. London: Crown〔キャシー・オニール『あなたを支配し、社会を破壊する、AI・ビッグデータの罠』久保尚子訳、インターシフト、2018年〕

O'Toole, L. (1998). *Pornocopia: Porn, Sex, Technology and Desire*. London: Serpent's Tail.

Paasonen, S. (2010). Trouble with the Commercial: Internets Theorised and Used. In J. Hunsinger, L. Klastrup, and M. Allen (Eds.), *The International Handbook of Internet Research*, 411-422. Dordrecht, The Netherlands: Springer.

Lerner, G. (1986). *The Creation of Patriarchy*. New York: Oxford University Press〔ゲルダ・ラーナー『男性支配の起源と歴史』奥田暁子訳、三一書房、1996 年〕

Levene, M. (2006). *An Introduction to Search Engines and Navigation*. Harlow, UK: Addison Wesley.

Levin, A. (2016, August 2). Alphabet's Project Wing Delivery Drones to Be Tested in U.S. Bloomberg Politics. Retrieved from www.bloomberg.com.

Lev-On, A. (2008). The Democratizing Effects of Search Engine Use: On Chance Exposures and Organizational Hubs. In A. Spink and M. Zimmer (Eds.), *Web Searching: Multidisciplinary Perspectives*, 135–149. Dordrecht, The Netherlands: Springer.

Lipsitz, G. (1998). *The Possessive Investment in Whiteness: How White People Profit from Identity Politics*. Philadelphia: Temple University Press.

Luyt, B. (2004). Who Benefits from the Digital Divide? *First Monday, 8*(9). Retrieved from www.firstmonday.org.

MacAskill, E., and Dance, G. (2013, November 1). NAS Files: Decoded. *Guardian*. Retrieved from www.theguardian.com.

Markey, K. (2007). Twenty-Five Years of End-User Searching, Part 1: Research Findings. *Journal of the American Society for Information Science and Technology, 58*(8), 1071-1081.

Markowitz, M. (1999). How Much Are Integrity and Credibility Worth? *EDN, 44*, 31.

Mastro, D. E., and Tropp, L. R. (2004). The Effects of Interracial Contact, Attitudes, and Stereotypical Portrayals on Evaluations of Black Television Sitcom Characters. *Communication Research Reports, 21*, 119-129.

Matabane, P. W. (1988). Cultivating Moderate Perceptions on Racial Integration. *Journal of Communication, 38*(4), 21-31.

Matsakis, L. (2017, August 5). Google Employee's Anti-Diversity Manifesto Goes "Internally Viral." Motherboard. Retrieved from https://motherboard.vice.com.

Mayall, A., and Russell, D. E. H. (1993). Racism in Pornography. *Feminism and Psychology. 3*(2), 275–281. doi:10.1177/0959353593032023.

McCarthy, C. (1994). Multicultural Discourses and Curriculum Reform: A Critical Perspective. *Educational Theory, 44*(1), 81-98.

McChesney, R. W., and Nichols, J. (2009). *The Death and Life of American Journalism: The Media Revolution That Will Begin the World Again*. New York: Nation Books.

McGreal, C. (2010, May 17). A $95,000 Question: Why Are Whites Five Times Richer than Blacks in the US? *Guardian*. Retrieved from www.guardian.co.uk.

Meyer, R. (2016, July 21). Twitter's Famous Racist Problem. *Atlantic*. Retrieved from www.theatlantic.com.

Miller, P., and Kemp, H. (2005). *What's Black about It? Insights to Increase Your Share of a Changing African-American Market*. Ithaca, NY: Paramount.

Miller-Young, M. (2005). Sexy and Smart: Black Women and the Politics of Self-Authorship in Netporn. In K. Jacobs, M. Janssen, and M. Pasquinelli (Eds.), *C'lick Me: A Netporn Studies Reader*, 205-216. Amsterdam: Institute of Network Cultures.

Miller-Young, M. (2007). Hip-Hop Honeys and Da Hustlaz: Black Sexualities in the New Hip-Hop Pornography. *Meridians: Feminism, Race, Transnationalism, 8*(1), 261-292.

Miller-Young, M. (2014). *A Taste for Brown Sugar: Black Women in Pornography*. Durham, NC: Duke University Press.

Mills, C. W. (2014). *The Racial Contract*. Ithaca, NY: Cornell University Press〔チャールズ・W・ミルズ『人種契約』杉村昌昭／松田正貴訳（叢書・ウニベルシタス）、法政大学出版局、2022 年〕

Morville, P. (2005). *Ambient Findability*. Sebastopol, CA: O'Reilly〔Peter Morville『アンビエント・ファインダビリティ――ウェブ、検索、そしてコミュニケーションをめぐる旅』浅野紀予訳、オライリー・ジャパン、2006 年〕

Mosco, V. (1988). *The Political Economy of Information*. Madison: University of Wisconsin Press.

Jansen, B., and Pooch, U. (2001). A Review of Web Searching Studies and a Framework for Future Research. *Journal of the American Society for Information Science and Technology, 52*(3), 235–246.

Jansen, B., and Spink, A. (2006). How Are We Searching the World Wide Web? A Comparison of Nine Search Engine Transaction Logs. *Information Processing and Management, 42*(1), 248-263.

Jeanneney, J. N. (2007). *Google and the Myth of Universal Knowledge: A View from Europe*. Chicago: University of Chicago Press.

Jenkins, R. (1994). Rethinking Ethnicity: Identity, Categorization and Power. *Ethnic and Racial Studies, 17*(2), 197-223.

Jennings, J., Geis, F. L., and Brown, V. (1980). Influence of Television Commercials on Women's Self-Confidence and Independent Judgment. *Journal of Personality and Social Psychology, 38*(2), 203-210. doi:10.1037/0022-3514.38.2.203.

Jensen, R. (2005). *The Heart of Whiteness: Confronting Race, Racism, and White Privilege*. San Francisco: City Lights.

Jones, M. L. (2016). *Ctrl+Z: The Right to Be Forgotten*. New York: NYU Press〔メグ・レタ・ジョーンズ『Ctrl+Z——忘れられる権利』石井夏生利監訳、加藤尚徳／高崎晴夫／藤井秀之／村上陽亮訳、勁草書房、2021 年〕

Kang, J. (2000). Cyber-race. *Harvard Law Review, 113*, 1130-1208.

Kappeler, S. (1986). *The Pornography of Representation*. Minneapolis: University of Minnesota Press.

Kellner, D. (1995). Intellectuals and New Technologies. *Media, Culture and Society, 17*, 427-448.

Kendall, L. (2002). *Hanging Out in the Virtual Pub: Masculinities and Relationships Online*. Berkeley: University of California Press.

Kenrick, D. T., Gutierres, S. E., and Goldberg, L. L. (1989). Influence of Popular Erotica on Judgments of Strangers and Mates. *Journal of Experimental Social Psychology, 25*, 159–167.

Kilbourne, J. (2000). *Can't Buy My Love: How Advertising Changes the Way We Think and Feel*. New York: Simon and Schuster.

Kilker, E. (1993). Black and White in America: The Culture and Politics of Racial Classification. *International Journal of Politics, Culture and Society, 7*(2), 229–258.

Kiss, J. (2015, May 14). Dear Google: Open Letter from 80 Academics on "Right to Be Forgotten." *Guardian*. Retrieved from www.theguardian.com.

Kleinman, Z. (2015, August 11). What Else Does Google's Alphabet Do? BBC News. Retrieved from www.bbc.com.

Knowlton, S. (2005). Three Decades since *Prejudices and Antipathies*: A Study of Changes in the Library of Congress Subject Headings. *Cataloging and Classification Quarterly, 40*(2), 123–145.

Kohl, H., and Lee, M. (2011, December 19). Letter to Honorable Jonathan D. Leibowitz, Chairman, Federal Trade Commission. Retrieved from www.kohl.senate.gov.〔2023 年 4 月現在リンク切れ〕

Kopytoff, V. (2007, May 18). Google Surpasses Microsoft as World's Most-Visited Site. *The Technology Chronicles* (blog), *San Francisco Chronicle*. Retrieved from http://blog.sfgate.com/techchron/author/vkopytoff.

Krippendorff, K. (2004). *Content Analysis: An Introduction to Its Methodology*. Thousand Oaks, CA: Sage〔クラウス・クリッペンドルフ『メッセージ分析の技法——「内容分析」への招待』三上俊治／椎野信雄／橋元良明訳（Keiso コミュニケーション）、勁草書房、1989 年〕

Kuhn, A. (1985). *The Power of the Image: Essays on Representation and Sexuality*. New York: Routledge.

Kuschewsky, M. (Ed.). (2012). *Data Protection and Privacy: Jurisdictional Comparisons*. European Lawyer Reference. New York: Thomson Reuters.

Ladson-Billings, G. (2009). "Who You Callin' Nappy-Headed?" A Critical Race Theory Look at the Construction of Black Women. *Race, Ethnicity and Education, 12*(1), 87-99.

Leonard, D. (2009). Young, Black (or Brown), and Don't Give a Fuck: Virtual Gangstas in the Era of State Violence. *Cultural Studies Critical Methodologies, 9*(2), 248-272.

of Communications, 307-311. New York: Oxford University Press and the Annenberg School for Communication.

Haraway, D. J. (1991). *Simians, Cyborgs, and Women: The Reinvention of Nature*. London: Free Association Books〔ダナ・ハラウェイ『猿と女とサイボーグ――自然の再発明 新装版』高橋さきの訳、青土社、2017年〕

Harden, B. (2001, August 12). The Dirt in the New Machine. *New York Times*. Retrieved from www.nytimes.com.

Harding, L. (2012, April 17). Swedish Minister Denies Claims of Racism over Black Woman Cake Stunt. *Guardian*. Retrieved from www.theguardian.com.

Harding, S. (1987). *Feminism and Methodology*. Buckingham, UK: Open University Press.

Hargittai, E. (2000). Open Portals or Closed Gates? Channeling Content on the World Wide Web. *Poetics, 27*, 233-253.

Hargittai, E. (2003). The Digital Divide and What to Do about It. In D. C. Jones (Ed.), *New Economy Handbook*, 822-839. San Diego, CA: Academic Press.

Harris, C. (1995). Whiteness as Property. In K. Crenshaw, B. Gotanda, G. Peller, and K. Thomas (Eds.), *Critical Race Theory: The Key Writings That Informed the Movement*. New York: New Press.

Harris-Perry, M. V. (2011). *Sister Citizen: Shame, Stereotypes, and Black Women in America*. New Haven, CT: Yale University Press.

Harvey, D. (2005). *A Brief History of Neoliberalism*. Oxford: Oxford University Press.〔デヴィッド・ハーヴェイ『新自由主義――その歴史的展開と現在』渡辺治監訳、森田成也／木下ちがや／大屋定晴／中村好孝訳、作品社、2007年〕

Heider, D., and Harp, D. (2002). New Hope or Old Power: Democracy, Pornography and the Internet. *Howard Journal of Communications, 13*(4), 285-299.

Herring, M., Jankowski, T. B., and Brown, R. E. (1999). Pro-Black Doesn't Mean Anti-White: The Structure of African-American Group Identity. *Journal of Politics, 61*(2), 363-386.

Hiles, H. (2015, March 18). Silicon Valley Venture Capital Has a Diversity Problem. *Recode*. Retrieved from www.recode.net.

Hindman, M. S. (2009). *The Myth of Digital Democracy*. Princeton, NJ: Princeton University Press.

Hirst, P. Q., and Thompson, G. F. (1999). *Globalization in Question: The International Economy and the Possibilities of Governance* (2nd ed.). Cambridge, MA: Polity.

Hobson, J. (2008). Digital Whiteness, Primitive Blackness. *Feminist Media Studies, 8*, 111-126. doi:10.1080/00220380801980467.

Holloway, T. (2010). The Big Picture: Search and Discovery. In J. Steele and N. Iliinsky (Eds.), *Beautiful Visualization*, 143–156. Sebastopol, CA: O'Reilly〔トッド・ホロウェイ「検索と発見における全体像の作成」、ジュリー・スティール／ノア・イリンスキー編『ビューティフルビジュアライゼーション』増井俊之監訳、牧野聡訳（Theory in practice）、オライリー・ジャパン、2011年、135-148ページ〕

hooks, b. (1992). *Black Looks: Race and Representation*. Boston: South End.

Hudson, N. (1996). From Nation to Race: The Origin of Racial Classification in Eighteenth-Century Thought. *Eighteenth-Century Studies, 29*(3), 247-264.

Hull, G. T., Bell-Scott, P., and Smith, B. (1982). *All the Women Are White, All the Blacks Are Men, but Some of Us Are Brave: Black Women's Studies*. Old Westbury, NY: Feminist Press.

Hunt, D., Ramón, A., and Tran, M. (2016). *2016 Hollywood Diversity Report: Busine$$ as Usual?* Ralph J. Bunche Center for African American Studies at UCLA. Retrieved from www.bunchecenter.ucla.edu.

Hyatt Mayor, A. (1971). *Prints and People*. Princeton, NJ: Metropolitan Museum of Art.

Ingram, M. (2011, September 22). A Google Monopoly Isn't the Point. *GigaOM*. Retrieved from www.gigaom.com.

Inside Google. (2010, June 2). *Traffic Report: How Google Is Squeezing Out Competitors and Muscling into New Markets*. Consumer Watchdog. Retrieved from www.consumerwatchdog.org.

Fujioka, Y. (1999). Television Portrayals and African-American Stereotypes: Examination of Television Effects When Direct Contact Is Lacking. *Journalism and Mass Communication Quarterly, 76*, 52-75.

Furner, J. (2007). Dewey Deracialized: A Critical Race-Theoretic Perspective. *Knowledge Organization, 34*, 144–168.

Galloway, A. R. (2008). The Unworkable Interface. *New Literary History, 39*(4), 931-956.

Galloway, A. R., Lovink, G., and Thacker, E. (2008). Dialogues Carried Out in Silence: An Email Exchange. *Grey Room, 33*, 96-112.

Gandy, O. H., Jr. (1993). *The Panoptic Sort: A Political Economy of Personal Information*. Boulder, CO: Westview〔O・H・ガンジー Jr.『個人情報と権力——統括選別の政治経済学』江夏健一監訳、国際ビジネス研究センター訳（JICカルチャー選書）、同文舘出版、1997 年〕

Gandy, O. H., Jr. (1998). *Communication and Race: A Structural Perspective*. London: Arnold.

Gandy, O. H., Jr. (2011). Consumer Protection in Cyberspace. *Triple C: Cognition, Communication, Co-operation, 9*(2), 175-189. Retrieved from www.triple-c.at.

Gardner, T. A. (1980). Racism in Pornography and the Women's Movement. In L. Lederer (Ed.), *Take Back The Night: Women on Pornography*, 105-114. New York: William Morrow.

Gillis, S. (2004). Neither Cyborg nor Goddess: The (Im)possibilities of Cyberfeminism. In S. Gillis, G. Howie, and R. Munford (Eds.), *Third Wave Feminism: A Critical Exploration*, 185–196. London: Palgrave.

Glusac, E. (2016, June 21). As Airbnb Grows, So Do Claims of Discrimination. *New York Times*. Retrieved from www.nytimes.com.

Golash-Boza, T. (2016). A Critical and Comprehensive Sociological Theory of Race and Racism. *Sociology of Race and Ethnicity, 2*(2), 129-141. doi:2332649216632242.

Gold, D. (2011, November 10). The Man Who Makes Money Publishing Your Nude Pics. *The Awl*. Retrieved from www.theawl.com.

Goldsmith, J. L., and Wu, T. (2006). *Who Controls the Internet? Illusions of a Borderless World*. New York: Oxford University Press.

Goodman, E. (2015, May 14). Open Letter to Google from 80 Internet Scholars: Release RTBF Compliance Data. *Medium*. Retrieved from www.medium.com/@ellgood.

Google. (2012, August 10). An Update to Our Search Algorithms. *Inside Search*. Retrieved from http://search.googleblog.com.

Gramsci, A. (1992). *Prison Notebooks*. Ed. J. A. Buttigieg. New York: Columbia University Press〔アントニオ・グラムシ『グラムシ獄中ノート』石堂清倫訳、三一書房、1978 年〕

Gray, H. (1989). Television, Black Americans, and the American Dream. *Critical Studies in Mass Communication, 6*(4), 376-386.

Greer, J. D. (2003). Evaluating the Credibility of Online Information: A Test of Source and Advertising Influence. *Mass Communication and Society, 6*(1), 11-28.

Gulli, A., and Signorini, A. (2005). The Indexable Web Is More than 11.5 Billion Pages. In *Proceedings of the WWW2005*. Retrieved from http://www2005.org.

Gunkel, D. J., and Gunkel. A. H. (1997). Virtual Geographies: The New Worlds of Cyberspace. *Critical Studies in Mass Communication, 14*, 123–137.

Guynn, J. (2016, July 15). Facebook Takes Heat for Diversity "Pipeline" Remarks. *USA Today*. Retrieved from www.usatoday.com.

Hacker, A. (1992). *Two Nations: Black and White, Separate, Hostile, Unequal*. New York: Scribner's〔アンドリュー・ハッカー『アメリカの二つの国民——断絶する黒人と白人』上坂昇訳、明石書店、1994 年〕

Halavais, A. (2009). *Search Engine Society*. Cambridge, MA: Polity〔アレクサンダー・ハラヴェ『ネット検索革命』田畑暁生訳、青土社、2009 年〕

Hall, S. (1989). Ideology. In E. Barnouw, G. Gerbner, W. Schramm, et al. (Eds.), *International Encyclopedia*

Epstein, R., and Robertson, R. (2015). The Search Engine Manipulation Effect (SEME) and Its Possible Impact on the Outcomes of Elections. *PNAS, 112*(33), E4512-E4521.

Essick, K. (2011, June). Guns, Money and Cell Phones. *Industry Standard Magazine*. Retrieved from www.globalissues.org.

Estabrook, L., and Lakner, E. (2000). Managing Internet Access: Results of a National Survey. *American Libraries, 31*(8), 60-62.

Evans, J., McKemmish, S., Daniels, E., and McCarthy, G. (2015). Self-Determination and Archival Autonomy: Advocating Activism. *Archival Science, 15*(4), 337-368.

Everett, A. (2009). *Digital Diaspora: A Race for Cyberspace*. Albany: SUNY Press.

Fairclough, N. (1995). *Critical Discourse Analysis*. London: Longman.

Fairclough, N. (2003). *Analysing Discourse: Textual Analysis for Social Research*. London: Routledge〔ノーマン・フェアクラフ『ディスコースを分析する――社会研究のためのテクスト分析』日本メディア英語学会メディア英語談話分析研究分科会訳、くろしお出版、2012年〕

Fairclough, N. (2006). *Language and Globalization*. London: Routledge.

Fairclough, N. (2007). *Analysing Discourse*. New York: Taylor and Francis.

Fallows, D. (2005, January 23). Search Engine Users. Pew Research Center. Retrieved from www.pewinternet.org.

Federal Communications Commission. (2010). *National Broadband Plan: Connecting America*. Retrieved from www.broadband.gov/download-plan/〔2023年4月現在、同サイトは閉鎖されているが、https://transition.fcc.gov/national-broadband-plan/national-broadband-plan.pdfで当該文書を閲覧可能〕

Ferguson, J. H., Kreshel, P., and Tinkham, S. F. (1990). In the Pages of *Ms.*: Sex Role Portrayals of Women in Advertising. *Journal of Advertising, 19*(1), 40–51.

Feuz, M., Fuller, M., and Stalder, F. (2011). Personal Web Searching in the Age of Semantic Capitalism: Diagnosing the Mechanisms of Personalization. *First Monday, 16*(2-7). Retrieved from www.firstmonday.org.

Fields, G. (2004). *Territories of Profit*. Stanford, CA: Stanford Business Books.

Filippo, J. (2000). Pornography on the Web. In D. Gauntlett (Ed.), *Web.Studies: Rewiring Media Studies for the Digital Age*, 122-129. London: Arnold.

Fleischer, P. (2011, March 9). Foggy Thinking about the Right to Oblivion, *Peter Fleischer: Privacy...?* (blog). Retrieved from http://peterfleischer.blogspot.com/2011/03/foggy-thinking-about-right-to-oblivion.html.

Forbes, J. D. (1990). The Manipulation of Race, Caste and Identity: Classifying Afro-Americans, Native Americans and Red-Black People. *Journal of Ethnic Studies, 17*(4), 1-51.

Ford, T. E. (1997). Effects of Stereotypical Television Portrayals of African Americans on Person Perception. *Social Psychology Quarterly, 60*, 266-278.

Foucault, M. (1972). *The Archaeology of Knowledge*. Trans. R. Swyer. London: Tavistock〔ミシェル・フーコー『知の考古学』慎改康之訳（河出文庫）、河出書房新社、2012年〕

Fouché, R. (2006). Say It Loud, I'm Black and I'm Proud: African Americans, American Artifactual Culture, and Black Vernacular Technological Creativity. *American Quarterly, 58*(3), 639-661.

France, M. (1999). Journalism's Online Credibility Gap. *Business Week, 3650*, 122–124.

Fraser, N. (1996). *Social Justice in the Age of Identity Politics: Redistribution, Recognition, and Participation. The Tanner Lectures on Human Values*. Stanford, CA: Stanford University Press〔ナンシー・フレイザー「アイデンティティ・ポリティクスの時代の社会正義――再配分・承認・参加」、ナンシー・フレイザー／アクセル・ホネット『再配分か承認か？――政治・哲学論争』加藤泰史監訳、法政大学出版局、2012年、7-116ページ〕

Fuchs. C. (2008). *Internet and Society: Social Theory in the Information Age*. New York: Routledge.

Fuchs, C. (2011). Google Capitalism. *Triple C: Cognition, Communication, Cooperation, 10*(1), 42–48.

Fuchs, C. (2014). *Digital Labour and Karl Marx*. New York: Routledge.

Color. *Stanford Law Review, 43*(6), 1241-1299.

Daniels, J. (2008). Race, Civil Rights, and Hate Speech in the Digital Era. In Anna Everett (Ed.), *Learning Race and Ethnicity: Youth and Digital Media*, 129-154. Cambridge, MA: MIT Press.

Daniels, J. (2009). *Cyber Racism: White Supremacy Online and the New Attack on Civil Rights*. Lanham, MD: Rowman and Littlefield.

Daniels, J. (2013). Race and Racism in Internet Studies: A Review and Critique. *New Media & Society, 15*(5), 695-719. doi:10.1177/1461444812462849.

Daniels, J. (2015). "My Brain Database Doesn't See Skin Color": Color-Blind Racism in the Technology Industry and in Theorizing the Web. *American Behavioral Scientist, 59*, 1377-1393.

Darnton, R. (2009, December 17). Google and the New Digital Future. *New York Review of Books*. Retrieved from www.nybooks.com.

Dates, J. (1990). A War of Images. In J. Dates and W. Barlow (Eds.), *Split Images: African Americans in the Mass Media*, 1-25. Washington, DC: Howard University Press.

Davis, A. (1972). Reflections on the Black Woman's Role in the Community of Slaves. *Massachusetts Review, 13*(1-2), 81–100.

Davis, J. L., and Gandy, O. H. (1999). Racial Identity and Media Orientation: Exploring the Nature of Constraint. *Journal of Black Studies, 29*(3), 367-397.

Delgado, R., and Stefancic, J. (1999). *Critical Race Theory: The Cutting Edge*. Philadelphia: Temple University Press.

Dewey, C. (2015, May 20). Google Maps' White House Glitch, Flickr Auto-tag, and the Case of the Racist Algorithm. *Washington Post*. Retrieved from www.washingtonpost.com.

Diaz, A. (2008). Through the Google Goggles: Sociopolitical Bias in Search Engine Design. In A. Spink and M. Zimmer (Eds.), *Web Searching: Multidisciplinary Perspectives*, 11-34. Dordrecht, The Netherlands: Springer.

Dicken-Garcia, H. (1998). The Internet and Continuing Historical Discourse. *Journalism and Mass Communication Quarterly, 75*, 19-27.

Dickinson, G. M. (2010). An Interpretive Framework for Narrower Immunity under Section 230 of the Communications Decency Act. *Harvard Journal of Law and Public Policy, 33*(2), 863-883.

DiMaggio, P., Hargittai, E., Neuman, W. R., and Robinson, J. P. (2001). Social Implications of the Internet. *Annual Review of Sociology, 27*, 307-336.

Dines, G. (2010). *Pornland: How Porn Has Hijacked Our Sexuality*. Boston: Beacon.

Dorsey, J. C. (2003). "It Hurt Very Much at the Time": Patriarchy, Rape Culture, and the Slave Body-Semiotic. In L. Lewis (Ed.), *The Culture of Gender and Sexuality in the Caribbean*, 294-322. Gainesville: University Press of Florida.

Duhigg, C., and Barboza, D. (2012, January 25). In China, Human Costs Are Built into an iPad. *New York Times*. Retrieved from www.nytimes.com.

Dunbar, A. (2006). Introducing Critical Race Theory to Archival Discourse: Getting the Conversation Started. *Archival Science, 6*, 109-129.

Dyer, R. (1997). *White*. London: Routledge.

Eddie, R., and Prigg, M. (2015, November 13). "This Does Not Represent Our Values": Tim Cook Addresses Racism Claims after Seven Black Students Are Ejected from an Apple Store and Told They "Might Steal Something." *Daily Mail*. Retrieved from www.dailymail.co.uk.

Eglash, R. (2002). Race, Sex, and Nerds: From Black Geeks to Asian American Hipsters. *Social Text, 20*(2), 49-64.

Eglash, R. (2007). Ethnocomputing with Native American Design. In L. E. Dyson, M. A. N. Hendriks, and S. Grant (Eds.), *Information Technology and Indigenous People*, 210-219. Hershey, PA: Idea Group.

Eisenhower, D. (1961). President's Farewell Address, January 17. Retrieved July 25, 2012, from www.ourdocuments.gov.

Boyer, L. (2015, May 19). If You Type a Racist Phrase in Google Maps, the White House Comes Up. *U.S. News*. Retrieved from www.usnews.com.

Boyle, J. (2003). The Second Enclosure Movement and the Construction of the Public Domain. *Law and Contemporary Problems, 66*(33), 33-74.

Braun, L., Fausto-Sterling, A., Fullwiley, D., Hammonds, E. M., Nelson, A., et al. (2007). Racial Categories in Medical Practice: How Useful Are They? *PLoS Medicine 4*(9): e271. doi:10.1371/journal.pmed.0040271.

Brin, S., and Page, L. (1998a). The Anatomy of a Large-Scale Hypertextual Web Search Engine. *Computer Networks and ISDN Systems, 30*(1-7), 107-117.

Brin, S., and Page, L. (1998b). The Anatomy of a Large-Scale Hypertextual Web Search Engine. Stanford, CA: Computer Science Department, Stanford University. Retrieved from http://infolab.stanford.edu/backrub/google.html〔2023 年 4 月現在リンク切れだが、当該資料は http://ilpubs.stanford.edu:8090/361/1/1998-8.pdf で閲覧可能〕

Brock, A. (2007). *Race, the Internet, and the Hurricane: A Critical Discourse Analysis of Black Identity Online during the Aftermath of Hurricane Katrina*. Doctoral dissertation. University of Illinois at Urbana-Champaign.

Brock, A. (2009). Life on the Wire. *Information, Communication and Society, 12*(3), 344-363.

Brock, A. (2011). Beyond the Pale: The Blackbird Web Browser's Critical Reception. *New Media and Society 13*(7), 1085-1103.

Brock, A., Kvasny, L., and Hales, K. (2010). Cultural Appropriations of Technical Capital. *Information, Communication and Society, 13*(7), 1040-1059.

Brown, M. (2003). *Whitewashing Race: The Myth of a Color-Blind Society*. Berkeley: University of California Press.

Burbules, N. C. (2001). Paradoxes of the Web: The Ethical Dimensions of Credibility. *Library Trends*, *49*, 441-453.

Burdman, P. (2008). Race-Blind Admissions. Retrieved from www.alumni.berkeley.edu.

Calore, M., and Gilbertson, S. (2001, January 26). Remembering the First Google Bomb. *Wired*. Retrieved from www.wired.com.

Castells, M. (2004). Informationalism, Networks, and the Network Society: A Theoretical Blueprinting. In M. Castells (Ed.), *The Network Society: A Cross-Cultural Perspective*, 3-48. Northampton, MA: Edward Elgar.

Caswell, M. (2014). *Archiving the Unspeakable: Silence, Memory, and the Photographic Record in Cambodia*. Madison: University of Wisconsin Press.

Chouliaraki, L., and Fairclough, N. (1999). *Discourse in Late Modernity*. Vol. 2. Edinburgh: Edinburgh University Press.

Cohen, N. (2016). *Writers' Rights: Freelance Journalists in a Digital Age*. Montreal: McGill-Queen's University Press.

Coleman, E. G. (2015). *Hacker, Hoaxer, Whistleblower, Spy: The Many Faces of Anonymous*. London: Verso.

Collins, P. H. (1991). *Black Feminist Thought: Knowledge, Consciousness, and the Politics of Empowerment*. New York: Routledge.

Corea, A. (1993). Racism and the American Way of Media. In A. Alexander and J. Hanson (Eds.), *Taking Sides: Clashing Views on Controversial Issues in Mass Media and Society*, 24-31. Guilford, CT: Dushkin.

Cornell, D. (1992). *The Philosophy of the Limit*. New York: Routledge.

Cortese, A. (2008). *Provocateur: Images of Women and Minorities in Advertising*. Lanham, MD: Rowman and Littlefield.

Courtney, A., and Whipple, T. (1983). *Sex Stereotyping in Advertising*. Lexington, MA: D. C. Heath.

Cowie, E. (1977). Women, Representation and the Image. *Screen Education, 23*, 15-23.

Craven, J. (2015, May 20). If You Type 'N— — House' into Google Maps, It Will Take You to the White House. *Huffington Post*. Retrieved from www.huffingtonpost.com.

Crenshaw, K. W. (1991). Mapping the Margins: Intersectionality, Identity Politics, and Violence against Women of

参考文献

AFP. (2012, May 23). Google's "Jew" Suggestion Leads to Judge Order. *The Local France*. Retrieved from thelocal.fr.

Anderson, B. (1991). *Imagined Communities: Reflections on the Origin and Spread of Nationalism* (2nd ed.). London and New York: Verso〔ベネディクト・アンダーソン『定本 想像の共同体――ナショナリズムの起源と流行』白石隆 / 白石さや訳（社会科学の冒険）、書籍工房早山、2007 年〕

Andrejevic, M. (2007). Surveillance in the Digital Enclosure. *Communication Review, 10*(4), 295–317.

Angwin, J., Larson, J., Mattu, S., and Kirchner, L. (2016). Software Used to Predict Criminality Is Biased against Black People. *TruthOut*. Retrieved from www.truth-out.org.

Anti-Defamation League. (2004). ADL Praises Google for Responding to Concerns about Rankings of Hate Sites. Retrieved from www.adl.org.

Apuzzo, M. (2015, July 22). Dylann Roof, Charleston Shooting Suspect, Is Indicted on Federal Hate Crimes. *New York Times*. Retrieved from www.nytimes.com.

Arreola, V. (2010, October 13). Latinas: We're So Hot We Broke Google. *Ms. Magazine Blog*. Retrieved from www.msmagazine.com.

Ascher, D. (2017). The New Yellow Journalism. Ph.D. diss., University of California, Los Angeles.

Associated Press. (2013, January 16). Calif. Teacher with Past in Porn Loses Appeal. *USA Today*. Retrieved from www.usatoday.com.

Associated Press v. United States. (1945). 326 U.S. 1, US Supreme Court.

Bagdikian, B. (1983). *The Media Monopoly*. Boston: Beacon〔ベン・H・バグディキアン『メディアの支配者――米マスコミ界を独占する 50 の企業』藤竹暁訳、光文社、1985 年〕

Bar-Ilan, J. (2007). Google Bombing from a Time Perspective. *Journal of Computer-Mediated Communication, 12*(3), article 8. Retrieved from http://jcmc.indiana.edu.

Barlow, J. P. (1996). A Declaration of the Independence of Cyberspace. Electronic Frontier Foundation. Retrieved from http://projects.eff.org/barlow/Declaration-Final.html.

Barth, F. (1966). *Models of Social Organization*. London: Royal Anthropological Institute.

Barzilai-Nahon, K. (2006). Gatekeepers, Virtual Communities and the Gated: Multidimensional Tensions in Cyberspace. *International Journal of Communications, Law and Policy, 11*, 1-28.

Battelle, J. (2005). *The Search: How Google and Its Rivals Rewrote the Rules of Business and Transformed Our Culture*. New York: Portfolio〔ジョン・バッテル『ザ・サーチ――グーグルが世界を変えた』中谷和男訳、日経 BP 社、2005 年〕

Bell, D. (1992). *Faces at the Bottom of the Well*. New York: Basic Books〔デリック・ベル『人種主義の深い淵――黒いアメリカ・白いアメリカ』中村輝子訳（朝日選書）、朝日新聞社、1995 年〕

Bennett, D. (2001). Pornography-dot-com: Eroticising Privacy on the Internet. *Review of Education, Pedagogy, and Cultural Studies, 23*(4), 381-391.

Berger, J. (1972). *Ways of Seeing*. London: British Broadcasting Corporation and Penguin Books〔ジョン・バージャー『イメージ――視覚とメディア』伊藤俊治訳（ちくま学芸文庫）、筑摩書房、2013 年〕

Berman, S. (1971). *Prejudices and Antipathies: A Tract on the LC Subject Heads Concerning People*. Metuchen, NJ: Scarecrow.

Blanchette J. F., and Johnson, D. G. (2002). Data Retention and the Panoptic Society: The Social Benefits of Forgetfulness. *Information Society, 18*, 33-45.

Bowker, G. C., and Star, S. L. (1999). *Sorting Things Out: Classification and Its Consequences*. Cambridge, MA: MIT Press.

リンデ，マコデ・エージェー 158, 159

る

ルーフ，ディラン・「ストーム」34, 178-182, 185, 186, 188, 189, 213, 310

れ

レイシャル・プロファイリング 19, 57, 261
レイズマ，マシュー 232, 234
連邦捜査局（FBI）の犯罪統計 182
連邦通信委員会（FCC）88, 246, 251, 253, 255, 266, 305, 306
連邦取引委員会（FTC）67, 92, 99, 250, 253, 255, 266, 314

ろ

労働市場 260
『ロサンゼルス・タイムズ』紙 59, 194
ロバーツ，サラ・T 11, 14, 26, 100, 102, 262
ロバートソン，タラ 211, 212
ロバートソン，ロナルド 93

わ

ワーフ，バーニー 149
ワイズマン，ジュディ 174
『ワシントン・ポスト』紙 27, 30, 195
忘れられる権利 35, 195-197, 199, 202, 208-210, 303

A

ArtStor 233-235

C

ConsumerWatchdog.org 99

F

FreePorn.com 143

L

『LA タイムズ』紙 60, 217

N

NAACP イメージ・アワード 314

P

PR アドネットワーク 253

R

「Racialicious」（ブログ）24

U

『USA トゥデイ』紙 12, 115, 117, 134, 192, 217
『US ニューズ・アンド・ワールド・レポート』誌 27

W

Wordze 144

「ホッテントットのビーナス」155
ホブソン，ジャネル 13, 264
ポルノグラフィ 103, 104, 118, 143, 162, 165
ホロウェイ，トッド 87

ま

マーシャル，ジョーン・K 229, 231, 308
マーティン，トレイヴォン 34, 179, 180, 185
マクチェズニー，ロバート 89, 248
「マザー」・エマニュエル・アフリカン・メソジスト監督教会 178
マセス，アダム 85
マッカーシー，キャメロン 14, 140, 141, 317
マッケソン，ディレイ 29, 30
マッサ，ボブ 253

み

『ミズ』誌のブログ 248
ミルズ，チャールズ 105

む

ムーア，ハンター 193, 195, 254

め

名誉毀損防止同盟 78, 80, 252, 256
メガテック社 101, 102
メディア 31, 33, 51, 62, 64, 65, 77, 79, 88, 98, 99, 103, 104, 122, 124, 138, 141, 146, 147, 150, 151, 159, 161-163, 166, 169-171, 174, 192, 201, 209, 236, 242, 248, 249, 255, 259, 264, 272, 286, 291
『メディア・マターズ』89
メマク・オグルヴィ & メイザー・ドバイ 40, 41

も

モービル，ピーター 145, 146

や

ヤフー 53, 83, 100, 146, 188, 237, 238
ヤング，ミレイユ・ミラー 13, 164, 166

ゆ

ユーチューブ 25, 57, 99, 142, 203, 250, 259, 260, 310
ユルゲンソン，ネイサン 259

よ

ヨーロッパ中心主義 226

ら

ラーナー，ゲルダ 154, 155
ライコス（Lycos）53
『ライターの権利』（ニコール・コーヘン）247
『ライブラリー・ジャーナル』誌 216
ランス，エセル 178

り

リーイェロス，レーナ・エーデルソン 157-159
「リコード」116
リッツァー，ジョージ 259
リプシッツ，ジョージ 104, 105, 269
リベンジポルノ 193, 194, 197, 254, 310

307
フィルターバブル 26
フーシェ，レイヴォン 175
フェアクロー，ノーマン 107, 151
フェアユース 252
フェイクニュース 293, 292
フェイスブック 22, 97, 99, 102, 115, 121, 193, 195, 205, 251, 254, 281, 289, 318
フェミニストやゲイの解放運動 212
フェミニズム 24, 61, 62, 73, 154, 157, 162, 171-174, 212, 221, 289
フォイツ，マーティン 96
フォード，トーマス・E 147
フォスケット，アンソニー・チャールズ 220
フジオカ，ユキ 147
フックス，クリスチャン 14, 26, 259, 260
フックス，ベル 13, 65, 152, 166
不同意ポルノ（NCP）194
プニアナント＝カーター，ナリッスラ・M 147
普遍的人間性 110
フラー，マシュー 96
フライシャー，ピーター 206
プライバシー 57, 67, 92, 96, 97, 196, 200, 201, 204, 206-208, 210, 262, 314, 315
ブラウン，ロナルド 169
ブラック・ガールズ・コード 54, 114, 115
ブラック・ガールズ（ロックバンド）120
『ブラック・スカラー』誌 34
ブラック，ダイアン 218
ブラック・フェミニズム 44, 60- 62, 64, 65, 107, 153, 163, 164, 172, 273
ブラック・フェミニズム的テクノロジー研究（BFTS）273
ブラック・ライブズ・マター 265, 298
『ブラック・ルックス』（ベル・フックス）152
フラハティ，コリン 167
ブランシェット，ジャン・フランソワ 201, 206, 207
ブリン，セルゲイ 71, 74-77, 80, 85, 316
プログラマー 54, 72, 115, 122
プロシューマー主義 259
ブロック，アンドレ 14, 43, 150, 151, 241
プロディジー 254, 255
文化的帝国主義 142
分散型サービス妨害（DDOS）182
分類体系 219-221, 226, 228, 231

へ

ペイジ，ラリー 71, 74-77, 85, 318
ヘイトクライム（憎悪犯罪）178, 312
ページランク 34, 72, 74-78, 84-86, 253, 316
ベライゾン 201, 250, 254
ヘリング，メアリー 169

ほ

（ブランダイス大学の）報告書 267
法制化 35
保守派市民協議会（CCC）179-181, 186-189, 310

トレイトラー，ヴィルナ・バシー 13, 125, 133
トンプソン，マイラ 178

な

ナッシュ，ジェニファー・C 163, 164
南部貧困法律センター 167, 181, 189, 310

に

ニーゼン，モリー 92
ニコルズ，ジョン 89, 248
ニッセンバウム，ヘレン 26, 55

ね

ネグロポンテ，ニコラス 318

の

ノースポイント社 55

は

ハーヴェイ，デヴィッド 151
バージャー，ジョン 103
ハーディング，サンドラ 13, 61
ハード，シンシア 178
バートマン，サラ 155-157, 164
ハープ，ダスティン 102
バーマン，サンフォード 223, 224, 229, 231, 232, 309
バーロウ，ジョン・ペリー 107, 108
バイアス 31, 35, 51, 55, 56, 63, 71, 77, 124, 148, 187, 199, 220, 223, 232, 240, 281, 291, 298
ハイダー，ドン 102
ハイルズ，ヘザー 116, 117
パウルス，ジュリア 209
白人至上主義者 34, 159, 167, 178, 274, 291
バグディキアン，ベン 77
博物館・図書館サービス機構 15, 293
パスカーレ，フランク 26, 57
バッテル，ジョン 236
パディーリャ，メリッサ 216
ハドソン，ニコラス 220
ハラヴェ，アレックス 14, 26, 52, 53
バロン，ジル 216, 217
パワーズ，ローラ・ワイドマン 115
反人種主義国際連盟 79
「反多様性」マニフェスト 20
ハント，クリストファー 40
ハント，ダーネル 98

ひ

ピーターソン，ラトーヤ 24, 25
ピート，リサ 216, 217
『ビッチ』誌 12, 24
批判的人種理論 107, 219, 222, 230, 240
ピュー・インターネット・アンド・アメリカン・ライフ・プロジェクト 68, 91, 94
ピュー・リサーチ・センター 92
美容室 275, 281
ピンクニー，クレメンタ 178

ふ

ファーナー，ジョナサン 14, 219
ファノン，フランツ 231
フィルター 83, 97, 121, 146, 261, 281,

スミス，リンダ・C 12, 15, 75

せ

性差別 16, 20, 21, 24-26, 31-34, 36, 40, 41, 45, 53, 59, 62, 63, 79, 83, 98, 100, 101, 103, 110, 111, 118, 122, 139, 148, 150, 157, 159, 220, 230, 248, 263, 265, 266, 289, 295, 300, 314
セゲフ，イラド 26, 58, 142, 319
ゼラン対アメリカ・オンライン社裁判 255
全米芸術基金 295
全米黒人地位向上協会（NAACP）98

そ

ソーシャルネットワーク及び検索エンジンにおける忘れられる権利に関する憲章（フランス）196

た

ダートマス自由予算計画 216
ダーントン，ロバート 251, 252
ダインズ，ゲイル 165, 166
ダニエルズ，ジェシー 14, 138, 139, 174, 186, 274
ダモア，ジェームズ 20

ち

知的財産権 90
中立性 44, 63, 98, 107, 219, 222, 250
著作権 90, 193, 207, 314
チン，デニー 252

つ

ツイッター 16, 34, 60, 134, 136, 179, 193, 217, 251, 261, 293

て

デイヴィス，ジェシカ 141
ディキンソン，グレゴリー・M 254, 255
テクノロジカル・レッドライニング 19
デサンティス，ジョン 217
デジタル・ディバイド 66, 98, 142, 257, 258, 263, 317
デジタル・フットプリント 34, 318
デジタルメディアプラットフォーム 26, 27, 34, 36, 61, 68, 100, 176, 236, 287, 317, 318
テトゥガ，シャロン 12, 13, 268
デューイ十進分類法 51, 219, 225

と

透明性 148, 196, 210, 213, 287, 288
ドーシー，ジョセフ・C 153
ドクター，デパイン・ミドルトン 178
図書館・図書館員 16, 26, 31, 33, 35, 42, 51, 65, 66, 69, 70, 73, 90, 140, 163, 178, 185, 198, 211-213, 216-219, 223, 224, 226, 228, 230- 232, 234, 235, 242, 246, 249, 251, 252, 274, 293, 294, 306, 315
トフラー，アルビン 309
トラフィック・ルーティング（経路選択）における差別 250
トランプ，ドナルド 265, 291-293

シカゴ・アーバン・リーグ 314
シカゴ・トリビューン 217
ジットレイン，ジョナサン 83
資本主義 62, 65, 108, 151, 167, 175, 213, 236, 261, 300
ジマーマン，ジョージ 179, 180
ジム・クロウ人種差別記念博物館 159, 160
シモンズ，ダニエル，シニア 178
社会的不平等 20, 35, 36, 55, 59, 265
ジャクソン，スージー 178
ジャンコウスキー，トーマス 169
住宅・教育市場 267
10年間のブロードバンド計画 246
シュタルダー，フェリックス 96
シュヘイバー，カリーム 40
商業的影響 42
商業的コンテンツ・モデレーション 100
商業的利益 63, 70, 248, 252, 286
「承認の政治」139
商品としての視聴者 259
情報学 35, 37, 71, 211, 219, 232
情報通信技術（ICT）151, 173, 197, 239, 241, 258, 260
情報の私有化・販売 34, 37, 91, 197
ジョンソン，デボラ 201, 206, 207
シラー，ダン 15, 151
シラー，ハーバート 13, 91, 246
シングルトン，シャロンダ 178
人工知能 20, 22, 26, 36, 37, 55, 58, 60, 213, 231, 237, 267, 270, 290, 298-300, 303
新自由主義 19, 34, 63, 65, 69, 108, 115, 151, 152, 167, 208, 210, 213, 258, 263, 265, 286, 294
人種カテゴリー 133, 156, 157
『人種契約』（チャールズ・W・ミルズ） 105
人種主義 16, 17, 20, 21, 23-26, 31-34, 36, 41, 43, 45, 53, 55, 59, 60, 62, 63, 69, 79, 83, 98, 100-105, 110, 111, 115, 116, 118, 121, 122, 133, 134, 138, 146, 148, 150, 154, 159, 164, 174, 178, 179, 182, 185, 188, 220, 222, 224, 230-232, 234, 248, 261, 263, 266, 268, 269, 289, 295, 309, 314
人種主義マニフェスト 179
人種分類 220, 221
人種編成論 125, 139
新植民地主義的プロジェクト 262

す

スウィーニー，ラターニャ 200
（コンテンツ・）スクリーニング 254
スコット，キース・ラモント 59, 60
ステパン，ナンシー・リーズ 108
ステレオタイプ 17, 33, 34, 51, 61, 65, 68, 98-100, 121, 122, 124, 136, 141, 147, 156, 157, 159-161, 163, 166, 167, 170, 171, 185, 233, 248
ストーム，ダーリーン 205
ストームフロント 274
ストラットン・オークモント社対プロディジー・サービス社裁判 254
スナップチャット 121, 261
スマイス，ダラス 259

グロス，ティナ 217
クロフォード，ケイト 14, 26, 55
軍産プロジェクト 92

け

警察のデータベースの顔写真 199
（ハードウェア製造のための）原鉱採掘 258
検索エンジン 26, 33-35, 41, 42, 51-55, 57, 61-63, 65-67, 68, 70-74, 77, 80, 83, 86, 89, 90, 93-97, 106, 110, 121, 124, 139-143, 146, 147, 155, 161, 162, 172, 175, 185, 187, 196, 198, 199, 209, 210, 213, 222, 226, 231, 235-243, 246, 248-250, 253-255, 272, 288, 294, 297, 310, 316
検索エンジン最適化 75, 76, 85, 86, 88, 89, 97, 143, 151, 186
『検索エンジンの利用 2012 年版』94
検索結果 23-27, 29, 30, 33, 34, 40-47, 51, 54, 60-63, 68-72, 75-83, 85, 87-89, 93-97, 99, 107, 111, 114-116, 118-121, 123, 124, 126-132, 134-136, 140, 142, 143, 146, 164, 167, 168, 171-173, 181-189, 195-199, 207, 233, 235, 237, 240, 249, 260, 261, 262, 280, 287, 289, 318
言論の自由 83, 101, 230, 274

こ

公共政策 27, 35-37, 66, 133, 148, 208, 213, 218, 256, 266, 274, 290
広告 22, 26, 27, 34, 40-42, 44, 51, 68-70, 72-78, 84, 86, 89, 95-99, 101, 103, 120, 121, 148, 149, 163, 170, 171, 186, 187, 198, 200, 207, 230, 242, 247-249, 253, 259, 260, 280-284, 286, 313, 314, 318
広告企業 25, 90
コーヘン，ニコール 247
ゴーラッシュ＝ボザ，ターニャ 14, 133
ゴールド，ダニー 193
「黒人の女の子」の検索結果 24, 78, 120
国連 40, 41, 306
個人情報 57, 195, 196, 201-203, 205, 210, 279
コムスコア・メディア・メトリックス消費者パネル 68, 94
雇用慣行 21, 115, 118
『コンピュータワールド』誌 205

さ

『サーチエンジン・ウォッチ』87
サーチキング 253
サイバー・シビルライツ・イニシアチブ 194, 312
サイバースペース 150, 169, 173, 174
「サイバースペース独立宣言」（ジョン・ペリー・バーロウ）107
『サイバーレイシズム』（ジェシー・ダニエルズ）186
サラセヴィック，テフコ 237, 238
サンダース，タイワンザ 178
サンダース，フェリシア 178
サントラム，リック 86

し

シェパード，ポリー 178
ジェンダー・プロファイリング 57

237, 240, 249, 252, 274, 286, 288, 307, 310, 312-314, 316, 318
ウォレス，ミシェル 264

え

エヴェレット，アナ 174
エデルマン，ベンジャミン 83
エプスタイン，ロバート 93

お

欧州委員会 252
欧州司法裁判所 195
オーウェン，ジュリー・カボス 192
オープンインターネット連盟 251
オニール，キャシー 56
『オフ・アワー・バックス』212
オミ，マイケル 134
オルソン，ホープ・A 223, 225-228
『オン・アワー・バックス』211, 212
オンライン・ディレクトリ 53

か

『ガーディアン』紙 209, 311
ガードナー，トレーシー・A 103, 104
ガンディー，オスカー，ジュニア 141, 202
カンディス 36, 275-278, 283, 285, 305, 318

き

キーワード検索 63, 85, 106, 107, 175, 242, 259, 260
キーワード見積もりツール 84
ギャロウェイ，アレックス 235
キルボーン，ジーン 13, 171
ギレスピー，タールトン 26, 55
キング，マーティン・ルーサー，ジュニア 274

く

グイン，ジェシカ 115-117, 136
グーグル・アドワーズ 120, 313
グーグル・イメージ・ラベラー 317
グーグル・ウェブ・ヒストリー 315
グーグル画像検索 28, 30, 33, 49, 50, 134, 317
『グーグル化の見えざる代償』（シヴァ・ヴァイディアナサン）78
グーグルグラス 58, 262, 263
グーグル検索 23, 25, 33, 34, 40, 41, 44, 58, 61, 63, 64, 67, 68, 73, 76, 82, 90, 97, 102, 110, 114, 120, 121, 124, 126-132, 134, 136, 142, 151, 157, 162, 175, 180, 183, 184, 186, 219, 223, 228, 237, 286, 287, 292, 298, 300
グーグル・スペイン対スペインデータ保護庁（AEPD）およびマリオ・コステハ・ゴンザレス 195
グーグル爆弾 85-87, 316
グーグルブックス 90
グーグルマップ 27-29, 31
クーン，アネット 172
クサンスリス，ナポレオン 206, 207
グッドマン，エレン・P 209
グライムズ，ジョン 149
クラウドソーシング 319
「グラスホール」262
クリック単価（CPC）84

索　引

あ

アーバン・リーグ 98
アイゼンハワー，ドワイト・D 315
「新しい資本主義」151
アッシャー，ダイアナ 14, 59, 60
アップル 261, 263, 306
『あなたを支配し、社会を破壊する、AI・ビッグデータの罠』（キャシー・オニール）56
アノニマス（ハッカー集団）182, 310
アファーマティブ・アクション 36, 265, 277
アフリカ人のセクシュアリティ 155
アメリカ議会図書館 216-219, 223-225, 229-231, 309
アメリカ議会図書館件名標目表（LCSH）51, 218, 223-225, 229, 230, 309
　「N*ggers」229
　「会計士の女性」224
　「ジプシー」225
　「人種問題」「ネグロ」224, 228
　「東洋人」225
　「不法滞在外国人」217, 218
　「ユダヤ人問題」224, 228
アリ，カビール 134-136
アルゴリズム 19-22, 24-27, 30-37, 41, 45, 53-55, 57, 59, 60, 69-71, 74-76, 79, 80, 92, 97, 99, 118, 134, 136, 138, 140, 146, 148, 162, 167, 176, 188, 207, 209, 213, 220, 231, 232, 235, 237, 247, 256, 267, 272, 279, 280, 284, 285, 287, 289, 298-305, 316, 318
アルファベット 58, 67, 142, 219, 262
アレオラ，ベロニカ 248
アングウィン，ジュリア 55
アンダーソン，ベネディクト 220

い

イェルプ 36, 140, 274, 279-285, 287, 305
イニゲス，ノエ 194
移民改革・平等・ドリーマーズ連合（CoFired）217
『イメージ——視覚とメディア』（ジョン・バージャー）103
『イメージの力』（アネット・クーン）172
イングラム，マシュー 256
インスタント検索 248
イントローナ，ルーカス 26, 55

う

ヴァイディアナサン，シヴァ 14, 26, 57, 78, 252
ウィッツェル，エイミー 217
ウィナー，ラングドン 148
ウィナント，ハワード 134
ウェスト，コーネル 228, 259
ウェブサイト 11, 23, 40, 61, 71, 72, 75, 79, 80, 84-88, 142, 143, 146, 151, 172, 181, 182, 185-188, 197, 207, 208, 230,

［訳者］

大久保 彩（おおくぼ あや）

2019年、東京大学大学院総合文化研究科修士課程修了。修士（文化人類学）。訳書にゴットフリート・レイブラント／ナターシャ・デ・テラン『教養としての決済』（東洋経済新報社）、経済協力開発機構（OECD）『図表でみる教育OECDインディケータ（2023年版）』（共訳、明石書店）、翻訳協力にヘレン・S・ペリー『ヒッピーのはじまり』（阿部大樹訳、作品社）など。

［解説者］

前田春香（まえだ はるか）

京都大学特定研究員。東京大学大学院学際情報学府博士前期課程修了。修士（学際情報学）。専門は哲学・倫理学。論文に「アルゴリズムの判断はいつ差別になるのか——COMPAS 事例を参照して」（『応用倫理』第12号）など。当該論文は2021年度第37回電気通信普及財団の学際研究学生賞（奨励賞）を受賞。

佐倉 統（さくら おさむ）

東京大学大学院情報学環教授、理化学研究所革新知能統合研究センター・チームリーダー。もともとの専攻は霊長類学だが、現在は科学技術と社会の関係についての研究考察が専門領域。人類進化の観点から人類の科学技術を定位することが根本の関心。著書に『科学とはなにか』（講談社）など。

［著者］

サフィヤ・U・ノーブル（Safiya U. Noble）

カリフォルニア大学ロサンゼルス校（UCLA）教育・情報学部教授、同大学UCLA批判的インターネット研究センター（C2i2）共同創設者およびファカルティ・ディレクター、オックスフォード大学オックスフォード・インターネット研究所研究員。2021年、アルゴリズムによる差別についての研究により、マッカーサー基金の奨学金（通称「天才賞」）受賞者に選出。2022年、NAACPアーチウェル・デジタル公民権賞の第1回受賞者に選出。共編著に、*The Intersectional Internet: Race, Sex, Culture and Class Online*（Peter Lang）、*Emotions, Technology and Design*（Academic Press）.

抑圧のアルゴリズム
——検索エンジンは人種主義をいかに強化するか

2024年1月31日　初版第1刷発行

著　者　サフィヤ・U・ノーブル
訳　者　大久保 彩
解説者　前田春香／佐倉 統
発行者　大江道雅
発行所　株式会社 明石書店
〒101-0021 東京都千代田区外神田6-9-5
電話　03（5818）1171
FAX　03（5818）1174
振替　00100-7-24505
https://www.akashi.co.jp/
装丁　清水 肇（prigraphics）
印刷／製本　モリモト印刷株式会社

（定価はカバーに表示してあります）　ISBN 978-4-7503-5686-0

暴力のエスノグラフィー 産業化された屠殺と視界の政治
ティモシー・パチラット著
小坂恵理訳　羅芝賢解説
◎2800円

ハロー・ガールズ アメリカ初の女性兵士となった電話交換手たち
エリザベス・コッブス著　石井香江監修　綿谷志穂訳
◎3800円

カタストロフか生か コロナ懐疑主義批判
ジャン＝ピエール・デュピュイ著
渡名喜庸哲監訳
◎2700円

危機の時代の市民と政党 アイスランドのラディカル・デモクラシー
塩田潤著
◎3600円

レヴィナスを理解するために 倫理・ケア・正義
コリーヌ・ペリュション著
渡名喜庸哲、樋口雄哉、犬飼智仁訳
◎3000円

無意識のバイアス 人はなぜ人種差別をするのか
ジェニファー・エバーハート著
山岡希美訳　高史明解説
◎2600円

日常生活に埋め込まれたマイクロアグレッション 人種、ジェンダー、性的指向：マイノリティに向けられる無意識の差別
デラルド・ウィン・スー著　マイクロアグレッション研究会訳
◎3500円

トランスジェンダー問題 議論は正義のために
ショーン・フェイ著
高井ゆと里訳　清水晶子解説
◎2000円

右翼ポピュリズムのディスコース【第2版】 恐怖をあおる政治を暴く
ルート・ヴォダック著　石部尚登訳
◎4500円

大学生がレイシズムに向き合って考えてみた 差別の「いま」を読み解くための入門書
一橋大学社会学部貴堂ゼミ生著
◎1600円

ホワイト・フラジリティ 私たちはなぜレイシズムに向き合えないのか？
ロビン・ディアンジェロ著
貴堂嘉之監訳　上田勢子訳
◎2500円

ナイス・レイシズム なぜリベラルなあなたが差別するのか？
ロビン・ディアンジェロ著
甘糟智子訳　出口真紀子解説
◎2500円

統治不能社会 権威主義的ネオリベラル主義の系譜学
グレゴワール・シャマユー著　信友建志訳
◎3200円

ドローンの哲学 遠隔テクノロジーと〈無人化〉する戦争
グレゴワール・シャマユー著　渡名喜庸哲訳
◎2400円

差別と資本主義 レイシズム・キャンセルカルチャー・ジェンダー不平等
トマ・ピケティほか著
尾上修悟、伊東未来、眞下弘子、北垣徹訳
◎2700円

デジタル革命の社会学 AIがもたらす日常世界のユートピアとディストピア
アンソニー・エリオット著
遠藤英樹、須藤廣、高岡文章、濱野健訳
◎2500円

〈価格は本体価格です〉